МАРШ ТУРЕЦКОГО

Фридрих НЕЗНАНСКИЙ

Последний маршал

МОСКВА

ИЗДАТЕЛЬСТВО
ОЛИМП
1996

ББК 84(2Рос-Рус)6
  Н44
УДК 882-31

Серия основана в 1995 году

Художник *Марат Закиров*

Эта книга от начала до конца придумана автором. Конечно, в ней использованы некоторые подлинные материалы как из собственной практики автора, бывшего российского следователя и адвоката, так и из практики других российских юристов. Однако события, места действия и персонажи безусловно вымышлены. Совпадения имен и названий с именами и названиями реально существующих лиц и мест могут быть только случайными.

ISBN 5-7390-0263-X («Олимп»)
ISBN 5-7841-0157-9 (АСТ)

Глава 1

ТУРЕЦКИЙ. ИЮНЬ 96-го

1

Вообще-то вечер начинался сравнительно неплохо. Мне и в голову не могло прийти, что закончится он так трагически, хотя профессия, конечно, приучила меня быть всегда готовым к самым неожиданным вещам, причем в любое время суток. Но такую свинью можно ожидать, скажем, от Кости Меркулова или от Грязнова, а от симпатичной женщины, с которой ты когда-то в дни безмятежной молодости неплохо проводил время в постели, не слишком особенно ждешь, что она возьмет и впряжет тебя во что-нибудь такое пакостное. В два часа ночи.

Танька Зеркалова впрягла.

Вечер, повторяю, начался неплохо, да и завершился он, кстати, тоже вполне прилично. Штука в том, что в последнее время Ирина, жена моя, стала какой-то очень уж нервной, что не могло не сказаться на нашей и так не слишком безоблачной семейной жизни. Одно время я даже стал сомневаться, правильно ли мы поступили, решив рожать второго ребенка: терпеть не могу занудливых женщин, даже если это моя собственная жена. Впрочем, подозреваю, что я здесь не оригинален: кому нравится, когда под ухом у тебя постоянно гундосят и осыпают несправедливыми упреками и оскорблениями, невзирая ни на твою усталость после трудовых будней, ни на здравый смысл.

Как любит говаривать мой шеф и куратор Костя Меркулов, «...трудовые будни Генеральной прокуратуры — это вам не рождественские каникулы и даже не Всемирный день трудящихся». Мне только что удалось закончить очередное закрученное дело, и я на полном серьезе рассчитывал найти в родной семье успокоение и поддержку. Как оказалось — фиг. Во всяком случае, до следующего вечера.

Понимаю, что беременность — это тоже не коммунистический субботник, но ведь и совесть иметь надо, тем более что опыт был и беременность эта не первая. Результат первой, под нормальным русским именем Нина, вполне может послужить доказательством того, что не так страшен черт, как его малюют.

Мне, конечно, легко рассуждать, я мужчина, и этим все сказано. Я и не спорю. Но если бы вы побывали в моей шкуре хотя бы чуточку времени, вы бы поняли, что я имею в виду.

Но как раз сегодня все разрешилось и встало на свои места. Ирина, моя супруга, приняла решение ехать к своей тетке в Ригу и рожать там. Я всегда уважал решения других людей, если они не противоречили закону. А уж в правовой лояльности жены я вообще никогда не сомневался. Так что свет в конце тоннеля забрезжил, и я, как никто другой, был рад тому обстоятельству, что наша молодая семья естественным способом нашла путь, который поможет ей сохранить себя как не самую плохую ячейку нашего общества.

Итак, решение, повторяю, было принято. Беременная жена оставляет своего непутевого мужа, то есть меня, в Москве, а сама едет в Ригу, чтобы в прибалтийской тиши постараться родить нам наследника. Ну очень мы с женой мудрые люди.

С этим мы и стали укладываться спать, довольные жизнью и друг другом. Я с удовольствием поцеловал на ночь Ирину и лег в постель, предвкушая, как наконец все-таки усну, впервые за последние несколько дней. По-настоящему я высыпаюсь только по завершении очередного дела. И сейчас мне сам Бог велел ложиться и засыпать: я наконец поладил с женой и закончил еще одно сложное дело. Блаженная сонная истома заранее расплывалась по моему усталому телу.

Все было напрасно.

Едва голова моя коснулась подушки и по всем законам жанра я должен был моментально уснуть, именно в этот самый момент, который во всех детективных романах совпадает с отходом главного героя ко сну, пронзительно зазвенел звонок в дверь. Впечатление было такое, что кого-то убили и кто-то спешил поделиться со мной этой новостью, не обращая внимания на такие мелочи, как два часа ночи.

— Кого черт несет в такое время? — удивилась

Ирина и, сев на кровати, ногами стала искать тапочки.

— Спроси кто, — сонно посоветовал ей я.

— Сам не желаешь открыть? — упрекнула она меня.

— Щас! — сказал я и перевернулся на другой бок.

Но сна, как вы понимаете, уже не было ни в одном глазу. Я шумно вздохнул и одним рывком поднял свое жаждущее отдыха тело с постели.

До двери мы с женой дошли одновременно.

— Кто там? — спросила Ирина.

И началось...

— Ирина, пожалуйста, откройте, это я, Таня Зеркалова! — раздался голос с лестничной площадки, в котором явственно ощущалась паника. — Мне нужен ваш муж, Турецкий, пожалуйста, Ирина, откройте, у меня горе, мне нужна помощь, я умоляю вас, откройте, пожалуйста!

Ирина вопросительно посмотрела на меня. Голос был мне знаком, и хотя сейчас, в эту минуту, он был почти до неузнаваемости искажен плачем, я практически сразу узнал Таню Зеркалову. Кивнув жене, я открыл дверь и тут же машинально отшатнулся назад, потому что Таня ворвалась в квартиру со скоростью метеора. И хотя, как она говорила, нужен ей был я, тем не менее на грудь она бросилась почему-то не ко мне, а к моей жене.

И отчаянно, в голос, зарыдала.

— Ну что вы, — пробовала успокоить ее Ирина, растерянно поглядывая на меня, — ну что вы, успокойтесь.

Таня плакала, не в силах произнести ни слова.

Я подошел к женщинам и тронул ту из них, которая плакала, за плечо.

— Тань...

Ночная гостья тут же оставила в покое Ирину, повернулась ко мне и, сменив таким образом объект, зарыдала с новой силой.

Мне ничего не оставалось делать, как гладить ее по волосам и повторять, словно заведенный, в точности то же, что делала моя жена.

— Ну что ты, Таня, — приговаривал я как попугай. — Ну что ты, успокойся.

Плач только усиливался, и в конце концов мне это надоело. Я решительно отстранил ее от себя и встряхнул за плечи.

— Таня! — требовательно и громко произнес старший следователь по особо важным делам Александр Турецкий, то есть я. — Что случилось?!

Она подняла на меня заплаканные глаза и шепотом произнесла:

— Папа... — и снова заплакала.

— Что — папа? — Я был настойчив. — Что с Михаилом Александровичем?

. Михаилу Александровичу Смирнову, отцу Тани Зеркаловой, по-моему, давно уже перевалило за восемьдесят, и не было ничего невероятного в том, что он мог скончаться. Но пусть же сама скажет.

— Таня! — крикнул я. — Что с отцом?

Она не отвечала. Тогда я спросил как можно мягче:

— Неужели умер?

Она наконец кивнула:

— Его убили...

— Что?! — воскликнул я.

9

А она вдруг стала повторять, словно заведенная:

— Его убили, убили, убили, его убили, убили, его убили...

— Таня!

Она замолчала и посмотрела на меня.

— Таня, — повторил я. — Что случилось, Таня?

Почему-то она сразу успокоилась. Вытерев ладонью слезы, сказала:

— Пошли! — И, не оборачиваясь, направилась к выходу.

Я торопливо натянул спортивный костюм и кинулся за ней, но уже у двери вспомнил об Ирине. Обернувшись, махнул ей рукой: мол, ложись и спи. Она тоже сделала мне знак ладонью: иди и ты, Турецкий... Ну и так далее. Но на лице ее была тревога.

Наши дома стоят рядом, и идти было недалеко — минуты две, не больше. Но и это очень короткое время показалось мне вечностью. Таня шла очень быстро, и мне приходилось чуть ли не бежать за ней.

— Ужас, — повторяла она, — это ужас, ужас!

Войдя в подъезд, она не стала вызывать лифт, а сразу бросилась вверх по лестнице. Мне ничего не оставалось делать, как последовать за ней, благо этаж был всего лишь третий. Дверь оставалась открытой — она и не подумала ее запереть, когда побежала за помощью. Не останавливаясь ни на мгновение, мы с Таней вбежали в квартиру.

Перед закрытой дверью в гостиную Таня остановилась и сказала:

— Здесь.

— Погоди-ка.

Я отстранил ее от двери, намереваясь не впускать в комнату, где произошло предполагаемое убийство, никого, будь то даже хозяйка квартиры.

— Постой здесь, пожалуйста, — попросил я Таню.

Объяснять ей ничего не надо было, она все понимала. Ей оставалось только положиться на меня. Что она и сделала. Я вздохнул и, открыв дверь, вошел в комнату.

Да, убийство было налицо. К тому же в комнате кто-то основательно покуражился, не хватало только летающих в подобных случаях пуха и перьев. Но ведь это была не спальня, напомню, а гостиная. Впрочем, тут и без пуха царил сплошной бардак.

Михаил Александрович сидел в кресле, а вместо верхней половины его головы была сплошная кровавая масса. За его спиной, на стене, багровым пятном, словно на страшном абстракционистском полотне, налипли тошнотворные сгустки. Я машинально похвалил себя за то, что оставил Таню в прихожей. Она, конечно, все это уже видела, но злоупотреблять подобным зрелищем не стоит.

В комнате явно происходило побоище. Но кому нужно было драться со стариком, да так, что оказалась поломанной чуть ли не вся мебель?! Что-то здесь не так. Убийство вообще штука рутинная, но этот случай был особенно странным. Зачем

Смирнову драться? Точнее — зачем драться со Смирновым?! Достаточно было дунуть на него, чтобы прекратить любые его попытки к сопротивлению. А тут — будто тяжеловесы резвились. От обстановки — рожки да ножки.

Стараясь ничего не задевать, я осторожно вышел из комнаты. Таня стояла в прихожей и, зажав лицо между ладонями, покачивалась из стороны в сторону и тихо-тихо стонала.

— Боже мой... — бормотала она. — Боже, Боже мой!

Я взял ее за плечи и легонько притянул к себе.

— Таня, — сказал я. — Как это произошло?

Она замотала головой.

— Ничего не знаю, — проговорила, всхлипывая. — Ничего. Я только приехала. Позвонила, мне никто не открывает. А свет, я снизу видела, горел. Я открываю дверь своим ключом, захожу, а там... о-о-о-о!!! — И она снова зарыдала, вспомнив, видимо, картину, которая предстала перед ней, когда она вошла в гостиную.

Я увидел около входной двери чемодан:

— Это твой?

Она на мгновение подняла голову, увидела, на что я показываю, и кивнула:

— Мой.

И снова припала к моему плечу.

— Откуда ты приехала?

— Что? — посмотрела на меня Таня мокрыми от слез глазами. — А-а!.. Из Швейцарии...

Мысленно я выругал себя и плотно сжал язык зубами. Это, конечно, не очень удобно, зато эффективно: я перестал мучить бедную женщину. Нашел, понимаешь, время задавать вопросы. Как будто потом не успею.

— Пойдем, Таня, — сказал я. — Пойдем.

Я отвел ее в другую комнату и усадил на кушетку.

— Побудь здесь немного одна, ладно? Я скоро.

Она лишь кивнула. Я понимал, что лучше не оставлять ее одну, но, с другой стороны, меня тоже можно понять. Я не из тех, кто успокаивает родных убитого, как ни антигуманно это звучит. Я начинаю анализировать преступление: его мотивы, технику нанесения ударов и прочие вопросы, поставленные наукой криминалистикой. Вы можете быть шокированы моим излишним профессионализмом даже в тех случаях, когда я выступаю в роли свидетеля, но что поделаешь, любая работа накладывает на человека свой отпечаток. И я совсем не исключение.

Итак, я оставил Таню одну в полутемной комнате, а сам отправился к телефону и набрал номер Главного управления внутренних дел Москвы. Быстренько обрисовав ответственному дежурному по городу картину случившегося, я назвал адрес, свою фамилию, попросил проявить оперативность и приехать поскорее, после чего положил трубку.

Мы так лихо пронеслись мимо дежурной по этажу, подумал я, что она запросто могла принять нас за грабителей. Впрочем, одну минутку: если бы она действительно приняла нас за таковых, квартира давно была бы набита милицией. Дом все-таки не простой. Не рабочая окраина и не скопище коммуналок. Просто она знала Таню и, естественно, помня свое место, не стала донимать ее глупыми расспросами.

Итак, дежурная. Пока приедет оперативно-следственная бригада, можно успеть снять с нее, так сказать, предварительные показания. В конце концов, муровцы — мужики хорошие, но ведь и следователь по особо важным делам Генпрокуратуры тоже, знаете ли, не фунт изюму.

Я спустился на первый этаж и подошел к кабинке дежурной. Услышав мои шаги, она отложила в сторону книгу, которую читала, и взглянула вопросительно.

— Здравствуйте, — сказал я ей.

Она с достоинством кивнула:

— Здравствуйте.

— Моя фамилия Турецкий, — представился я. — Следователь по особо важным делам.

Встретив ее недоверчивый взгляд, я провел рукой по нагрудному карману в поисках удостоверения, но обнаружил, что оставил его дома, так как выскочил в спортивном костюме. Ругнувшись про себя, я спросил ее:

— Простите, как ваше имя-отчество?

— Анастасия Дмитриевна, — ответствовала она важно.

— Вы, конечно, знаете Татьяну Зеркалову, с которой мы только что вошли в ваш подъезд?

— Вошли? — посмотрела она на меня с иронией. — Да вы же чуть не снесли меня вместе с будкой.

— Извините.

Она смерила меня удивленным взглядом: видимо, нечасто местные постояльцы перед ней извинялись.

— Конечно, я знаю Танечку, — продолжила

она. — А вы что, поссорились с ней? Впрочем, насколько мне известно, она замужем. И не за вами.

— Мне это тоже известно, — кивнул я. — Но мы не ссорились, напротив, мы с нею старые друзья. Скажите, пожалуйста, вы не видели сегодня вечером кого-нибудь постороннего?

— Вы имеете в виду гостей? — уточнила она.

— Не только, — покачал я головой. — Может быть, это был человек, который не сказал вам, куда идет, или сказал, но что-то вам в нем не понравилось. А?

Она пожала плечами:

— Да вроде нет. Сегодня, кстати, вообще не было ни одного такого, чтоб я его не знала. Во время моего дежурства — это уж точно.

— И ничего подозрительного не заметили? — настаивал я.

— Да нет. Хотя... — Она озадаченно на меня посмотрела.

— Что? — насторожился я.

Взгляд ее как-то неуловимо изменился.

— А что, документик-то вы мне так и не покажете? — спросила меня хитро Анастасия Дмитриевна.

Что мне теперь — бежать за ним? Пришлось сказать правду, все равно она об этом узнает самое позднее через пятнадцать минут.

— Анастасия Дмитриевна! — заявил я дежурной голосом старшего следователя по особо важным делам. — Сегодня вечером в вашем доме, в вашем подъезде, произошло убийство.

Она побледнела на глазах.

— Что? — одними губами переспросила она. — Кто? Кого... убили? А?

— Отца Тани. Бывшего управделами Совета Министров Смирнова.

Она вскрикнула:

— Михаила Александровича?!

— Да.

— Как же это?.. — пробормотала она. — Как же это?

— Анастасия Дмитриевна! — позвал я ее.

— А? — Кажется, услышанное настолько ее потрясло, что она перестала воспринимать действительность.

— Анастасия Дмитриевна, — мягко повторил я. — Вспомните: вы видели здесь сегодня вечером что-нибудь необычное?

Она ответила почти сразу:

— Да!

— Что? — тут же подобрался я. — Что вы видели?

— Друг его приходил, — явно думая о постороннем, ответила Анастасия Дмитриевна. — Маршал.

— Маршал?

— Да, — кивнула она. — Этот... Киселев!

Я внимательно смотрел на дежурную.

— Анастасия Дмитриевна, — сказал я. — Почему вам это показалось странным? Или необычным? Он же друг Михаила Александровича, как вы сами только что сказали.

Впервые с того мгновения, как она услышала трагическую новость, Анастасия Дмитриевна посмотрела на меня более-менее ясным взором.

— Взвинченный он был какой-то, — сказала она. — Красный как рак.

— Красный?

— Ага, — простодушно кивнула она. — Красный, злой и... потный.

— Какой?! — удивился я. — Потный?!

— Да, — снова кивнула Анастасия Дмитриевна. — Даже отсюда было видно, что пот с него ручьями тек. Мимо меня пулей пролетел, а все равно заметно было.

— Он уходил от Михаила Александровича или только еще шел к нему? — спросил я, хотя уже знал ответ.

— Уходил.

— А когда он пришел? Сколько он пробыл в квартире?

Анастасия Дмитриевна покачала головой:

— Не знаю. Я заступила на дежурство в девять вечера. Как он пришел, не видела, значит, до меня было. А ушел часов около двенадцати.

Да. За это время можно было и поругаться, и подраться, и перебить целую роту бывших ответственных работников.

В общем-то можно было делать кое-какие выводы, но на всякий случай я спросил:

— А больше ничего подозрительного не было?

— Вам этого мало? — неожиданно резко спросила меня Анастасия Дмитриевна. — Он это, он. Мне давно его харя не нравилась. Все как люди, идут, здороваются, о делах спрашивают, о детишках, а этот ходит, как мимо пустого места. Важный такой — не подступишься, куда нам со свиным-то рылом... А как он его убил-то? Застрелил, что ль?

— Анастасия Дмитриевна, — уклонился я от прямого ответа. — С минуты на минуту прибудет оперативно-следственная бригада из МУРа. Вы им все это расскажите, ладно? И скажите еще, что Турецкий, то есть я, который их вызвал, постарается прибыть, — я посмотрел на часы в ее будке, — через полчаса. Ладно?

Она обернулась и посмотрела на те же настенные часы за своей спиной:

— Ладно.

3

Решение я принял сразу же, почти автоматически. Если это Киселев, а девяносто процентов за то, что убийца — именно он, то его надо брать горячим, так сказать, с пылу с жару. Не думаю, что он смог бы оказать мне сопротивление. Правда, я еще официально не вел это дело и права на арест у меня тоже не было, но я понимал, что стоит мне созвониться с Меркуловым, как я буду официально назначен следователем по делу Смирнова. Кому, как не «важняку», вести дело против Маршала Советского Союза?

Как это я вспомнил? Действительно, генерал армии Киселев был последним, кому присвоили звание Маршала Советского Союза. Если не ошибаюсь, Пугачева — последняя народная артистка Советского Союза, ну а Киселев — маршал. Бывает же!..

Все находилось рядом, как в нормальной деревне. Элитные дома на Фрунзенской набережной стоят недалеко друг от друга, так что ловить такси, чтобы добраться до дома Киселева, мне не пришлось. Через три минуты интенсивной ходьбы я был в нужном мне подъезде.

Здесь дежурным по подъезду был молодой человек в очках.

— Напомните мне, пожалуйста, номер квартиры маршала Киселева, — попросил я его.

Он недоуменно посмотрел на меня поверх очков.

— А вы, простите, по какому вопросу? — спросил он в свою очередь меня.

— Не понял, — сказал я ему. — Вы дежурный по подъезду или секретарь Совета безопасности?

В моем голосе было достаточно металла, чтобы поставить его на место. Он пожал плечами.

— Пятьдесят пятая, — буркнул тут же и, раскрыв какой-то роман, уставился в него.

Похоже, эти дежурные — самые читающие люди в нашей самой читающей в мире стране.

— Этаж?

— Седьмой, — не отрывая от книги глаз, ответил он: пошел ты, мол...

И я пошел.

Да, никто пока официально не поручал мне этого дела, но и медлить было нельзя. Даже если впоследствии Меркулов поручит разобраться со всем этим кому-то другому, я всегда смогу поделиться своими соображениями, которые — в этом не было сомнений — возникнут у меня после разговора с Киселевым. По свежим следам.

Степан Алексеевич Киселев, последний, как уже заметил, Маршал Советского Союза, встретил меня на пороге своей квартиры так, будто давно дожидался моего прихода. Взглянув на его лицо, я понял, что Анастасия Дмитриевна была права. Пусть меня уволят, если сегодня вечером он не дрался.

Нет, конечно, нельзя сказать, что дверь его квартиры была так уж гостеприимно распахнута передо мной. Но она отворилась буквально через десятую долю секунды после того, как я нажал кнопку звонка. И красное, возбужденное, в капельках пота лицо нависло надо мной.

Я не отшатнулся: что я, возбужденных физиономий никогда не видел?

— Здравствуйте, — сказал я максимально приветливо.

Выражение лица не изменилось.

— Что надо? — отрывисто спросил Киселев.

— Можно войти? — поинтересовался я.

— Кто вы? — Он не спускал с меня настороженного взгляда.

Я снова вспомнил о своем удостоверении и, выругавшись про себя, сказал:

— Степан Алексеевич! — И подумал: сейчас ты забудешь про все документы мира, старый козел! — Михаил Александрович Смирнов попросил меня передать вам привет.

Я все еще мысленно аплодировал самому себе, восхищенный собственной сообразительностью, когда вдруг понял, что моя сверхкаверзная тирада произвела на хозяина вовсе не то впечатление, на которое я рассчитывал.

Он не вздрогнул, не закрыл лицо руками, не упал на колени и не зарыдал. Он отошел в сторону, разрешая мне войти в квартиру, и проворчал, как мне показалось, с заметным облегчением в голосе:

20

— Опомнился, старая калоша. Всегда так: сначала хочет по мозгам получить и только потом начинает соображать. Но сегодня я больше к нему не пойду.

Мне стало совсем интересно. Если он притворяется, то театр в его лице потерял очень много. Бездарных маршалов у нас — пруд пруди, а вот хороших актеров остается все меньше и меньше. Я так думаю.

Но, слава Богу, я вошел в квартиру, теперь можно было взяться за хозяина всерьез.

Степан Алексеевич был в самой вульгарной пижаме из тех, какие мне доводилось видеть. Не удивлюсь, если куплена она была лет сорок назад на какой-нибудь Тишинке. Полосатая и широкая, она навевала воспоминания о первых послевоенных фильмах. Но лицо маршала выдавало волнение, которое, впрочем, теперь было не таким уже сильным, как в ту минуту, когда он открыл мне дверь. И это тоже настораживало. Если ты не убивал, то почему все-таки волнуешься?

И действительно, судя по всему, Степан Алексеевич не пребывал в панике, но возбуждение его до конца не проходило, это было видно и невооруженным глазом. Он ходил по комнате, меряя ее огромными шагами, размахивая руками, но вовсе не был похож на человека, которого застали на месте преступления. Он был просто чем-то очень сильно раздражен, но на чистосердечное признание мне рассчитывать не приходилось. Я еще не совсем понимал, в чем тут дело, ясно было только одно: я поступил очень правильно, что не стал никого ждать и пришел сюда. Видно, что Степану Алексеевичу есть о чем рассказать.

Он вдруг резко остановился и с недоумением посмотрел на меня: а что это, мол, ты здесь делаешь, любезный? И он таки был прав, потому что, размышляя и наблюдая за ним, я молчал и не спешил объяснять, что стоит за приветом от Смирнова. Пора было нарушить затянувшееся молчание, что я и не преминул сделать.

— Разрешите представиться, — сказал я. — Александр Турецкий.

— Киселев, — буркнул он недовольно.

— Старший следователь по особо важным делам Генеральной прокуратуры, — добавил я, несколько неловко себя при этом чувствуя.

Он снова с недоумением уставился на меня.

— Кто?

— Что — кто? — переспросил я довольно глупо.

— Кто — старший следователь?

— Я.

— Ага, — сказал он озадаченно и замолчал.

Я тоже молчал.

— Ну? — сказал он наконец.

Настроение у меня было в высшей степени скверным. Не знаю почему, но я понял уже, что этот человек не убивал Смирнова, и тем не менее получалось так, что никто, кроме него, не мог это сделать. Два противоречивых чувства не давали мне сосредоточиться. Борьба противоположностей никак не могла обрести свое диалектическое единство.

— Степан Алексеевич, —осторожно начал я. — Когда вы в последний раз видели Михаила Александровича Смирнова?

— Да только что! — вскинулся он. — А он что, убил кого-нибудь?

Ничего себе поворот?!

— То есть? — спросил я его.

Он пожал плечами.

— Когда я уходил от него, — сказал он, — я и сам был готов убить кого угодно. Не удивлюсь, если он пришил того, кто подвернулся ему под горячую руку. Удивляюсь, что и сам я не пришил никого по дороге.

— Вы с ним поссорились? — спросил я.

— Это не ваше дело, — ответил он сразу, причем лицо его сразу стало непроницаемым. — Это наше личное с ним дело. Уверяю вас, ни прокурор, ни адвокат нам с Михой не понадобятся.

— Кто это — Миха? — быстро спросил я.

— Смирнов, — посмотрел он на меня удивленно. — Кто же еще?

Я мог бы назвать ему с пяток людей, кого вполне можно было бы назвать Михою, но воздержался.

— Я бы не был на вашем месте таким категоричным. От тюрьмы да от сумы, знаете ли...

Договорить он мне не дал.

— Послушай, как тебя там? — перебил он меня. — Я что-то не пойму. Что случилось-то?

Ну что ж. Сейчас я посмотрю, какой ты там актер.

— Михаил Александрович Смирнов убит, — сообщил я, внимательно за ним наблюдая.

Он не убивал, это ясно. Я не верю в доморощенных самородков, которые запросто становятся гениальными актерами. Тем более среди генералитета нашей армии.

Простите за банальность, но он разинул рот и выпучил глаза, причем так органично, что у меня отпали последние сомнения: он такой же убийца, как и я. Речь, разумеется, в данном случае о Смирнове.

— Что?! — наконец после продолжительной паузы выдохнул он.

— Сразу после вашего ухода, — сказал я. И на всякий случай добавил: — Или — до.

— Что — до? — вздрогнул он. — Как он мог быть убит до моего ухода? Вы соображаете, что говорите?

— Вполне, — ответил я.

— Вы соображаете, *кому* вы это говорите?!

Он стремительно брал себя в руки. Не знаю, каков он вояка, но голос его стал адекватен званию.

— Как, вы сказали, ваша фамилия?! — продолжал он греметь.

— Турецкий, — тихо ответил я. — А ваша — Киселев.

Он тут же взял себя в руки — теперь уже по-настоящему, как и подобает мужчине, к тому же офицеру.

— Простите, — проворчал он, и я вздохнул с облегчением. Не люблю иметь дело с дураками чиновниками и солдафонами.

— Степан Алексеевич, — сказал я, — так что же произошло между вами? А?

Он вдруг зацепил взглядом кресло и так стремительно к нему бросился, что я даже испугался: мало ли что там у него. Но он просто рухнул в кресло и снова посмотрел на меня:

— Что вы сказали?

Я вздохнул.

— Степан Алексеевич! Поверьте мне: положение ваше сложное. Мало кто захотел бы сейчас поменяться с вами местами, хоть вы и маршал. Прошу вас, будьте со мной предельно откровенны.

Он тяжело дышал и смотрел куда-то в одну точку. Мне пришлось добавить:

— Хочу вас предупредить, что я приложу все силы, чтобы отвести от вас подозрения, а сделать это будет очень нелегко, поверьте. У вас есть один-единственный выход: полностью мне довериться и рассказать все, что произошло между вами и покойным. Все!

Он вдруг медленно поднял голову и уставился на меня. На губах его зазмеилась хитроватая улыбка, а щеки стали приобретать утраченный было румянец. Я растерялся.

— Что такое? — спросил я у него.

— Можно мне позвонить? — спросил он неожиданно.

Я понял. Сразу.

— Конечно, — кивнул я. — Только предупреждаю: трубку снимет в лучшем случае сотрудник МУРа. И спросит, кто говорит.

— А в худшем? — быстро спросил он меня.

— А в худшем — никто, — пожал я плечами.

Маршал кивнул, встал и подошел к телефону. Набирая номер, он все время смотрел на меня. Я был индифферентен, поскольку мне действительно было все равно.

Прижав трубку к уху, он не сказал ни слова, лицо его вмиг изменилось, в глазах мелькнул страх, и с величайшей осторожностью, будто это была бомба, он положил трубку на рычаг.

25

— Ну и что там? — спросил я у него небрежно. Было видно, что он ошеломлен.

— Это не он. — Киселев с ужасом смотрел на меня.

— Вы проверили мои слова, и это нормально, — кивнул я. — Но теперь-то вы верите, что я говорю правду?

— Не знаю, — все еще не мог прийти в себя последний Маршал Советского Союза.

— Степан Алексеевич, — как можно мягче заговорил я. — Что же все-таки произошло между вами и Смирновым?

Он покачал головой.

— Я не могу вам этого сказать.

— Степан Алекс...

— Не могу! — вскричал он так, что я вздрогнул. — Понимаете вы это или нет? Не мо-гу!

Он снова рухнул в кресло и закрыл лицо руками. Я смотрел на него и ничего не понимал. Если это скорбь, если он только что до конца прочувствовал, что его старинный друг, Михаил Смирнов, убит, если он *действительно* это понял, то что же все-таки мешало мне в его поведении поверить ему? И потом, я ведь уверен, он и вправду никого не убивал. Что происходит?!

Он посмотрел на меня, и в это же мгновение я понял, в чем причина моих сомнений. Но легче мне от этого не стало.

Степан Алексеевич Киселев был напуган. Даже не напуган. Он был в состоянии, близком к панике. В ужасном смятении. Он просто задыхался от страха.

Но — почему?

Я обязан был понять это во что бы то ни стало.

26

Пришел в себя он быстро, и, хотя страх все еще оставался в его глазах, Киселев стал меня допрашивать по полной программе. Временами я даже сомневался: кто же из нас все-таки следователь?

— Когда он был убит? — отрывисто спрашивал Киселев.

— С точностью до минуты сказать трудно. Вскрытие покажет, как говорят в таких случаях.

— Как он был убит?

— Ему снесли половину черепа.

— Что-о?!

— Ему снесли половину черепа, — терпеливо повторил я.

— Выстрелом?

— Да.

— Кто?

— Хороший вопрос. — Я позволил себе улыбнуться. — А что, если я вам скажу, что это — вы?

— Чушь.

— Не факт, — заметил я. — Вы были последним, кого видели уходящим от Смирнова, причем уходили вы с таким видом, будто только что с ним подрались.

— Да какой там — подрались! — в сердцах воскликнул Киселев. — Если б я его хоть раз ударил, он бы окочурился на месте!

— Он и окочурился, — напомнил я.

Киселев напряженно взглянул на меня:

— Вы действительно считаете... что я мог?..

— Степан Алексеевич, выслушайте меня, — поднял я ладонь, пытаясь его успокоить. — Вы можете, конечно, думать, что ваш разговор со Смирновым не имеет никакого отношения к тому, что произошло после вашего ухода, то есть к убийству вашего товарища. Но позвольте судить об этом мне. Я прошу вас рассказать обо всем, понимаете? И ничего не скрывать.

Он покачал головой. Странное дело: известие об убийстве Смирнова оказывает на него меньшее влияние, нежели напоминание о разговоре, происшедшем между ними. Очень странно! Едва возвращался я к причине их ссоры, как его лицо искажалось от страха. Хотя я и не знал той причины.

— Вам все равно придется рассказать, — заявил я почти в отчаянии. Эти маршалы, видно, привыкли раскалываться только в присутствии Абакумова или Берии. А где я их ему найду?..

Но, видимо, твердость моего голоса на него подействовала. Он посмотрел на меня как-то по-новому и вдруг заговорил совсем иным голосом.

— Вы даже не представляете, в какое говно лезете, — сказал он.

Начало мне понравилось. Я ему так и ответил:

— Как интересно! Вы умеющий рассказчик. Знаете, с чего начать.

Главное — не перегнуть. Не нажимать чересчур. Ну, давай, мой хороший, колись, родной. И он раскололся, но...

Но лучше бы он этого не делал.

Глава 2

ТУРЕЦКИЙ. ВТОРОЕ УБИЙСТВО

1

Машина мчалась с огромной скоростью прямо на меня, и, успев внутренне выматериться, я отскочил в сторону с прытью возбужденной лягушки.

Нет, так быстро они бы не успели, подумал я. То, что рассказал мне последний Маршал Советского Союза, конечно, впечатляло, но чтобы сразу организовать покушение на мою скромную персону, — это вы, господин Турецкий, детективов начитались. Впрочем, я не помню, когда в последний раз читал детективы.

Так, ладно, успокоимся и подумаем. Не стоит так переживать, остановись, приведи дыхание в норму и прикинь к носу: могло это быть покушение?

Если то, что рассказал Киселев, правда и если они действительно хотели бы меня убить, вряд ли бы я сейчас так спокойно рассуждал, стоя посреди дороги. Та машина давно уже исчезла, и водитель ее, наверное, перепуган в эту минуту не меньше моего. А ты, Турецкий, чуть ли не под колеса ему сиганул, задумчивый ты наш...

Справедливости ради нужно сказать, что задуматься было о чём. Не так уж часто нам приходится выслушивать то, о чем рассказал Киселев, хотя как старший следователь по особо важным делам я наслышался и навидался в своей практике такого, что хватило бы мастерам авантюрного романа Тому Кленси и Джону Ле Карре, вместе взятым, на всю жизнь.

И хотя мне очень не хотелось этого делать, память, увы, настырно возвращала меня к утомительному разговору, точнее, странной исповеди маршала Киселева.

Прошу прощения за банальность, но порой он напоминал мне затравленного зверя. Впрочем, не зверя — зверька. Да, так правильней.

Поверьте на слово, это не слишком приятное зрелище, когда большой человек — в прямом и переносном смысле — стремительно меняется на твоих глазах и становится похож то на загнанного зайца, то на высокомерную гиену. Я, правда, никогда не видел высокомерных гиен и не могу отвечать за свои слова с буквальной точностью, но другие сравнения как-то в голову не лезут.

Сначала он молчал. Долго молчал. Четыре с половиной минуты — я машинально отметил время. Причем все эти долгие минуты он не смотрел на меня. Взгляд его был устремлен в пол, и, таким образом, мне была видна только его великолепная лысина. Наконец он поднял голову, и я расстроился: впечатление было такое, что он сию минуту наложит в штаны. Прошу прощения у очередного министра обороны и всего российского генералитета.

Итак, он поднял голову и я, внутренне содрогнувшись, сказал ему:

— Степан Алексеевич! Если вы не можете говорить, то... — и я заткнулся. Он должен был начать говорить, а человеколюбие нужно оставить в покое, авось пригодится в иных ситуациях.

Он будто не расслышал моих слов. За что я уважаю советских генералов, а Киселев стал им в советское время, так именно за то, что уж если они примут решение, что бывает крайне нечасто, то идут до конца.

И пошел такой бред сивой кобылы, что только память о служебном долге заставила меня с серьезным видом слушать маршала и постоянно демонстрировать, что я верю в реальность всего, что с таким усердием он пытался мне втолковать. Впрочем, выражение его лица было адекватно тексту:

— Не уверен, что вы поймете, — начал он. — Ну, да все равно. Когда-нибудь об этом нужно начать говорить, теперь мне уже ясно. Почему бы не вам?

Последнее я воспринял не без оговорок, но до поры до времени решил его не перебивать.

— Действительно, почему бы не вам быть первым, кто сие услышит? — будто беседуя с самим собой, продолжал он. — Хорошо. Скажите, Турецкий, вы слышали что-нибудь о так называемом Стратегическом управлении?

— О чем, простите?

— О Стратегическом управлении, — повторил он терпеливо.

— Нет. — Я покачал головой.

— Конечно, — подтвердил он. — Откуда вам знать о нем?..

Я разозлился.

— Степан Алексеевич, — заявил я, — вы что, издеваетесь надо мной?

Кажется, я повысил голос, но он никак не отреагировал. Он словно изучал в самом себе некую очень важную для себя мысль, и мысль эта, по всей видимости, приводила его в ужас, граничивший с отчаянием.

— Я не могу вам рассказать всего. — Он говорил монотонным и срывающимся голосом одновременно, и в какую-то минуту я подумал, что и сам недалек от испуга. И это начинало меня серьезно беспокоить: в порядке ли его рассудок? — Я и не смог бы вам *все* рассказать, — продолжал он, — даже если бы и захотел. Просто не знаю всего. Только малую часть. Очень малую...

— Малую часть чего? — осторожно спросил я.

Казалось, только теперь он впервые посмотрел на меня более-менее осмысленным взглядом.

— Не торопитесь, молодой человек, — предупредил он, — не торопитесь. Вообще никогда не торопитесь. Я вот поторопился — и к чему это привело?

— К чему? — словно ласковый доктор, спросил я.

— Не торопитесь, — мрачно повторил он. Нет, он все-таки невменяем. — В свое время и я поторопился вступить в одну организацию. Я думал, что это именно та организация, которая в конечном итоге спасет Россию. Я ошибся.

— Вы говорите про секту Муна? — подсказал я, чтобы хоть что-нибудь сказать.

Он посмотрел на меня с удивлением.

— Я что, похож на верующего человека? — протянул он. — На сектанта?

— Да нет. — Я пожал плечами. — Просто подумал, что вы меня тут же поправите и назовете наименование вашей организации.

Он вскинул на меня воспаленные глаза и чуть ли не закричал:

— Так я же и говорю вам! Почему вы меня не слушаете? Я ведь только что сказал вам про Стратегическое управление!

— Вы ничего мне про него не сказали! — запротестовал я.

— Мы и представить себе не могли, до какой степени оба ошибались!

— Мы — это кто? — перебил я.

— Мы со Смирновым, — объяснил маршал. — Когда вступали в нее...

— То есть что значит — вступали? — удивился я. — Это что же, вроде бойскаутской организации?

Он покачал головой.

— Я понимаю... Я как-то путано все это объясняю...

— Да уж...

— Ну так вот, — заговорил он после паузы, и я с удивлением услышал в его голосе нечто похожее на твердость духа. — Существует такая организация. Стратегическое управление.

Незаметно для него я вздохнул.

— Все поганое и паскудное, что творится в настоящее время в стране, есть результат деятельности этой организации.

— Вот так, да? — чуть не присвистнул я. — Это как же вас следует понимать? В каком, извините, смысле?

— В прямом! — отрубил он. — Стратегическое управление делает все, чтобы погубить Россию.

— Жидомасонский заговор? — участливо, как больного, спросил я. — Понимаю...

Он посмотрел на меня с неожиданной злостью.

— Ни хрена вы не понимаете! — сообщил мне доблестный муж. — Только корчите из себя... черт знает кого. Если бы вы знали хоть половину из того, что знаю я, вы бы не ерничали.

— Так расскажите, — вполне резонно, как мне кажется, предложил я.

— Рассказать...— проговорил он задумчиво. — Если б я знал, как это сделать. Так, чтоб вы поверили сразу и безоговорочно, Турецкий, если б я только мог.

— Да вы попробуйте! — взмолился я.

Он вздохнул.

— Скажите, Турецкий, вам никогда не казалось, что все, что происходит в России, на самом деле является осуществлением грандиозного злодейского плана? Все эти черные вторники и четверги, весь этот криминал, заказные убийства... наконец, эта нескончаемая война в Чечне? Вам никогда не приходила в голову мысль, что все это — не издержки реформ, не отдельные, так сказать, недостатки, а самая настоящая жестко продуманная реальность? Что именно эти злодейства и определяют не только наше настоящее, но и будущее?

— Каким образом? — поинтересовался я.

— Хороший вопрос, — кивнул он. — Только я не знаю.

— Итак, — сказал я. — Давайте прикинем, насколько правильно я вас понял. Существует некая тайная организация под довольно странным названием «Стратегическое управление». Так?

— Так, — согласился он, причем снова посмотрел на меня с таким неподдельным страхом, что я засомневался, стоит ли продолжать и дальше нагнетать ужасы. Все-таки ночь на дворе.

— И это самое Стратегическое управление, — продолжал я, — устраивает гражданам всякие бяки в виде бандитских разборок и войны в Чечне. Так?

— Так, — снова подтвердил он.

— Но это же ахинея. — Я развел руками.

— Вот-вот, — сказал он. — На этом тоже строился расчет.

— На чем?

— Вот на этом самом, — словно отмахнулся он.

Я взял себя в руки и начал все сначала, причем самым мягким тоном, на который только был способен:

— Послушайте, Степан Алексеевич, допустим, Стратегическое управление. Хорошо. Но подумайте сами: при чем тут война в Чечне? Мы же с вами умные люди. Мы понимаем, что за всем этим стоят деньги и, скажем, нефть, которая, в свою очередь, не просто деньги, а очень большие деньги. Или криминал. Как правило, за всем этим тоже стоят корыстные причины.

Он усмехнулся с трагической миной:

— Только не говорите мне, что наши реформы создают проблему капитала, который, в свою очередь, создает вышеперечисленные проблемы.

— А разве нет? — удивился я.

Он покачал головой:

— В какой-то степени... возможно. Но в очень малой степени. Вы не хотите понять главного.

— Чего же?

— Почему каждый шаг правительства, которому мы с вами служим, — ошибочный? — зашипел он мне в лицо. — Как вы думаете? А?

— Некомпетентны, — предположил я. — Угадал?

Он с шумом выпустил воздух из груди:

— Почти. Они не то чтобы некомпетентны — они, можно сказать, зомбированы.

Час от часу не легче.

— Вы сами-то понимаете, что говорите? — устало спросил я. — Что это за тайны мадридского, пардон, кремлевского двора?

— Самая распространенная ошибка, — заявил он менторским тоном, — это думать, что во главе всего лежат деньги.

Смотри какой бессребреник!

— Ну что вы! — сказал я. — Во главе всего лежит любовь.

Кажется, я устал. Что это я несу?!

Но он, слава Богу, не обратил внимания. Слишком был погружен в самого себя.

— Власть — вот что лежит во главе всего, — сказал он, отрешенно глядя на настольную лампу. — Вот что движет ими. Власть. И только она! Будь она проклята...

— Это вряд ли,·— усомнился я.

— Им не нужны деньги, — как заведенный, монотонно говорил Киселев. — Им нужна власть. И это хуже большевизма и фашизма, вместе взятых. Каждая ошибка правительства — результат четко продуманных действий Стратегического управления. Страна летит в пропасть. И подталкивает ее в эту пропасть организация, в которой состою и я.

— Ну так и что это за организация? — небрежно, чтоб не спугнуть, спросил я. Меня уже достало это Стратегическое управление...

— У каждого из нас, рядовых ее членов, свой участок работы. Потом я расскажу вам, за что отвечал лично я. Но сейчас мне хочется, чтоб вы вбили себе в башку: все, что творится в стране, не есть издержки трудного пути, по которому якобы идет российская демократия. Все просто тщательно и виртуозно спланировано и претворено в жизнь.

— Что именно?

— Все!

— Начнем сначала. Война в Чечне?

— Спланирована в середине девяносто второго года. Началась с опозданием на две с половиной недели.

— Ничего себе! Ладно. Расстрел «Белого дома»?

— Хасбулатов и Руцкой были подставлены с самого начала. Операция проведена в те же сроки, что и была зафиксирована в документах, — с точностью до минуты. Ну, может, плюс-минус десять. Минут...

— А жертвы?

— Естественно! Скажу больше. Спланированное фактическое количество жертв и спланированное объявленное количество были идентичны.

— То есть вы хотите сказать, что было спланировано даже количество жертв?

— Да, да! Все произошло именно так, как и было задумано.

— А убийство тележурналиста Листьева тоже дело рук Стратегического управления?

— Это было как раз в ведении Смирнова. Безусловно!

— Что — безусловно?

— Листьева убил человек, направленный к нему Стратегическим управлением. Правда, сам он, я имею в виду убийцу, не знал, кто направлял его руку.

— Есть версия, что Листьев убит из-за больших денег, которые могли уплыть не в те руки...

— Можно рассматривать любую версию. Но его убийство было бы невозможно без санкции Стратегического управления. А оно и дало такую санкцию.

— Ну а журналист Холодов?

— Это была импровизация. Холодов подобрался слишком близко к некоторым секретам. После его устранения возник интересный общественный резонанс. Интересный с точки зрения Стратегического управления. Поэтому, когда такой же резонанс потребовался еще раз, управление дало добро на устранение и тележурналиста Листьева.

— Что-то я не понял. Зачем нужен такой, с позволения сказать, резонанс? И главное — кому?!

— Не пытайтесь угадать логику в действиях

Стратегического управления, молодой человек. Это непостижимо даже для такого волка, каковым являюсь я сам.

Или он с ума сошел, или я...

— Если я правильно вас понимаю, — медленно произнес я, — то все, что происходит в общественной жизни страны, в той или иной мере спровоцировано организацией, которую вы называете Стратегическим управлением. Так?

— Это не я так его называю, — раздраженно ответил он. — Это оно само себя так называет.

— Но ведь вы тоже являетесь ее членом, — напомнил я на всякий случай.

— Уже не являюсь, — заявил вдруг маршал.

— То есть как? — растерялся я. — Вы же сами только что...

— Мало ли что! — рассердился он. — Они убили Смирнова, моего друга, который, кстати, был предан им. Он еще не понял того, что понял я.

— Как действовала эта организация? — спросил я. — У них что — свои аналитики, свой центральный комитет? Я правильно вас понимаю?

— Правильно, — быстро глянул он на меня. — Но подробности я расскажу вам потом.

— Почему потом?

— Потому что устал. Второго раза мне уже по самое горло.

— Второго раза? — насторожился я. — Что вы имеете в виду, Степан Алексеевич?

Он удивленно посмотрел на меня.

— Вы что, так ничего и не поняли? — недоуменно спросил он. — Но ведь именно об этом мы со Смирновым и проговорили весь вечер.

Кажется, я только теперь начинал что-то понимать.

— Вы говорили о Стратегическом управлении? — уточнил я на всякий случай.

— Нет, об Алле Пугачевой, — съязвил он. — А о чем же еще?!

— Мало ли...

Он вздохнул.

— Я убеждал его, что нужно идти в прокуратуру.

— А он?

— А что — он? Говорил, что я ничего не понимаю.

— Что он имел в виду?

— Я же говорю — он верил им. Он действительно считал, что они действуют на благо Родины и... всякое такое. Он просто не хотел видеть того, что видел я.

— И поэтому вы поссорились?

Маршал снова шумно вздохнул.

— Да. Поэтому мы поссорились.

На том мы с ним и расстались. Я уже понял, что, скорее всего, от этого поганого дела мне уйти не удастся. Перед моим уходом маршал обещал, что, если завтра днем я навещу его еще раз, и уже официально, по делу об убийстве Смирнова, он передаст в мои руки собственноручное объяснение, где подробно изложит все, что знает о секретной организации.

Ощущения были двойственными. Конечно, это бред. Но — бред в устах человека, который выглядел вполне здоровым. К тому же человека заслуженного — маршала. Впрочем, я не очень силен в нюансах психиатрии.

В эту-то минуту раздумий, когда я уже вышел на улицу, мимо пронесся тот убийца-автомобиль, который едва не сбил меня с ног. Немного поразмыслив, я все-таки решил не искать в этом инциденте происки таинственного Стратегического управления. В конце концов, в машине могли сидеть элементарные хулиганы или какие-нибудь сравнительно безобидные отпетые бандиты. После ужасов, рассказанных Киселевым, любой бритоголовый качок покажется мальчиком-колокольчиком.

— О, мать мою... — громко выругался я.

Я так спешил к маршалу Киселеву, что начисто забыл о Тане Зеркаловой. Не говоря того, что это просто свинство с моей стороны — так поступить с бедной женщиной после всего ею пережитого, это еще в высшей степени глупо — оставлять сейчас ее одну. Хотя, с другой стороны, она должна была встретить оперативно-следственную группу. Так или иначе, я вынужден был снова бежать туда, в квартиру Смирновых.

2

Муровская машина уже стояла у подъезда. Симпатичный такой микроавтобус, за рулем которого сидел усатый водила. Усам его, наверное, позавидовал бы сам Буденный: концы свисали много ниже подбородка.

— Давно приехали? — подойдя к его окошку, спросил я.

Он надменно повернул голову и так же гордо посмотрел на меня.

— Давно.

— Грязнов здесь? — спросил я, чтобы немного сбить с него спесь.

Поймите меня правильно. Я не спал нормально много дней и ночей. Я закончил расследование по очень сложному делу. Эта нынешняя ночь рассматривалась мной как отдохновение от трудов праведных. И что же? Вместо того чтобы отдыхать как полагается, я лицезрел кровавый труп отца моей когда-то очень близкой знакомой. А позже выслушиваю неслыханную ахинею из уст теперь уже бывшего Маршала Советского Союза.

Потому не судите меня строго за то, что я пристал к этому помешанному на своих усах водителю. Я знал, что Грязнову здесь появиться сейчас так же трудно, как, скажем, Косте Меркулову.

Тем неожиданнее был ответ:

— Здесь.

Я уставился на усы:

— Здесь?!

— Здесь, — невозмутимо повторил водитель.

И, как подтверждение его слов, из подъезда вышел Вячеслав Иванович Грязнов, сыщик от Бога и мой хороший давний товарищ.

Завидев меня, он тут же поспешил навстречу.

— Как там Киселев? — без всяких «здравствуйте» спросил он.

— Я просто восхищаюсь твоей проницательностью. Я вложил в свои слова максимум сарказма. — Как это ты догадался, что я именно от него? Очень интересно.

— Элементарно, Ватсон, — легко откликнулся он. — Мне только что сказали, что он был последним, кто приходил к Смирнову. Зеркалова, в свою очередь, показала, что ты здесь уже был и куда-то ушел. Зная твою неуемную энергию, об остальном догадаться было нетрудно.

— Действительно. — Я в восхищении покачал головой. — Вот за что люблю МУР! За смекалку и сообразительность.

— Так что там Киселев?

Рассказывать о нашем с Киселевым разговоре мне было почему-то трудно. Мучили сомнения по поводу здоровья маршала.

— Чего молчишь, Саня? — с удивлением смотрел на меня Грязнов.

Нужно было как-то отвечать. А я действительно был в затруднении. Рассказать ему все — значит поставить себя в дурацкое положение. Стратегическое управление, понимаешь!..

— Слушай, знаешь что? — предложил я ему. — Ты давай-ка сам по-быстрому дуй к нему и обо всем у него расспроси. Составь протокол допроса. Посмотрим, что он и тебе еще наговорит, а потом мы сверим его показания. Идет?

— А почему, собственно? — насторожился Грязнов. — Ты думаешь, что он мог?..

— Ничего я не думаю, — перебил я. — Даже более того, я уверен, что он не убивал Михаила Смирнова. Но это так, частности. Официально подобная версия сохраняется. Сходи сам и допроси. По горячим следам, так сказать.

Я вспомнил, как выглядел Степан Алексеевич перед моим уходом, и поначалу решил, что самое лучшее будет — оставить его в эту ночь в покое. Ведь в конце нашей, так сказать, беседы Киселев понес уже несусветную чушь. Якобы это самое Стратегическое управление, будь оно неладно, уже прибрало к рукам и золотой запас страны, и военно-промышленный комплекс, и энергетический комплекс, и лесной, и еще Бог знает какие комплексы. Словом, такие страхи навел, что я и сам готов был комплексовать. Ну просто очень плох стал Степан Алексеевич перед моим уходом. Так что, конечно, лучше было бы, если бы Грязнов не трогал его. Хотя бы до утра. Но, с другой стороны, и протокол допроса свидетеля или, что не исключено, подозреваемого никогда не повредит следствию.

— Вообще-то он был очень недоволен, когда я уходил. — Лжи в моих словах было немного — смотря под каким углом глядеть на это. — Так что можешь допросить его и завтра. Никуда он не убежит.

— Думаешь? — с сомнением посмотрел на меня Вячеслав. И махнул рукой: — Ладно, пусть пока отдыхает. Ты мне лучше вот что скажи. Твоя контора возьмет это дело к своему производству. Или поручит следствие Мосгорпрокуратуре?

— Слава, солнце мое, — ответил я, — ты что же думаешь, я сплю и вижу, как это дело передают мне? Да берите вы, МУР и горпрокуратура, его со всеми потрохами!

— Начальству виднее, — сказал Грязнов.

Я понял, что устал донельзя. Еще немного, и я

нагрублю этому хорошему человеку, своему большому другу. Поэтому я сдержался и спросил:

— Где Таня?

— Таня?

— Ну, Зеркаловаа, дочь убитого, — объяснил я. — Она наша знакомая. Нельзя же ее сейчас оставлять одну. Хочу отвести ее к нам.

— Молодец! — с иронией посмотрел на меня Грязнов. — Красивая баба никогда не должна оставаться ночью одна.

— Пошел ты! — Тут я разрядился предложением слов так примерно из пятнадцати, и среди них не было ни одного печатного.

Уложив Таню на диване и прикрыв ее пледом, Ирина еще долго сидела около нашей гостьи, слушая, как та постепенно затихала. Таня все еще всхлипывала, но в конце концов лошадиная доза снотворного сделала свое дело, и в итоге потрясенная женщина заснула.

Все это время я просидел на кухне и отчаянно дымил, куря сигареты одну за другой.

Вошла Ирина и поморщилась:

— Форточку бы открыл. Хоть топор вешай...

— Угу, — сказал я.

Она села напротив и внимательно посмотрела мне в глаза.

— Между вами что-то было? — спросила неожиданно.

Я так закашлялся, что, казалось, никогда не перестану. Наконец прохрипел:

— Ты о чем?

— Саша, — нежно проговорила моя жена. — Неужели ты думаешь, что женщины не чувствуют таких элементарных вещей? Ты ошибаешься, Саша.

— Слушай, Ирина! — возмутился я. — О чем ты сейчас говоришь?! У человека только что отца убили! А ты... Как не стыдно, Ира?!

Она кивнула и встала.

— Значит, было. Кобель ты, Саша. — Она еще раз смерила меня взглядом, полным презрения, и вышла.

Ну, было. Мало ли что... Если интересно, я потом и поподробнее могу рассказать об этом романе. Хотя о чем там рассказывать, обыкновенная история. Зачем же из-за пустяка сцены устраивать? Глупость какая-то, ей-богу.

Зазвонил телефон, и я выругался вслух:

— Дадут мне эти сволочи сегодня поспать или нет?

Я снял трубку с аппарата, который стоял тут же, на кухне:

— Турецкий слушает.

Услышав голос в трубке, я чуть не грохнул телефон о стену.

— Это господин старший следователь по особо важным делам Генпрокуратуры? — ласково спросил меня Грязнов. — С вами говорят из квартиры Степана Алексеевича Киселева.

— Какого хрена тебе там надо? — мрачно поинтересовался я. — Ты же говорил, что не будешь его беспокоить. Он тебе там не надрал еще уши?

— Не успел, — ответил Грязнов. — Александр Борисович, не будешь ли ты так любезен подойти сюда, к нам? Очень тебя прошу.

— Слушай, Грязнов, оставь свои шуточки для сопливых поклонниц, — пока еще спокойно попросил я его. — Я, понимаешь ли, спать хочу. Завтра предвижу тяжелый день, и мне хочется хоть немножечко покоя. Ясно тебе?

— Как сыщик сыщику могу с полной определенностью предсказать, что завтра тебе предстоит действительно тяжелый день, — сообщил он. — Возможно, ты даже не представляешь, Саня, насколько он у тебя будет тяжелый. А насчет покоя... Покой нам только снится. Подойди сюда, и как можно быстрее. Это в твоих же интересах, старик, поверь мне.

— Ну что там у тебя? — устало спросил я. — Степан Алексеевич напускает на тебя страхи, а ты наделал в штаны и некому тебя подтереть? Так, что ли?

— Почти, — серьезно проговорил он. — Я действительно чуть не обделался, когда вошел в эту квартиру. Не догадываешься почему?

— Слава, дай-ка трубочку Степану Алексеев...

— Он мертв, — перебил он меня голосом человека, которому надоели розыгрыши.

— Что?!

— Степан Алексеевич Киселев убит. — Голос Грязнова звучал ровно и официально. И потому убедительно.

Во всяком случае, мне и в голову не пришло не поверить ему. Он, как-никак, занимает в МУРе не последнюю должность первого замнача, да и сам я, как говорится, не помочиться вышел.

Тем не менее я сказал:

— Врешь, — хотя и знал уже, что это правда.

47

— Александр Борисович, — проникновенно звучал голос Грязнова. — Будьте так добры, приходите к нам. Машину за вами я уже послал.

— Я бы и сам дошел, — перестал я сопротивляться. — Здесь недалеко.

— Ну что вы, — сказал этот иезуит. — Мы же понимаем, как вы устали...

3

Последний Маршал Советского Союза был убит точно так же, как и Михаил Александрович Смирнов. Ему снесли половину черепа.

— О Господи! — только и смог я выдавить из себя.

Грязнов внимательно за мной наблюдал. Я поймал себя на мысли, что точно таким же взглядом, наверное, смотрел на Киселева, когда сообщал ему о смерти Смирнова. И мне стало чуточку не по себе.

— Только не смотри на меня, как солдат на вошь, — сказал я Грязнову. — Можешь взять в нашей следственной части мою развернутую характеристику. Там будет сказано, что Турецкий морально устойчив и не способен к убийству. А это означает, что Киселева я не убивал.

— Знаю я твою моральную устойчивость, — усмехнулся Грязнов. — Свою дочь я бы даже в церковь с тобой не отпустил.

— Разве у тебя есть дочь? — поразился я.

Он поднял руку:

— Это я так, к слову. Но давай-ка к делу. Когда ты расстался с Киселевым?

48

— Час назад. — Я посмотрел на часы, которые на этот раз благоразумно прихватил с собой. — Нет, почти полтора. А вы давно здесь?

— Как он выглядел, когда ты уходил? — не отвечая на мой вопрос, спросил Грязнов.

Я еще раз посмотрел на убитого и уверенно ответил:

— Лучше.

— Не надо, Сань, — попросил Грязнов. — Не ерничай ладно? Здесь, если ты до сих пор не понял, убийство произошло. И ты был одним из последних, кто видел убитого. Что последним был — не скажу. Доказательств нет. Так что отвечай по существу, очень тебя прошу.

— За презумпцию невиновности — спасибо. — Я не мог не иронизировать, хотя и понимал, что Грязнов психует. — Что знаю, то и скажу. Ты только спрашивай, гражданин начальник. А я тебе все изложу как на духу, век воли не видать.

— Ты чего? — удивился он.

— А ты чего?! — не выдержал и я. — Ты чего тут из себя корчишь? Что ты мне цирк устраиваешь? «Доказательств нет», «отвечай по существу»! Бюрократ!

Он уперся указательным пальцем мне в грудь. Ну прямо шериф из американского кино.

— За оскорбление при исполнении служебных обязанностей можно запросто схлопотать по морде. Понял?

— С «важняком», милый мой, тоже шутки плохи, — напомнил я ему, с кем он имеет дело. — Короче. Что тут произошло? У меня такое ощущение, что убивал их один и тот же человек. Причем одним и тем же способом.

— Да, — согласился он. — Но посмотри, что мы имеем. Я подозреваю, что кто-то хочет убедить нас в том, что сначала Киселев убил Смирнова, а потом покончил с собой.

— Или наоборот, — пробормотал я.

— Не понял, — смотрел на меня Грязнов. — Что значит — наоборот? Сначала покончил с собой, а потом убил Смирнова? У врача давно был, Саня?

Пришлось объяснять.

— Я хочу сказать, — вздохнул я, — что кто-то делает вид, будто хочет убедить нас именно в том, о чем ты так проницательно тут говорил.

— Зачем?

Я развел руками:

— Кто их разберет, этих убийц, — проговорил я. — Мало ли что у них на уме.

— Версия удобоваримая, — согласился Грязнов. — Это вполне имеет право быть.

— Да, — поддержал я его. — Только для завершения удобоваримости не хватает самой малости.

— Чего именно? — насторожился он.

Я снова развел руками:

— Так предсмертной записки же!

Он посмотрел на меня как-то очень уж отстраненно, и я понял, что сейчас последует.

— Саня, — сказал он, — может быть, ты смилостивишься и все-таки расскажешь, что произошло тут между тобой и убитым?

— Хорошо, смилуюсь, — кивнул я. — В общем-то ничего интересного в нашем разговоре не было. В основном речь шла о политике.

— О политике?

— А что тебя удивляет? Сейчас все говорят о политике. До выборов Президента осталось всего ничего.

Он почему-то посмотрел на часы, потом на меня и вдруг сказал:

— Странно.

— Что — странно?

— Странно. У него убили товарища, так? И в это время он разглагольствует о президентских выборах.

— Кто тебе сказал, что мы говорили о выборах? — удивился я.

— Ты, — тоже удивился он.

— Ну ладно. — Я поднял ладони. — Не буду вводить следствие в заблуждение.

— Неужели?

— Можешь мне поверить, — заверил я. — Хорошо. Слушай, давай только выйдем покурим? Пусть дежурный следователь и ребята-оперативники все здесь запротоколируют.

— Если хочешь, — предложил он, — можем вообще выйти из дома и подышать свежим воздухом. А ребята, точно, пусть повкалывают — поищут тут следы и улики.

— Ты даже имеешь возможность проводить меня до дома, — улыбнулся я. — Здесь недалеко.

— Как быстро стало светлеть, — сказал Грязнов, едва мы вышли из подъезда. — Я бы даже сказал — стремительно.

— Да уж, — согласился я.

На улице и вправду было уже светло. Только что была ночь — и вдруг утро.

Некоторое время мы молчали. Наши шаги размеренным стуком нарушали утреннюю тишину.

— Ну? — сказал наконец Грязнов.

— Ну и вот, — сказал я. — Что ты слышал о Стратегическом управлении?

— Это ЦРУ, что ли? — покосился он на меня.

— Нет, отечественное.

Он покачал головой.

— Ничего.

— Ага, — сказал я. — Вот и я ничего не слышал. До сегодняшней ночи.

— Киселев? — коротко спросил он.

— Он.

И мы снова замолчали.

— Ну? — уже раздраженно сказал Слава. — Что ты кота за хвост тянешь?

До самой последней секунды я не был уверен, что расскажу ему все то, о чем поведал мне покойный Киселев. Зачем МУРу знать то, о чем знает Генпрокуратура? И вот только что меня осенило, хотя все и так было ясно, словно Божий день. Если все, что наговорил мне об этом дурацком управлении Киселев, есть бред и ахинея, то я только наврежу себе тем, что ничего об этом не рассказываю. Если же во всем этом есть крупица истины, то уж, во всяком случае, Грязнов заслуживает того, чтобы все знать. Такие, как Грязнов, войны в Чечне не начинают и золотые запасы не воруют. Ну конечно, он должен знать. Мне даже показалось, что расхотелось спать — так на душе полегчало.

— Просто не знаю, с чего начать, — пожал я плечами.

Грязнов вздохнул:

— А ты представь себе, что ты стенографистка, извини за смелость высказывания. И шпарь как по писаному. Я же не заставляю тебя придумывать, фантазировать. Просто воспроизведи. И можешь идти баиньки.

— Ладно, — кивнул я. — Попробую.

И медленно, но верно начал свое «воспроизведение». Поначалу Грязнов слушал меня со скептической ухмылкой на устах, но потом эта ухмылка куда-то пропала. Я догадывался, что в моём рассказе его что-то сильно зацепило, но что именно — до меня пока не доходило. Мне не хотелось пока раскрывать перед ним этот свой интерес, и я продолжал рассказывать, как хорошо смазанный диктофон, если их чем-нибудь смазывают. Я даже стал засыпать от монотонности собственного голоса. И в итоге рассказал все.

— И что ты обо всем этом думаешь? — спросил он, когда я закончил.

Я пожал плечами.

— Одно из двух. Или Киселев впал в старческий маразм, или что-то в этом есть.

— Это не ответ. — Слава серьезно смотрел на меня.

— Грязнов! — взмолился я. — Отпусти ты мою душу грешную на покаяние! Спать хочется — сил нет. Мне пара часов осталось глазки-то сомкнуть. Ну пожа-алста, гражданин нача-альник...— заканючил я.

— Идите, Турецкий, — строго кивнул он

53

мне. — И не забудьте, что все, о чем вы мне сейчас рассказали, является тайной следствия. Обещайте, что никому не расскажете того, что сообщили мне.

— Чтоб я сдох! — поклялся я. — Можно идти?

— Иди. И спасибо за помощь следствию.

— Взаимно, — сказал я и отправился спать.

Пусть помучается, угадывая, что могла означать моя последняя реплика.

Глава 3

АНИЧКИН. ДЕКАБРЬ 95-го

Володя Аничкин, сколько себя помнил, всегда хотел стать разведчиком.

Еще в младших классах обнинской средней школы на сакраментальный вопрос: «Кем ты будешь, когда вырастешь?» — он отвечал не обычное — «космонавтом» или «продавцом мороженого», а «разведчиком», приводя взрослых в умильное восхищение. Когда Володя чуть-чуть подрос, по телевизору стали часто показывать сериал про Штирлица, и это окончательно решило его судьбу. Он читал исключительно про разведчиков, с дворовыми ребятишками играл только в Штирлица, а в школе налегал на те предметы, которые, по его мнению, наиболее необходимы будущему резиденту, — географию и английский язык. Однако если с географией дела обстояли еще туда-сюда, то английский, что называется, не шел. Не было у Володи способностей к языкам. Иностранные слова никак

55

не хотели складываться в осмысленные фразы, а если и складывались, то в результате рождался смысл, прямо противоположный желаемому.

Но Володя духом не падал, а продолжал овладевать различными навыками, которые могли пригодиться в будущей работе: печатанием на машинке слепым методом, ездой на мотоцикле и конечно же игрой на различных музыкальных инструментах. В десятом классе он записался в парашютную секцию ДОСААФ. В погожие летние дни, паря под белым куполом над Тушинским аэродромом, он представлял себе, как спускается с важным правительственным заданием на вражескую территорию и потом в одиночку разрушает все планы фашистов... Ну или еще кого-нибудь.

После школы Аничкин без проблем поступил в МАИ, несмотря на большой конкурс. Реактивные двигатели, которые он должен был теперь изучать долгие пять лет, особенно его не интересовали. Володя продолжал поглощать все доступные книги про известных шпионов — наших и иностранных.

В то время (а дело было в начале 80-х) студенты авиационного института, впрочем, как и многих других московских вузов, отличались некоторым, допустимым и допускаемым властями, «левачеством». По рукам ходили журналы «Посев» и «Грани», самиздатовские Солженицын и Довлатов, на частых вечеринках разговоры шли по преимуществу о Сахарове и Щаранском. Аничкин неодобрительно относился к таким проявлениям демократизма. КГБ для него было чем-то почти святым, несмотря на все «кухонные» обвинения. Еще бы — ведь и Штирлиц, и Зорге, и капитан Клосс были в конечном счете сотрудниками органов госбезопасности, попасть в которые Володя так стремился. Тем не менее самиздат он читал и в «собирушках» участвовал.

Как-то раз в руки Володе Аничкину попалась пухлая пачка бледных ротапринтных листов, сшитых суровой ниткой. «Тайны КГБ» — значилось на картонной обложке, сделанной из старой коробки из-под конфет. Автором был какой-то немец. Разумеется, он не мог пропустить книгу с таким многообещающим названием и читал всю ночь, на которую она под строжайшим секретом и была выдана Леней Бронштейном, спецом по самиздату с отделения аэродинамики.

Наутро Володя вернул ему книгу с такими словами:

— Я советую тебе, Леонид, немедленно сжечь этот гнусный пасквиль...

Бронштейн посмотрел на него как на сумасшедшего, ни слова не говоря, сунул книгу за пазуху и растворился в толпе студентов.

То, что прочитал Аничкин в «Тайнах КГБ», абсолютно не соответствовало его представлению об этой организации как о некоей школе отважных разведчиков. Она изобиловала разными неприглядными историями с участием агентов КГБ — от убийства Троцкого до расстрела в Катыни и «пражского лета». Кроме того, Аничкин подозревал, что литература такого рода — это тебе не «Мастер и Маргарита» и даже не «Архипелаг Гулаг». На ней можно было здорово залететь. А портить раньше времени свои отношения с органами Володя не собирался. Поэтому, стремясь хоть как-то обезопасить себя, он и произнес эту странную фразу.

Но все было напрасно.

Не прошло и трех дней, как во время одного из перерывов между занятиями к нему подбежала запыхавшаяся секретарша ректора:

— Аничкин, я тебя уже пятнадцать минут разыскиваю. Срочно к Валерию Михайловичу.

Войдя в кабинет ректора, Володя сразу же заметил небольшую, но существенную странность: несмотря на присутствие Валерия Михайловича, за его широченным столом сидел другой человек. Невзрачный такой, с внимательными серыми глазами. Сам же Валерий Михайлович примостился — именно примостился — на стуле для посетителей. Завидев Аничкина, ректор протянул в его сторону руку и слабым голосом сказал:

— Вот он.

— Хорошо, — ответил сероглазый. Потом вопросительно взглянул на ректора. Валерий Михайлович торопливо вскочил и, бросив на Аничкина странный взгляд, удалился из кабинета, тщательно прикрыв за собой дверь.

— Аничкин? Владимир Георгиевич?

— Да, — ответил Аничкин, почти физически ощущая на себе взгляд незнакомца.

— Проходи, присаживайся.

Когда Аничкин подошел достаточно близко, сероглазый достал из внутреннего кармана небольшую красную книжку и, на мгновение раскрыв ее перед носом Володи, спрятал обратно. Ни имени, ни фамилии прочитать за это мгновение он не смог. Но — и это было, пожалуй, самое главное — Аничкин успел рассмотреть значок организации, в которой служил незнакомец. Это был треугольный щит с двумя скрещенными мечами за ним.

«Вот здорово!» — пронеслось в голове Аничкина. Любого другого человека охватила бы мелкая дрожь при виде этой эмблемы. Для Володи же это был долгожданный миг. Он не удержался и расплылся в широкой улыбке.

Незнакомца, видимо, озадачила такая реакция на его корочки. Он внимательно посмотрел в глаза Аничкину, но ничего, кроме дружелюбия, в них не увидел.

— Я вижу, мы с тобой достигнем взаимопонимания.

Володя сел на тот самый стул, на котором только что сидел ректор.

— Моя фамилия Белов. Александр Николаевич.

— Очень приятно, — сказал Аничкин абсолютно искренне. Еще бы, ведь перед ним сидел настоящий чекист! Может быть, даже разведчик!

— Я хочу задать тебе несколько вопросов, Аничкин. И очень надеюсь, что ты честно и откровенно ответишь на них.

Володя с готовностью закивал. Этот Белов нравился ему все больше.

— Нехорошо получается, товарищ Аничкин. — Лицо Белова приняло официальное выражение. — Комсомолец, отличник, а интересуешься антисоветской литературой.

С этими словами он вытащил из папки знакомые уже Аничкину «Тайны КГБ».

Вообще-то Володя никогда не сомневался, что органам давно известно, кто, когда и в каком количестве читает самиздатскую литературу, — на то они и органы. И возможность такого разговора предвидел. Поэтому ответ у него был заготовлен заранее:

— Врага нужно знать в лицо, товарищ Белов.

— Похвальное желание. Но, согласись, знать мало, нужно еще искоренять.

Аничкин кивнул.

— Вот ты, например, что сделал для того, чтобы обезвредить человека, который дал тебе эту антисоветчину. — Белов указал на книгу, будто бы боясь до нее дотронуться. — Кстати, как его фамилия?

— Бронштейн, — с готовностью сказал Володя. Ему и в голову не пришло, что он совершает донос. В эту минуту он помогал органам госбезопасности разоблачить врага — не меньше.

— Правильно, — заглянув в какие-то бумаги, произнес Белов, — нам также известно, какую отповедь ты ему дал. Но этого мало. Ты должен был сообщить об этом.

— Я хотел... — Аничкин прижал руки к груди, — но не знал как.

Белов улыбнулся. Такая непосредственность, видимо, его развеселила. Он достал из папки какой-то бланк, заполнил его и протянул Володе:

— Вот. Придешь ко мне послезавтра, в девять утра. Адрес-то, я надеюсь, знаешь?

В этом вопросе содержалась скрытая ирония: вряд ли кому-нибудь в Москве было неизвестно, где находятся два серых, массивных, похожих на волнорезы здания КГБ.

— Да... да, знаю. На площади Дзержинского.

— Добро. Надеюсь, ты понимаешь, что наша встреча должна остаться между нами? Но зайдешь ты не на Дзержинского, а на Сретенку, в городское управление — УКГБ. Бело-голубой такой особнячок. Вот повестка с адресом.

Весь следующий день Аничкин порхал как на крыльях: завтра, завтра наступит тот долгожданный миг, когда он войдет в здание, где по коридорам ходят живые разведчики!

Утром он встал пораньше, тщательно побрился, надел свой лучший костюм и отправился на Сретенку, это оказалось почти рядом. Сердце часто стучало в груди, когда он, отыскав нужный подъезд, предъявил строгому милиционеру на вахте свою повестку. Аккуратно записав данные Аничкина в журнал, тот лаконично сказал:

— На лифте. Третий этаж, направо. Комната 325.

То, что Володя увидел внутри, несколько разочаровало его. По обычным учрежденческим коридорам ходили заурядные служащие, такие же как и везде, да хоть в ЖЭКе, таскали папки, бумаги разные... И никого, хоть мало-мальски похожего на Штирлица, не было.

«Ну не всем же работать разведчиками, — успокаивал себя Аничкин. — И потом, может быть, разведчики по заданиям разъехались».

Без труда найдя крашенную белой масляной краской дверь со стеклянной табличкой «325», он постучал. Из-за двери немедленно послышался голос Белова:

— Да, войдите.

Самая обычная комната в самой обычной организации. Стол. Два шкафа, набитые папками. Пара стульев и небольшой кожаный диванчик. Если бы не Дзержинский на стене вместо Ленина, ни за что не догадаешься, где находишься.

На этот раз Белов был в мундире. На погонах красовалось по одной звездочке средней величины. Значит, этот Белов был майором госбезопасности.

— А-а, Аничкин, ни на минуту не опоздал. Это похвально. Садись.

Он извлек из ящика стола тоненькую папку и развязал тесемки.

— Мы давно к тебе приглядываемся. Ты, говорят, разведчиком стать хочешь?

Аничкин покраснел до ушей.

— Да ты не смущайся. Ничего в этом предосудительного нет. Как говорится, все работы хороши, выбирай на вкус.

Он погрузился в чтение бумаг из папки. Володя, как ни старался, ничего прочесть не мог. Одну лишь странную вещь он заметил: листы были соединены не проволочными скрепками, как обычно, а булавками. Обычными стальными булавками с круглыми петельками на конце. Они прокалывали листы в левом углу, протыкая их в двух местах, — так обычно делают портные. Впоследствии Аничкин узнал, что такой способ скрепления документов был заведен еще Железным Феликсом и с тех пор не менялся: в этой организации не любили перемен.

— Характеристики на тебя, Аничкин, в общем, положительные. Конечно, нездоровый интерес к самиздату... Ну ладно, это ничего. Сообщаю тебе, что ты можешь стать нашим сотрудником.

Сердце в груди у Володи радостно забилось. Не веря в долгожданную удачу, он переспросил:

— Вы меня берете на работу?

— Да, — кивнул Белов.

Так Володя Аничкин стал агентом — внештатным сотрудником КГБ.

Нельзя сказать, что жизнь его с этого момента круто изменилась. Он продолжал так же учиться в институте, писать курсовые и участвовать в студенческих вечеринках. И даже читать самиздатовские книги. Но теперь у него появились дополнительные, довольно необременительные обязанности: раз в неделю он должен был представлять майору Белову письменный отчет о настроениях своих товарищей, об их разговорах... Тот факт, что он обладает своей собственной тайной, не известной и не доступной никому из окружающих, очень нравился Аничкину. Он искренне верил, что таким образом приносит большую пользу, и втайне надеялся, что со временем его мечта сбудется и ему дадут какое-нибудь действительно важное и ответственное поручение.

После окончания МАИ Аничкина в армию не забрали. Напротив, неизвестным чудесным образом его распределили не в какую-нибудь тмутаракань, а в закрытый «почтовый ящик» — секретный завод, который находился почти в самом центре Москвы, недалеко от Белорусского вокзала. Здесь он продолжал выполнять поручения Белова, ставшего к тому времени уже подполковником. Теперь объектами его наблюдения были многочисленные инженеры, которые трудились над созданием деталей для ядерных боеголовок. В большинстве своем они оказались тертыми, осторожными, политические анекдоты не рассказывали и двусмысленными фразами не бросались. Поэтому отчеты Аничкина становились все тоньше и тоньше. Руководство было недовольно, и ему нередко приходилось сочинительствовать — придумывать компромат на сотрудников завода.

Белов был весьма доволен своим агентом. В КГБ, как и везде тогда, существовали разные планы, нормативы, а возможно, и соцобязательства. Видимо, благодаря Аничкину у Белова с этим было все в порядке. Примерно через полгода работы на закрытом заводе Володю взяли в штат и даже присвоили первое звание — лейтенанта госбезопасности.

Аничкин получил двухкомнатную квартиру в Новых Черемушках и женился на Оле, лаборантке с завода, скромной миниатюрной девушке, без ума в него влюбленной. Сам он относился к ней довольно спокойно. И не потому, что не любил ее. Просто за годы работы агентом госбезопасности у него выработалось отношение к любому человеку как к потенциальному объекту для внесения в очередной отчет. Это распространялось даже на близких ему людей. А иногда Аничкин невольно начинал задумываться, нет ли в его собственных мыслях чего-нибудь такого, что заинтересовало бы органы. И, надо отдать ему должное, такого не находилось.

Прошло несколько лет с того памятного дня, когда Володю Аничкина вызвали в кабинет ректора МАИ. Постепенно он начал понимать, что его юношеские мечты о романтической карьере разведчика превращаются в ничто. Работа в органах оказалась гораздо прозаичнее, чем он поначалу думал. Кроме того, даже у него, Аничкина, который никогда в жизни не позволил бы себе усомниться в правильности выбранного пути, в уме нет-нет да и всплывало неприятное и беспокоящее слово «стукач».

Да, Аничкин был недоволен · своей судьбой. Вместо того чтобы, находясь где-нибудь в Лондоне и не считаясь с опасностью, выведывать военные секреты или, на худой конец, продвигаться по служебной лестнице в центральном аппарате КГБ СССР, он был вынужден торчать в давно опостылевшем ему «почтовом ящике» и строчить отчеты о том, кто, что, когда и по какому поводу ненароком сболтнул. Конечно, иногда он намекал Белову, что неплохо бы и перевести его на более перспективную работу, но тот только отмахивался, отвечая, что Володя необходим именно на этом участке работы. Что тут поделаешь?

Шанс представился внезапно и с совершенно неожиданной стороны.

Еще со студенческих лет у Аничкина был один-единственный закадычный друг — Толя Зеркалов. После окончания института тот тоже какое-то время прозябал на закрытом заводе и так же, как и Володя, клял судьбу и низкую зарплату, а потом вдруг его дела резко пошли в гору. Толю взяли на работу в крупное КБ сразу на должность завотделом. Вместе со своей женой Таней он переехал в огромную квартиру в высотке на Красной Пресне, а дачу получил не где-нибудь, а на Николиной Горе. Дружеские посиделки закончились, и теперь при встречах Толя Зеркалов мог позволить себе покровительственно похлопать Аничкина по плечу: дескать, работай и тоже выкарабкаешься. Для Володи было большой загадкой, каким образом тому удалось за короткий срок добиться таких, почти фантастических, результатов.

Как-то раз Зеркалов пригласил Аничкина на годовщину своей свадьбы. Володя пошел один: Оля не была любительницей шумных компаний да и вообще каких-либо сборищ. Все свободное время она посвящала вязке свитеров для Аничкина, хлопотам по хозяйству и запойному чтению романов сестер Бронте. Надо сказать, с годами такие наклонности жены все больше и больше раздражали Володю.

Когда Оля отказалась ехать с ним, Володя облегченно вздохнул и отправился на Николину Гору один. На фоне роскошной дачи Зеркалова стандартная квартирка Аничкиных смотрелась бы убого, и Оле трудно было бы удержаться от не намеков, нет, но красноречивых взглядов в сторону мужа. Володя давно подозревал, что в глубине души Оля считает его неудачником. Хотя какой он, к черту, неудачник? Приличная работа в Москве, квартира в нормальном районе, и потом... Нет, об этом она, судя по всему, не догадывалась. В общем, женщинам всегда мало, даже таким тихим и покладистым, какой была Оля.

Общественным транспортом на Николину Гору добраться было трудно. Это и понятно: кому же придет в голову, что у обладателей дачи в таком престижном месте (и, кстати, у их гостей тоже) нет собственной машины? Сюда ходил всего один автобус, и то с большими промежутками.

Как бы там ни было, спустя три часа Володя нажимал кнопку звонка у калитки в высокой бетонной ограде дачи Зеркалова. Через минуту ему отперла молоденькая девушка в кружевном переднике.

«Ничего себе, — подумал Володя, — неужели у него еще и горничная имеется?»

— Я к Толе Зеркалову.

— К Анатолию Семеновичу? — Аничкину показалось, что горничная (или кем она там была), увидев, что он пришел пешком, была несколько озадачена.

— Да... к Анатолию Семеновичу.

«Вот уж не думал, что когда-нибудь придется к нему по отчеству обращаться».

— Секундочку, — сказала горничная и захлопнула калитку.

Аничкину ничего не оставалось, как вынуть из смятой пачки «Родопи» сигарету и, закурив, начать оглядывать окрестности.

Да, места здесь были что надо. Разбросанные по склону большого холма дома, которые «дачами» назвать не поворачивался язык, были наполовину скрыты густой листвой деревьев. А чуть ниже, за небольшим лужком, начинался настоящий лес, в котором наверняка располагалось живописное озеро. Или живописная речка. Или что-нибудь в этом роде. Аничкин сейчас с гораздо большим удовольствием отправился бы в этот лесок, разыскал небольшую полянку, прилег на зеленую траву и хоть на часок забыл, что на свете существует проклятый «почтовый ящик», предсказуемая, а потому и надоевшая Оля, наконец, Белов. Нет, пожалуй, о Белове ни на минуту забывать не стоило. Как ни крути, только от него зависела жизнь Аничкина и только на сотрудничестве с ним он мог строить какие-то расчеты и планы на будущее. И потом, согласитесь, лежать на лесной полянке приятно после выполнения сложного и опасного задания, а так...

— Володька!

У калитки стоял Толя Зеркалов. Да, это уже был не тот Толя, которого Аничкин знал в институте. Это был розовощекий, упитанный, с явно наметившимся брюшком, а главное, уверенный в себе Анатолий Семенович Зеркалов, хозяин дачи на Николиной Горе. Одет он был в летний костюм цвета слоновой кости с широченными, по тогдашней моде, лацканами.

— Здорово... Толян. — Аничкин запнулся, но все-таки решил называть его как обычно.

— Привет-привет. А где супруга?

— Приболела, — не очень уверенно ответил Аничкин.

— Ну ладно, заходи. — Он положил ладонь на плечо Аничкина и легонько подтолкнул во двор. — Слушай, — негромко сказал Толя, когда они входили в дом, — ты это... меня Толяном не называй. Неудобно, тут родители жены...

«Начинается», — с тоской подумал Володя.

Однако когда он увидел публику, толкущуюся в необозримом холле, женщин в длинных декольтированных платьях и хорошо одетых мужчин, которые пили из высоких тонких стаканов разноцветные напитки («Коктейли!» — сообразил Аничкин) и поедали микроскопические, наколотые на тонкие шпажки бутерброды-канапе, то понял все. Вероятно, он стал участником великосветского приема, подобные которому Аничкин видел только в кино. И конечно, фамильярное обращение к хозяину дома было бы, мягко говоря, неуместным.

— Пойдем, я тебя с женой познакомлю. — Зеркалов подхватил его под локоть и поволок в толпу гостей.

По дороге они наткнулись на официанта, который, искусно лавируя между группками гостей, нес круглый поднос, заставленный высокими фужерами с искрящейся жидкостью.

— Бери шампанское. Только вчера из Парижа, — посоветовал Толя.

«Черт побери, — думал Володя, прихлебывая вино, — вот уж не думал, что где-нибудь у нас такое возможно. Не иначе, Толе удалось проникнуть на самую верхушку. Только чего?»

— Таня, познакомься. — Толя тронул за локоть стоящую к ним спиной женщину.

Когда она обернулась, Аничкин вдруг понял, что он никогда, ни за что и ни под каким видом не включил бы Таню в свой еженедельный отчет полковнику Белову, даже если бы достоверно знал, что она собирается взорвать Кремлевский Дворец съездов. Почему? Вряд ли он смог бы это объяснить. Просто это было первое, что пришло ему в голову, когда он увидел ее глаза. Огромные, бездонные темно-карие глаза. Вообще-то Аничкин имел склонность к самоанализу и сразу же попытался определить причину такого странного (если не сказать больше) решения. Но мысли мгновенно перепутались в его голове, и он потерял способность к каким-либо умозаключениям. Аничкин видел только глаза Тани Зеркаловой...

— Здравствуйте, — сказала она.

— Здра... — Володя протянул ей руку, но, на беду, именно в ней был бокал с шампанским.

— На счастье, — кисло произнес Толя, глядя на сверкающие под ногами осколки, — Венеция...

— Что? — спросил Аничкин.

— Венеция, говорю. Начало века. Из музея.

— Ну ладно тебе, Толя, не смущай гостя, — вновь улыбнулась Таня, все-таки пожимая кончики пальцев Аничкина. Ему показалось, что она задержала их немного дольше, чем положено.

— Ты не беспокойся, Толя, я заплачу.

Зеркалов иронически хмыкнул:

— Зарплаты не хватит. — Он сделал знак проходящему мимо официанту убрать осколки.

— Где вы работаете? — спросила Таня, беря Аничкина под руку и уводя в сторону. — Толь, мы немного прогуляемся с твоим другом, ладно?

Возможно, если бы Зеркалов не был огорчен потерей музейного фужера, он так опрометчиво не отпустил бы свою обворожительную жену с Аничкиным. А может, и отпустил бы. Так или иначе, весь остаток вечера они провели вместе.

Гостей было столько, что искать затерявшуюся в огромном доме парочку было бессмысленно.

Володя плохо помнил подробности этого вечера. Да и вообще поверить в них было непросто. Вначале он совершенно невпопад отвечал на ее вопросы, потом неуклюже шутил, а совсем поздно он оказался в дальнем углу сада, в старой уютной беседке и, что было совсем уж необъяснимым, в жарких объятиях Тани Зеркаловой.

— Но почему? — спрашивал Аничкин, привыкший постоянно искать объяснения каждому поступку.

— Тс-с, — закрывала ему рот узкой ладошкой Таня.

Часов в одиннадцать она вывела его через заднюю калитку, а сама как ни в чем не бывало, приведя одежду в порядок, вернулась к своим гостям.

По дороге домой, да и весь следующий день, Аничкин размышлял об умопомрачительном своем приключении. Что и говорить, тайные любовные похождения были для него в новинку. Жене он до сих пор ни разу не изменял, и не потому, что не подворачивалось случая, а просто не хотелось — работа, то да се... Впрочем, и до Оли любовные связи Аничкина можно было сосчитать по пальцам одной руки. С первого взгляда он никогда в жизни не влюблялся, а тут — на тебе! Понравившаяся ему женщина накидывается на него как кошка, даже не заручившись его согласием. К тому же — жена старого друга. Видимо, женщину никогда не понять, и что у них на уме, не известно никому. Даже им самим.

Таня Зеркалова сунула ему на прощанье визитную карточку — прямоугольный кусочек картона отменного качества, на котором золотом было напечатано ее имя и два телефона — домашний и рабочий. И все. Больше ничего указано не было.

Звонить Аничкин на стал. Продолжение знакомства, как он понимал, не сулило ничего хорошего. Судя по положению Зеркалова, Толя и его жена были довольно заметными личностями. Кроме того, Аничкин подозревал, что именно благодаря ей Толя и достиг успеха. В любом случае интимные отношения с Таней могут стать известными окружающим, и тогда что же? Увольнение с работы за аморалку, окончательный разрыв с женой, да и Белов, скорее всего, в восторге не будет... Так что куда ни плюнь — везде сплошные минусы. Визитка Тани была надежно спрятана в один из томов Большой Советской Энциклопедии, а сам Аничкин постарался выкинуть из головы то головокружительное приключение на Николиной Горе. Правда, с последним было труднее. Сидя в своем кабинетике, читая перед телевизором «Вечерку» или даже составляя очередной отчет для Белова, Володя то и дело вспоминал огромные, страстные глаза Тани, ее мягкие губы ну и... все остальное. Да, Володя Аничкин, пожалуй, первый раз в жизни по-настоящему влюбился.

Не прошло и двух недель, как Таня позвонила ему сама.

— Привет! — услышал он в трубке и тотчас же узнал ее голос.

— Э-э... здравствуйте, — промямлил Аничкин.

— Жена дома? — догадалась Таня.

— Да...

«Интересно, откуда она знает мой номер телефона?»

— Ну что же ты? Почему не позвонил?

— Занят был. — Ничего глупее придумать было нельзя.

— А я так ждала... Ну ладно, приезжай в воскресенье на дачу. Прямо с утра. Толя в командировке, так что не беспокойся. Жду.

В трубке послышались отбойные гудки.

Дело было в четверг вечером, и два следующих дня Аничкин провел в мучительных раздумьях. Здравый смысл подсказывал не ввязываться в авантюру, но к этому голосу почему-то совсем не хотелось прислушиваться. Чем дольше Володя размышлял, тем больше ему хотелось поехать. И кроме того, в нем взыграл мужской эгоизм по отношению к Толе Зеркалову: дескать, вот ты весь из себя такой крутой и самоуверенный, а баба твоя со мной. Короче говоря, в воскресенье спозаранку, сказав Оле, что идет на рыбалку, Аничкин устремился на Николину Гору.

...Потом подобных встреч у них было много. Постепенно Аничкин понял, что Толя Зеркалов действительно абсолютно всем был обязан ей. Вернее, не ей, а ее отцу — Михаилу Александровичу Смирнову, занимающему очень ответственный пост в Совмине. Если бы не он, сидеть бы Толе Зеркалову по-прежнему на кухне и обсуждать за бутылкой дешевого портвешка трудности жизни.

И вот тут-то до Аничкина дошло, что судьба дарит ему шанс. Хоть он и не был фаталистом, но от такого подарка отказываться было нельзя. Тем более что второго могло и не быть. Таня, судя по всему, давно охладела к Толе. Аничкина она, напротив, любила. Оставалось сделать так, чтобы из-за этой любви она смогла бы пойти на все, — к примеру, на развод с мужем.

В сущности, искусство обольщения — нехитрая наука. И нет мужчины, который не мог бы ею овладеть. Особенно когда от этого зависит судьба. И Аничкин начал действовать.

Как всякая дочь высокопоставленного номенклатурщика, Таня не была лишена некоторых иллюзий, связанных с советским воспитанием. Она искренне считала, что роскошь, окружающая ее с детства, — плод построения развитого социализма. Верила она и в окончательную победу коммунизма к двухтысячному году. Может быть, одной из причин того, что она охладела к Толе, был присущий ему цинизм и ироническое отношение к ее пионерским замашкам. Аничкин понял, куда надо бить. Кстати говоря, Володе и притворяться особенно не пришлось, его взгляды были во многом схожи с Таниными.

Словом, через полгода она подала на развод.

Глава 4

ТУРЕЦКИЙ И МЕРКУЛОВ

1

Я спал всего два часа, и слава Богу. Мне приснилось Стратегическое управление. В виде какого-то диковинного зоопарка с экзотическими животными.

Нет, никаких имен я вам сейчас не назову. Я, конечно, слышал, что во сне порой людям приходят удивительные открытия — таблица Менделеева, например. Но здесь другой случай. Никто ко мне во сне с повинной не приходил и не винился. Не сказал: «Бери, мол, меня, Александр Борисович, с потрохами, давай-ка сюда свой протокол, а я тебе как есть все чистосердечно опишу». Нет, мне снились какие-то жуткие хищники, не то тигры, не то гиены, не то волки, и они рычали, визжали, устраивали буйные оргии, бросались на меня, пытаясь сожрать какую-нибудь часть моего тела, а я им не давался, отскакивал, стрелял из своего табельного пистолета, из дула которого почему-то вылетали хлебные мякиши, и отбивался от них невесть откуда взявшейся в моих руках длиннющей палкой. И все время знал, что все эти зверюги вкупе составляют таинственное и могущественное Стратегическое управление.

Помню, что успел только погрозить им: «Мол, выведу я вас на чистую воду все равно!» Так они тут же такой вой подняли, так дружно на меня кинулись, что только моя невероятная воля меня и спасла. Я изо всех сил напряг ее, волюшку мою родимую, и заставил-таки себя проснуться.

— Ты чего? — испуганно смотрела на меня Ирина.

Я поднял ладонь к глазам и с силой на них надавил:

— Я что, кричал?

— Ты? — переспросила она. — Да ты визжал, будто тебя резали.

— Что, серьезно?

— Дальше некуда!

— Да, — пробормотал я, — дальше некуда, действительно. Уволюсь я с этой работы, к чертовой матери.

— Кофе сделать?

— Будь добра. Уволюсь, ей-богу! Обратно в газету уйду...

— Не пугай меня, Турецкий. — Ира встала с постели и, шлепая по полу босыми ногами, отправилась в кухню.

— В каком смысле — не пугай? — остановил я ее вопросом у порога.

В дверях она повернулась ко мне и объяснила:

76

— Если ты еще раз повторишь, что уволишься, я начну в это верить. А я не хочу этого. Я знаю, чем все твои уходы кончаются.

— Ты не хочешь, чтобы я увольнялся?! — удивился я. — Тебе нравится, что твой муж постоянно рискует оставить тебя вдовой?

Сказал и чуть не прикусил себе язык. Что это со мной? В жизни не позволял себе подобных пошлостей. Супермен, твою мать... «Рискуешь» ты. Позер! Жлоб!..

— Я не хочу *верить*, что ты можешь уволиться, — сказала Ира. — И не хочу верить, что это вообще возможно. Если я в это поверю хотя бы на парочку процентов, я стану этого не просто хотеть, а жаждать. И тогда наша семья лишится покоя навсегда, потому что ты так не поступишь никогда.

— Ты что, стихи писать начала? — спросил я.

— Почему? — удивилась она.

— В рифму говорить стала. Но ты не волнуйся, ладно? А то ведь и до поэм недолго. Станешь профессиональной поэтессой, и тогда наша семья точно лишится покоя. Кофе хочу.

Она все-таки не уходила. В ее глазах я с тревогой прочитал что-то похожее на зарождавшуюся надежду.

— А помнишь, — спросила она, — ты мне рассказывал, как Слава Грязнов ушел из милиции и стал частным сыщиком?

— А помнишь, — зарычал я на нее, — я тебе говорил, что Слава Грязнов вернулся в милицию и является в настоящее время заместителем начальника МУРа?

— Саша...

— А помнишь, — продолжил я тем же тоном, — я говорил тебе, что хочу кофе?! А помнишь, ты мне сказала, что сделаешь мне кофе?! А помнишь?..

Но она уже вышла из спальни и изо всех сил хлопнула за собой дверью. Зря я с ней так. Нельзя так обращаться с беременными. Представь себе, Турецкий, что это ты беременный, а тебя в это время заставляют варить кому-то кофе...

— К черту! — громко заявил я вслух. — Чтобы я стал беременным, нужно, по крайней мере, чтобы кто-нибудь меня трахнул. Хотел бы я посмотреть, у кого это может получиться. Ха-ха!

Наскоро умывшись, я пришел на кухню и увидел за столом Таню Зеркалову. Кофе был разлит по чашкам, и Таня машинально подносила к губам то печенье, то чашку с кофе. Ирина у плиты поджаривала гренки — гости иногда приносят маленькие радости.

— Доброе утро, — не стесняясь своего обнаженного торса, я сел за стол и взялся за кофе.

— Здравствуй, Саша, — отрешенно ответила Таня.

Я выругался про себя. У человека отца убили, а ты ему — «доброе утро!». Дурак ты, Турецкий!

Я что-то пробурчал и преувеличенно серьезно взялся за свой завтрак. Ирина поставила перед нами большую тарелку с румяными гренками и, извинившись, вышла.

Несколько минут прошли в гробовом молчании, прерываемом только редкими прихлебываниями. Наконец Таня вздохнула и сказала:

— Саша... Если ты хочешь что-нибудь спросить, спроси.

— Ну... — замялся я. — Ты как? Нормально?

— Саша! — Взгляд ее был достаточно твердым. — Не жалей меня. Если ты и вправду хочешь о чем-то спросить — спрашивай. Если тебя интересует мое состояние, могу сказать только то, что оно очень и очень плохое. Мне будет легче, если ты будешь расспрашивать об отце.

Я старательно делал вид, что разглядываю свою чашку. Нет, она, конечно, права. Я ведь все-таки немного знаю ее. Ей действительно станет легче, если мы начнем обсуждать существо дела. Впрочем, сомневаюсь, что она сможет чем-то весомо мне помочь. Хотя попробовать можно.

— Таня, — осторожно начал я, — ты когда-нибудь слышала из уст Михаила Александровича такое словосочетание: Стратегическое управление?

Кажется, Турецкий, ты становишься маньяком. Далось тебе это управление.

Таня наморщила лоб.

— Нет, не припоминаю, — призналась она. — А это действительно важно?

— Понятия не имею, — виновато улыбнулся я. — Пока. Ну а дальше видно будет.

Все-таки ты большой мудрила, Турецкий. Так и жди, что станет известный партноменклатурщик — бывший управделами Совмина СССР — Смирнов делиться с дочкой смертельно опасными сведениями. Если, конечно, Киселев говорил правду. Или совершенно ненужными, если он бредил.

— Слушай, Таня, — сказал я, отправляя в рот гренку. — Тебе папа не говорил, что скоро в нашу страну вернется коммунизм?

— Соскучился? — Она хмуро подняла на меня глаза.

— Да не так чтобы уж, — пожал я плечами. — Ну как это сказать. Иногда, знаешь, кто-нибудь из старых партийных работников нет-нет да и ляпнет, что вот, мол, неплохо бы вернуться, так сказать, к семидесятилетнему эксперименту, и всякое такое.

— Папа был на пенсии, и ты это прекрасно знаешь, — ответила она. — Может, ты его еще и реваншистом назовешь?

— Что ты! — испугался я. — Просто... как это? Знаешь, собираются иногда старые боевые кони, вспоминают, так сказать, удалую молодость, сабельные атаки... Никогда не встречались у вас дома его... ну, скажем, бывшие сослуживцы?

Взглянув на нее и встретившись с ней взглядом, я чуть не поперхнулся. Таня Зеркалова смотрела на меня, словно на больного заработавшегося и чуть свихнувшегося совслужащего, которого вот-вот должны уволить за профнепригодность. Или забрать в психушку.

— Слушай, Турецкий, — тихо проговорила она, — ты о чем это все время толкуешь? Я что-то ничего в твоих словах не понимаю. Ты сам-то соображаешь, что говоришь?

— А что? — с невинным видом спросил я.

Она объяснила:

— Ты говоришь, что мой отец собрал вокруг себя пенсионеров-сослуживцев и создал что-то вроде марксистско-ленинского революционного кружка? Я правильно тебя понимаю?

Нужно отдать ей должное, она схватывала все на лету, хотя и не до конца понимала. Но она же, черт возьми, не слышала, что вчера ночью говорил мне Киселев.

— Это новая охота на ведьм? — гневно вопрошала тем временем Татьяна.

— А что, значит, собирались старички-то? — мгновенно насторожился я.

— Собирались! — выпалила она. — Чай пили! Ельцина ругали! А я им печенье подавала и улыбалась! Еще вопросы будут?

Да, что-то я, кажется, погорячился. Но при чем тут пенсионеры?

— Да не бери ты в голову, — посоветовал ей я. — Работа у меня такая. Все версии должен рассмотреть, промять и проанализировать. Так что не обижайся, ладно?

Она моментально сникла, будто из нее воздух выпустили, и снова сгорбилась за столом, глядя прямо перед собой. Я заторопился.

— Ну, мне пора.

2

Славка Грязнов, или, прошу покорно, Вячеслав Иванович Грязнов, сыщик-ищейка милостью Божьей, всю сознательную оперативную жизнь проработал в МУРе. Правда, был недавно у него некий период, когда он уходил в так называемые частные сыщики и его агентство «Глория» (а в миру — «Слава») одно время даже гремело и пожинало все лавры, которые может обрести частное сыскное агентство. И ему совсем не улыбалось возвращаться в уголовный розыск. «Не знаю, что должно произойти, чтобы я вернулся», — признался он как-то мне. И я его понимал. Ответственности, понимаешь, поменьше (в смысле меньше начальников, перед которыми нужно постоянно объяснять каждый свой шаг, а также просить на все разрешения), а вот денег соответственно больше. Такое оно — счастье: делай свою любимую работу, ничего не бери в голову и получай за это деньги. И никакой головной боли, кроме ответственности перед клиентом. Но без последнего не обойдешься, должны же быть хоть какие-то раздражители.

И ни за что бы Грязнов не вернулся на государственную службу, если бы не сложное переплетение обстоятельств, разных по значимости, но одинаковых по результату: соединившись, они создали такой вулканический эффект, что Грязнову ничего другого не оставалось, как вернуться в родные до боли стены Московского уголовного розыска.

Когда прошлой осенью погибла Александра Ивановна Романова, начальник МУРа и Славина крестная мать (в фигуральном смысле), Грязнов недели две не мог ни за что взяться. Это было странно только для него. Он и не подозревал, что в его душе жило столько любви, почтения и благоговения к Шурочке. Простая и хитрая, умная и добродушная, жестокая и мягкосердечная одновременно, навсегда осталась в памяти Славки, как, впрочем, она осталась в памяти всех, кто ее знал, — в моей, в частности, тоже.

Потом начались трудности с оружием. Вышли какие-то совершенно нелепые указы и инструкции с утомительным перечислением условий, при которых частный сыщик имеет право на ношение оружия. Грязнову-то наплевать, с его связями можно было не беспокоиться о подобной ерунде, но он привык быть законопослушным.

— Они охренели, Турецкий, просто охренели! — кричал он мне в лицо, имея в виду тех, кто издает законы. — У любого бандюги, кого ни возьми, целый арсенал, ему наплевать на то, что оружие запрещено носить с собой. Он пульнет в тебя — и в кабак, лососину жрать с девкой. А попробуй ты его ранить и, не дай Бог, в милицию сдать — сразу вопросы, а откуда, мол, у вас пистолет, а есть ли, мол, у вас на него разрешение?! Сами не знают, чего творят!

Но это ладно. Не такой Грязнов человек, чтобы теряться перед подобными мелочами. Дело в другом. Все чаще и чаще стал жаловаться он на то, что чувствует себя оперативной проституткой. Дело вроде интересное, перспективное, а выполнять его душа не лежит, уж очень клиент неприятен. Нет, не потому, что у него, у клиента, красный пиджак от Юдашкина или там «мерседес» шестисотой модели, который он сменил на прошлой неделе только потому, что у предыдущего такого же пепельница засорилась. Грязнов далек от ханжества, ему, как Верещагину из «Белого солнца пустыни», за державу обидно!

Все больше и больше среди его клиентов стали встречаться такие, с которыми при других обстоятельствах он не то чтобы за руку здороваться — в одном поле срать бы не сел. А тут приходилось скрепя сердце не только разговоры разговаривать, но еще и отчитываться по полной программе. Не всегда, конечно. Но частенько. И это его убивало.

И когда он как-то пришел ко мне в три часа ночи с бутылкой водки и сказал, что ему только что звонил новый начальник МУРа (в прошлом тоже ученик Романовой) и предложил стать его первым заместителем по оперативной работе, я не очень удивился.

— Поздравляю, — сказал я.

— Я еще ничего не решил, — вскинул он голову.

— Не вешай мне лапшу на уши, Слава, — ответил я. — Если б ты ничего не решил, ты бы не приперся сюда в три часа ночи с бутылкой водки.

— Если б я решил принять предложение, — упрямо покачал он головой, — я бы перед тобой и Меркуловым уже хвостом крутил: все же кураторы милицейские — гадость всегда сотворить можете. Нет. Я к тебе советоваться пришел. Можешь ты посоветовать своему, так сказать, другу, как ему быть?

— Когда ты должен дать ответ? — спросил я.

Он посмотрел на часы.

— В девять утра.

— Времени вагон, — кивнул я. — Открывай бутылку, а я пока закуску приготовлю.

Ирина спала, и мы тогда тихо сидели на кухне до утра. Одной бутылки оказалось мало, и мы приговорили вторую, которая стояла у меня в холодильнике. А утром, пьяный в дымину, он поехал давать свой ответ министру внутренних дел. Его выслушали, поблагодарили за согласие, похвалили за осознание им гражданского долга и настоятельно посоветовали ехать немедленно домой и хорошенько выспаться, а к шести вечера быть на работе свежим и отдохнувшим. Он все так и сделал, кроме самой малости. Вместо того чтобы ехать к себе домой, он снова приехал ко мне, завалился на диван и тут же захрапел. У меня тогда выдался короткий отпуск, и я целый день мог находиться дома. Я и маялся, ожидая его пробуждения. В половине пятого он проснулся и стал приводить себя в порядок: мыться, бриться моей бритвой и так далее. По ходу он рассказывал о своей утренней встрече с новым начальством — хитрым министром внутренних дел. Я выслушал его и ахнул:

— Что же ты ничего не сказал мне, когда приехал?! А если бы ты не проснулся ко времени? Я же не знал, что тебя нужно будить!

Он посмотрел на меня странным взглядом, и я понял, что сморозил глупость.

— Я проснулся, — коротко сказал мне Вячеслав Иванович Грязнов, — заместителем начальника Московского уголовного розыска.

3

Едва я вошел к себе в кабинет, меня улыбкой встретила молодая следователь Лиля Федотова, член моей следственной группы. Она не новичок в следствии, работает уже почти четыре года в прокуратуре. Улыбка у нее ослепительная, что и говорить, да и сама она бабенка не только видная, но и очень себе на уме. Для следователя у меня неплохо развита интуиция, ну а для мужчины с репутацией Казановы она развита просто гениально — без ложной скромности. Так вот, интуиция мне подсказывает, что эта дамочка серьезно нацелилась заполучить меня себе в кроватку. Цель, что и говорить, благородная, но покуда я держусь от нее подальше.

Хотя мог бы... Впрочем, все, хватит, Турецкий. Все эти мысли, тем более в начале рабочего дня, нужно пресекать в корне.

Внезапно я понял, что она мне что-то говорит и теперь наслаждается моментом, принимая мои размышления за замешательство мужчины, который общается с красивой женщиной, а она — яркая блондинка, как раз в моем духе, и фигурка у нее хоть куда.

— Простите, вы что-то сказали? — переспросил я ее.

Если та улыбка была ослепительной, то от следующей можно было не только ослепнуть, но и оглохнуть. Что удивительно, потому что она не произнесла ни звука, пока дьявольски улыбалась.

— Я сказала, что Константин Дмитриевич просил вас зайти к нему, как только вы появитесь, — повторила она.

— Ага, — сказал я. — Спасибо.

Я кинул на стол свою папку, развернулся и пошел к выходу. У двери я остановился, чтобы сказать Лиле:

— Простите...

— Да, Александр Борисович? — Ну и взгляд у этой девушки! Хоть на ходу начинай раздеваться...

— Вы не могли бы носить на работу юбки подлиннее? — чуть запинаясь, попросил я ее. — Я как-то видел на вас очень симпатичную юбку чуть ниже колен. Очень вам идет.

— А мини — не идет? — насмешливо смотрела она на меня. — У меня что, Александр Борисович, некрасивые ноги?!

Ща-ас я спеси-то тебе поубавлю, милая моя...

— Да нет, ноги-то красивые, — вздохнул я как можно горестнее. — Юбки некрасивые. Сколько я видел на вас этих мини — все неудачные. Извините.

И, не дав ей опомниться, вышел из кабинета. Пусть переживает, ей это только на пользу. Неизвестно, из-за чего женщины могут расстраиваться больше, — из-за несовершенства фигуры или из-за обвинения в недостатке вкуса.

Настроение почему-то поднялось необычайно, и я бодрой походкой направился к Константину Дмитриевичу Меркулову, заместителю Генерального прокурора России по следствию и по совместительству моему близкому другу. К слову, между мною и Костей — еще два начальника, но мы предпочитаем общаться, минуя эти две инстанции. Благо закон позволяет.

Вот, кстати, была у него в жизни ситуация, похожая на грязновскую. Нет, в частные сыщики Костя не подавался, но в свое время был уволен бывшим и. о. генпрокурора. Этот последний товарищ столько дров наломал, пока полунаходился в своей должности, что судьба Меркулова — всего лишь крохотный эпизодик в череде «славных» деяний этого и. о. — исполнявшего обязанности Генерального прокурора Российской Федерации.

Меркулова, наверное, было за что увольнять, и это сделал бы любой дурак. Дурак и сделал. Умный Костю одновременно ругал бы и холил, проклинал бы и лелеял, что, кстати, делали все генеральные до и после исполнявшего обязанности. Да и что ждать от человека, который воюет не с преступниками, а со смешными куклами, пусть они и похожи на государственных мужей.

Когда нынешний генеральный стал наконец генеральным, я понял, что возвращение Кости — вопрос всего лишь времени. И не ошибся. Это оказалось вопросом нескольких недель. Генеральный вызвал его из отпуска с курорта и устроил самый настоящий разнос: почему, мол, не являешься на работу? Или что-то в этом роде. Костя не стал с ним спорить. Зачем с начальством спорить? Бесполезно. Просто через час уже был в своем кабинете и позвонил мне. Потом мы встретились, обнялись, он налил мне коньяку, и мы выпили. А позже он почти без перехода приказал и мне приступать к своим обязанностям. Не знаю, кто из нас был больше рад его возвращению. Меня распирало от чувств, а Костя никогда особо счастливым не выглядел. Так или иначе, мы снова стали работать вместе. Он — замом генерального, я — «важняком».

Настроение Константина Дмитриевича было, мягко говоря, неважным.

— Вызывал? — дежурно спросил я у Меркулова, и тот кивнул: проходи, мол, садись.

Я сел напротив него, зная, по какому поводу сюда вызван. Но пусть сам скажет.

— Догадываешься, зачем вызвал? — спросил он.

Все-таки хочет, чтобы я сам сказал про *это*.

— Убийство Смирнова и Киселева, — уверенно произнес я.

Он кивнул.

— Час назад меня вызывал генеральный, — сообщил Меркулов. — Дело поручено Турецкому. Вопросы есть?

Вопросов не было. Я и не сомневался, что дело будет поручено именно мне, хотя, честно сказать, чистота следствия была некоторым образом нарушена — в эпизоде с Киселевым, да и со Смирновым, я выступал как свидетель. Но, кроме Грязнова, об этом пока никто не знает.

— Вопросов нет, — сказал я. — К тебе, во всяком случае. А так в этом деле вопросов — пруд пруди.

Он кивнул.

— У меня с утра уже был Грязнов, — сказал Меркулов. — Так что я в курсе первых шагов следствия.

— Уже?! — ахнул я. — Ну, молодец, Славка! На ходу подметки рвет!

Так же серьезно глядя на меня, Меркулов продолжил:

— Я в курсе, что ты тоже был на месте и даже провел свое расследование. Не позвонив мне, самостоятельно пополз по горячим следам. Как тебя занесло туда?

Я пожал плечами и ответил ему фразой из кинофильма «Белое солнце пустыни»:

— Стреляли.

Потом не стал томить и рассказал про Таню Зеркалову.

— Понятно, — протянул он. — Ну, и что ты можешь сказать по существу дела?

— Только по существу? — уточнил я. Несмотря на абсурдность этого вопроса, у меня были основания его задать.

Меркулов, досконально изучивший меня, испытующе смотрел.

— Рассказывай, Саня, — почти ласково приказал он.

Мне ничего не оставалось делать, как начинать рассказывать.

— И Смирнов, и Киселев были убиты одним и тем же способом: им обоим снесли верхнюю половину черепа. Причем если рядом с телом Смирнова никакого оружия обнаружено не было, то около убитого Киселева находилось его ружье. Хорошее, надо сказать, ружье. Винчестер.

— Он имел на него разрешение? — поинтересовался Меркулов.

— Понятия не имею, — признался я. — Пока. Хотя уверен, что это чей-нибудь подарок: маршалам нередко делают такие подарки.

— Дальше, — проговорил Меркулов.

— Мы с Грязновым считаем, что кто-то хочет всучить нам версию, что, мол, Киселев убил Смирнова и застрелился сам. Но мы ему не верим, этому кому-то.

— Ты абсолютно уверен? — на всякий, видимо, случай спросил Меркулов. — Что не было никакого самоубийства? Точно?

— Абсолютно точно, — заверил я его. — К тому же... — сказал и осекся.

— Что? — быстро спросил Меркулов.

Я помолчал, собираясь с мыслями. Нелегко, ох нелегко это было сделать — начинать рассказывать обо всем том, что незадолго до своей смерти мне рассказал безумный маршал. Впрочем, чего это я? Почему — безумный? А если хоть на минуту допустить, что он был в полном здравии? Что все, что он рассказал, — чистая правда? Но если в это поверить, так недолго и самому безумным стать. Конечно, я на своей работе и не такого навидался. Но, с другой стороны...

— Ну? — твердо смотрело на меня начальство.

Вздохнув, я стал рассказывать.

Меркулов слушал очень внимательно и так же внимательно смотрел на меня, не сводя глаз. Сначала я почему-то запинался, но потом речь моя пошла плавнее, и закончил я свой рассказ вполне пристойно. Костя ни разу не перебил. Слушал как рождественскую сказку. А после того как я закончил, помолчал, переваривая услышанное, и сказал:

— Ну что ж. Выноси постановление о возбуждении дела и принимай его к своему производству.

Что и требовалось доказать.

4

Я вернулся в свой кабинет. Дело принято к производству. Пришла пора героических будней. Впереди меня ждала обычная работа: подвиги и свершения.

Первое, что я сделал, это позвонил домой.

— Алло! — Ирина подняла трубку.

— Ирина? — сказал я. — Турецкий на связи. Помните такого?

— Саша, у меня молоко на плите...

— Таня дома?

— Наверное, дома. У себя.

— Ушла?

— У нее папа умер, Турецкий. Знаешь, сколько дел нужно переделать?

— Ладно, извини, что побеспокоил. Как там наша дочка?

— Если ты немедленно не положишь трубку, она останется без молока. У тебя все?

— Все.

Я положил трубку, не дожидаясь коротких гудков. Подняв глаза на Лилю Федотову, я увидел, что она смотрит на меня и улыбается.

— Вы чего?

— А там вас тоже какая-то Таня дожидается, — сообщила мне она. — Перед дверью. Татьяна Зеркалова. Не видели? Пожилая такая.

— Сама ты пожилая! — возмутился я. — Зови ее сюда немедленно! Не видел я ее там.

А сам думаю: если Таня в глазах Лили выглядит пожилой, то и я кажусь ей стариком.

Она выглянула за дверь и вернулась.

— Ушла, — сообщила она.

— Слушайте, Лиля, посмотрите вокруг, нет ли ее где. Может, и не ушла еще. Очень нужно.

— Слушаюсь!

Она развернулась на каблучках и скрылась за дверью.

Итак, если это не вульгарная разборка между двумя старыми маразматическими придурками (как это может показаться на первый взгляд), один из которых прикончил другого, а потом наложил руки и на себя, то это дело вполне может оказаться делом, результаты которого имеют серьезное значение. Для государства и общества, как напыщенно это ни звучит. Ограблением и разбоем тут и не пахнет, потому что на первый взгляд все в квартирах обоих убитых осталось на своих местах и ничего, кажется, не пропало, впрочем, это обстоятельство нужно еще уточнить. Таня может нам здесь помочь более других. Но даже если что-то и пропало, все равно с трудом верится, что убийство совершено из корыстных побуждений. Даже, можно сказать, совсем не верится.

Неужели и вправду можно поверить в таинственно-загадочное Стратегическое управление? Что-то ни разу в своей практике я и слыхом не слыхивал о существовании подобной структуры в нашем постсоветском государстве!

Хотя, возразил я самому себе, у меня что ни день, то фрагмент из авантюрного романа, разве не так? Во всяком случае, не скучно, хотя порой эти хитросплетения событий и комбинации фигурантов так достают меня, следователя, что хочется спрятаться куда-нибудь и носу не показывать. В какую-нибудь пещеру... И такой пещерой время от времени для меня, чего греха таить, становится, извините за пошлость, какая-нибудь бабская юбка. Или водка с хорошей закуской. Тоже бы не помешало...

Тихо-тихо-тихо, господин Турецкий, что-то вы очень уж разошлись и отвлеклись от существа следственного дела, которое вам поручено раскрутить. Что за пошлые мысли в разгар рабочего дня?

Куда это, в конце концов, запропастилась сексапильная следователь Лиля Федотова?!

Да, этого можно было ожидать. Что-то в этом смысле можно было предположить. Если события начинают течь, говорил в свое время один мой хороший знакомый, о котором речь еще впереди, того и жди, что потолок на тебя обвалится. Ну что ж, события «начали течь» и выходить из-под контроля.

Пришла юрист второго класса Лиля Федотова и за руку приволокла за собой потерпевшую Таню Зеркалову.

— Под лестницей нашла, — доложила мне Лиля. — Забилась в самое темное место и ревет, как будто ей пятнадцать суток грозит. Но тихо-тихо так ревет, чтоб никто не услышал и не прогнал, значит.

Лицо Тани действительно было опухшим от слез, нос сморщился, будто она вот-вот снова начнет плакать, глаза сузились в щелочку. Что могло случиться?

И тут я сделал ошибку.

— Присядь, Таня, — ласково попросил я ее. — Лиля, принесите стакан водя для Тани, пожалуйста.

Лучше бы я на нее наорал. Потому что, с готовностью кивнув и сев на предложенный стул, Таня снова заплакала: тихо, беззвучно, только слезы свободно лились из глаз, которые были широко раскрыты и смотрели в одну точку. Я беспомощно посмотрел на Лилю.

Она заставила Таню взять в руки стакан воды и сделать глоток.

Наконец та пришла в себя и посмотрела на меня более-менее осмысленным взглядом.

— Что, Таня? — спросил я.

Вообще-то, кажется, я чего-то не улавливал. Была во всем этом странность какая-то, дискомфорт. Понятно, что она плачет, у нее отца убили, причем способ лишить жизни эти подонки, кто бы они ни были, выбрали ужасный. Дел у нее куча, но она приходит ко мне. Она приходит ко мне, но не дожидается и почему-то уходит. А потом забирается под лестницу и начинает плакать, если верить Лиле, а не верить ей у меня нет оснований. И чем я могу объяснить такое поведение Зеркаловой?

Она вперила в меня свои покрасневшие очи и сказала только два слова:

— Володя пропал.

— Что?!

— Нет его. Ни дома, нигде.

Тут надо кое-что объяснить. По-моему, я не все еще рассказал про эту Таню. Володя — это Володя Аничкин, ее второй муж. Я так и не понял, откуда он взялся и почему она поменяла первого мужа на второго, чужая душа, сами понимаете, потемки, причем глухие. Но как бы там ни было, у нее появился второй муж, это ее личное дело, тем более что говорят: любовь там была немереная. Я в мужиках ничего не понимаю, так что не могу сказать, что именно Зеркалова нашла в Аничкине, но мне на это, честно говоря, наплевать с высокой горки. Дело не в этом.

Остается добавить, что по роду своей службы Владимир Аничкин является офицером службы безопасности, то есть ФСБ.

— Ты уверена, что он в Москве? — спросил я.

Она кивнула.

— Он пропал, — сказала она. — Понимаешь, пропал!

— Спокойно, — твердо проговорил я. — Офицеры ФСБ не пропадают. Они исчезают. Ты уверена, что у него нет никакой творческой, скажем так, командировки?

Она покачала головой:

— Не знаю.

— Ну вот видишь! — обрадовался я. — А ты панику разводишь.

Она снова подняла на меня глаза и, глядя мне в переносицу, заговорила.

— Слушай, Саша, я не понимаю, что происходит. — Голос у нее был такой, что я старался не смотреть в сторону Лили Федотовой, заинтересованный взгляд которой я ощущал на себе почти физически. — Я приезжаю из Швейцарии, приезжаю домой, а там никого нет. Мне почему-то не хочется сидеть в пустой квартире, и я решаю ехать к папе. Приезжаю к нему, а там... Ты знаешь. Утром прихожу домой, а Володи по-прежнему нет, и я замечаю то, что не заметила, когда приехала в первый раз: всюду пыль, в холодильнике все прокисло и пропало. Володи нет уже давно, это ясно. Если бы он действительно куда-нибудь уехал, он оставил бы мне записку, я в этом уверена. Но он не оставил.

— Может, у него не было такой возможности? — предположил я.

Она покачала головой:

— Дело не в записке. Он оставил бы что-нибудь другое. Знак какой-нибудь, я бы поняла. У нас много эзотерических уловок.

— Каких уловок? — переспросила Лиля.

— Эзотерических, — повторил я вместо Тани. — То есть для посвященных. Узнает только тот, кто знает.

— Я поняла, — кажется, обиделась следователь.

— Ну вот, — продолжила Таня. — Я ничего не могу понять. И я пришла сюда, к тебе. А тебя... — она запнулась. — А тебя — не-е-е-е-ет!!!!!! — И она зарыдала в голос, никого уже особо не стесняясь.

Я посмотрел на Лилю. Та посмотрела на меня и вдруг стала корчить мне рожи. Невероятным усилием я привел в движение свои мозговые извилины и понял, что мой симпатичный помощник изо всех сил старается не расхохотаться. Что это ее так рассмешило? — озадачился я и услышал чуть ли не стон, который издала Лиля. Повторное движение моих мозговых извилин помогло понять, что причина этому неожиданному веселью более чем проста и прозаична. Рассмешила Федотову моя напрочь обалдевшая физиономия. И, видимо, понять ее было можно. Хотя наедине надо будет сделать выволочку: смеяться над боссом в присутствии посторонних у нас не позволяется.

Я быстренько взял себя в руки.

— Ну хорошо, хорошо, — стал я успокаивать Таню. — Ну нет меня, а плакать-то зачем? Куда я денусь, вот он я!

Таня уже достала платок и стала вытирать нос, хлюпая и всхлипывая.

— Я знаю, это мелочь, — срывающимся голосом проговорила она,— но именно из-за этого мне и стало как-то особенно горько. Вот, подумала я, и так столько горя, а Турецкий ходит где-то, и ему дела до меня не-е-е-е-е-ет! — И она снова зарыдала.

— Успокойся, Танечка, успокойся, — растерянно гладил я ее по голове, чувствуя себя совершеннейшим болваном.

Бедная женщина, подумал я. Она изо всех сил старалась быть сильной, достойно перенести все свои беды и невзгоды, а пустая мелочь вывела ее из себя, стала той самой последней каплей, которая переполнила чашу терпения. И она не выдержала. Ну что ж. Это бывает.

— Таня, скажи мне, — рука моя продолжала делать кругообразные движения вокруг ее головы. — Ты звонила кому-нибудь насчет Володи? На работу ему, например?

Она уже почти успокоилась. Не поднимая глаз, покачала головой.

— Ну так что же ты?! — облегченно воскликнул я. — Давай сейчас же и позвоним. И спросим!

— Нет! — резко подняла она голову. — Я не буду звонить. Лучше ты, Саша. Прошу тебя.

— Но почему?! — не понимал я.

— Я боюсь, — прошептала Таня, глядя мне прямо в глаза. — Понимаешь? Боюсь... Я знаю, я почему-то знаю, что они мне ничего не скажут. Или скажут, что его убили. Я чувствую, что с ним что-то случилось, что-то страшное. И я боюсь им звонить.

— Им? — Я не был уверен, что правильно понял Татьяну, и потому был вынужден выделить это слово.

— Да, — кивнула она. — *Им*. Саша, я хочу, чтобы ты поговорил со своим другом, этим, ну Грязновым, помнишь?

— Почему с ним? — заинтересовался я.

— Мне кто-то когда-то сказал, что он теперь держит частное агентство. Это то, что мне нужно. Пусть поищет. Деньги не проблема. Получит столько, сколько скажет.

— У тебя устаревшие сведения, Таня.

— Как? — не поняла она. — Почему?

— Грязнов вернулся в уголовный розыск и стал замначальника МУРа.

— Да? — удивилась она. — Странно... А зачем? Я вздохнул.

— Это сложно объяснить в двух словах, Таня. Вот что. Конечно, я ему позвоню. И все расскажу. Мы вместе займемся этим.

О, черт, кто же меня за язык тянул?! Хотя... Если подумать поглубже, это нормально. Ты боишься, Турецкий, что у тебя не будет времени на поиски Аничкина, потому что ты будешь занят делом Смирнова. Но ведь они все-таки родственники, и никто тебя не осудит, если ты по ходу будешь интересоваться делом пропавшего Аничк...

Стоп!

Дурак ты, Турецкий. У тебя только что появилась первая ниточка, вернее, узелок, за который можно осторожненько потянуть и вытянуть на солнышко всю эту загадочную историю с двумя убийствами и одним таинственным Стратегическим управлением.

— Таня! — посмотрел я на Зеркалову. — Я, пожалуй, возьмусь за поиски твоего пропавшего мужа!

— Спасибо, Саша, — сказала она. — Большое спасибо!

Глава 5

СНОВА АНИЧКИН

— Аничкин, зайди-ка ко мне.

Голос, донесшийся из селектора, не предвещал ничего хорошего.

— Есть, товарищ генерал-полковник.

Петров просто так вызывать не будет. И что, интересно, ему понадобилось, старому хрычу?

Аничкин отхлебнул остывшего чаю из объемистого бокала с синими и желтыми горошинами на боку, прихватил для солидности кожаную папку и, выйдя из кабинета, пошел по коридору. До шефа путь был неблизкий, и он достал из кармана новенький серебряный портсигар с гравировкой: «В. Г. Аничкину в день десятилетия работы в органах ФСБ России», вытащил из него сигарету и щелкнул зажигалкой. Вообще-то в коридорах курить было нельзя, но кто ему, полковнику службы безопасности, будет делать замечания?

Да, многое изменилось в судьбе Володи Аничкина с тех пор, как десять лет назад его перевели сюда всего лишь на должность оперуполномоченного. И это было большой удачей, иначе торчать бы ему в «почтовом ящике» до скончания века. Тем более тесть, Михаил Александрович Смирнов, похлопав Аничкина по плечу, сказал тогда: «Не волнуйся». А Володя уже знал, что может скрываться за этой лаконичной фразой. То же самое им было сказано, например, когда Таня заявила, что не может ездить «на этом обшарпанном «Москвиче», — и на следующее утро во дворе стояла новенькая «Волга». Иномарки Смирнов, как и многие люди старой закалки, не уважал.

И вот теперь это «не волнуйся» обернулось для него полковничьими погонами и постом заместителя начальника одного из ведущих отделов ФСБ.

Аничкин давно смирился с тем, что его детская мечта стать отважным разведчиком никогда не сбудется. Более того, ему ни разу в жизни даже не довелось увидеть живого разведчика, хоть он уже больше десяти лет ежедневно с восьми утра до семи вечера, кроме выходных, находился в главном здании ФСБ на Лубянке.

Но Аничкин почти ни о чем не жалел. Можно было считать, что он вытянул счастливый билет: у него было все, о чем можно только мечтать. Хорошая работа, красивая жена, деньги, квартира, особняк на Николиной Горе (тот самый!), еще каких-нибудь пять лет — и он получит генерала... Жалеть было не о чем.

Аничкин неторопливо шел по коридору и размышлял о том, за каким таким хреном он вдруг понадобился генералу Петрову. Задание от него было получено только позавчера, и ждать каких-то результатов еще рановато. Тем более если учесть некоторую щекотливость этого поручения. Петров тогда явился к Аничкину сам, в конце дня. Уже сам по себе этот факт заслуживал внимания.

— Садись, садись, — махнул он рукой в сторону Аничкина, когда тот, завидев появившегося в дверном проеме шефа, вытянулся в струнку.

— Ну что, как работа?

Володя конечно же понимал, что старик совершил длинное путешествие через все здание не за тем, чтобы поинтересоваться его достижениями. Тем не менее он начал подробно рассказывать о работе отдела:

— План «Лилия» практически закончен. Проект «Ромашка» на подходе, думаю, что в конце недели представлю вам отчет. Что касается «Незабудки», то я отослал материалы в НИИ «Пульсар».

Дело в том, что кабинет Аничкина не был оборудован специальной системой против подслушивающей аппаратуры — по чину не было положено, и на стенах, как и в коридорах здания, висели небольшие металлические таблички: «Ведение секретных переговоров запрещено!» Расшифровывать истинное значение «цветочных» названий разрешалось лишь в кабинете шефа.

— Хорошо, — остановил его Петров, — с этим все ясно. Кстати по поводу «Пульсара». Час назад мне звонил Савельев, директор института. Они испытывают некоторую нехватку материалов. Особенно «П-6». Просят дополнительные поставки.

Аничкин удивленно вскинул брови:

— Так ведь две недели назад...

Он хотел сказать, что две недели назад «Пульсар» получил крупную партию «материалов» — взрывчатки, детонаторов, капсюлей и тому подобного, но не успел. Генерал поднял ладонь в знак того, что все и сам прекрасно знает.

— Займись этим. Подключи кого-нибудь из нашего отдела. Можешь нескольких. Об исполнении доложишь через неделю. Вот список необходимых материалов.

На прощанье он выразительно посмотрел на Аничкина. Но тот и так все уже понял.

Первое время Володя никак не мог привыкнуть к тому, что в стенах этого здания распоряжения и приказы чаще отдавались не открытым текстом, а при помощи намеков, двусмысленностей и даже игры слов. Поэтому разговоры начальников с подчиненными здесь больше напоминали ребусы. А люди ценились не столько за деловые качества, сколько за умение разгадывать эти ребусы. Поначалу Аничкин не понимал, для чего нужны эти «мадридские тайны», но потом приноровился к такому способу общения и даже сам стал его частенько применять.

Вот и сейчас он сразу смекнул, что генерал Петров дает ему какое-то важное поручение. Важное, потому что иначе просто вызвал бы полковника в свой кабинет. Дальнейшие рассуждения Аничкина сделали бы честь самому Шерлоку Холмсу.

Итак, с какой целью Петров лично явился в кабинет Аничкина? Ответ напрашивался сам собой. Если в его кабинете секретные переговоры вести было можно, а у Аничкина нельзя, значит, то, о чем он хотел сообщить, не должно было составлять никакой тайны. Однако сам факт каких-либо поставок в закрытый НИИ «Пульсар», занимающийся разработкой новых видов оружия, не должен быть известен никому. Значит, Петров хотел приподнять перед кем-то завесу секретности. С какой целью? Вот это было самым главным. Разгадка здесь крылась в его будто бы невзначай брошенной фразе: «Подключи кого-нибудь из сотрудников отдела». Вот кому должно было стать известно об этих поставках. Это был известный трюк. Скорее всего, руководство начало сомневаться в ком-то из сотрудников и решило устроить проверку. С этим Аничкин уже не раз сталкивался: устраивается видимость какой-нибудь секретной операции, а потом, через другие каналы, проверяется утечка информации. Просто и надежно.

Единственным, что смущало Володю, была с ударением произнесенная генералом фраза: «Особенно «П-6». Вот это уже было действительно серьезно.

Дело в том, что «Пульсар», кроме всего прочего, занимался разработкой портативных ядерных устройств «Самум», короче говоря, маленьких атомных бомб, которые можно было носить с собой, скажем в рюкзаке. Или в чемоданчике. Материалом для этого служил специальный высокообогащенный плутоний, который в отчетах проходил под кодовым названием «П-6». Петров лично курировал этот проект, и о нем не было известно никому, кроме нескольких человек в верхушке ФСБ. Почему он решил предать это огласке, Аничкин понять не мог.

«А может быть, весь этот проект — одна грандиозная мистификация?» — пришла в голову Аничкину шальная мысль.

Ну нет, это уже из области фантастики. Оружие разрабатывалось довольно давно, и Аничкин даже как-то видел опытный образец «Самума» — небольшой черный кейс, при помощи которого можно было до основания разрушить средних размеров город. К тому же Аничкин не зря проучился пять лет в техническом вузе и кое в чем разбирался. Исследования безусловно были настоящие.

Раскинув мозгами, Володя пришел к выводу, что, скорее всего, какие-то сведения о секретном проекте просочились за пределы здания на Лубянке. И теперь нужно было принять превентивные меры, прежде всего, выяснить, кто был источником информации.

Одного Володя понять не мог. Для чего Петрову, шестидесятивосьмилетнему старику, к тому же больному сахарным диабетом, все это надо? Сидел бы на своей даче, окучивал грядки, ну или писал мемуары. Отдыхал бы от трудов праведных. Так нет же, надо атомные чемоданчики изобретать...

Как бы там ни было, приказ был получен. И на следующий день Аничкин отправил шифрограммы в Тулу (где производили капсюли и детонаторы) и в Арзамас-16 (там на одном из секретных заводов изготовляли «П-6»). Обычно грузы доставлялись в Москву дня через два. И эти сроки Петрову были хорошо известны. Поэтому сейчас он вряд ли вызвал Аничкина для того, чтобы спросить о результатах. Их еще быть не могло.

Когда Володя подошел к кабинету Петрова, сигарета почти догорела. Кстати, почему начальник отдела и его заместитель находятся в противоположных концах коридора? Аничкина давно занимал этот вопрос, но никакого вразумительного объяснения получить ни от кого он не мог.

— Да-да, войдите, — послышалось из-за двери в ответ на его стук.

Кабинет генерала Петрова был весьма скромен. Он напоминал Аничкину комнату майора Белова, когда тот первый раз пригласил его в КГБ. Кожаный диванчик, портрет Дзержинского на стене... Боже мой, как давно это было.

— Вызывали?

— Присаживайся, Володя.

Обычно Петров называл своих подчиненных исключительно по фамилии. «Видимо, я ему для чего-то очень понадобился», — подумал Аничкин, отодвигая стул и садясь напротив генерала.

— Ну, как дела?

— Все в порядке, Григорий Иванович. Груз ожидается со дня на день.

— А кто задействован из нашего отдела?

— Кожинов, Белых, Лебедев.

— Хорошо, хорошо... Ты, наверное, уже понял, что кто-то из них может оказаться нечистым на руку.

Аничкин мысленно поздравил себя с тем, что оказался прав в своих догадках.

— Вы кого-нибудь конкретно подозреваете?

— Пока нет. Это выяснится в ходе операции. Кстати, предлагаю назвать ее «Профилактика».

Петров вертел в руках химический карандаш. Это была одна из странностей генерала. Он не признавал ни ручек, ни фломастеров и пользовался исключительно химическими карандашами, и из-за этого в конце дня его губы становились фиолетовыми. Одно было неясно — где он добывал эти карандаши. Выпускать их прекратили лет десять тому назад.

— Груз повезешь в Раменки и оставишь там.

Вот это новость! В Раменках находился резервный склад ФСБ, который к «Пульсару» не имел ровно никакого отношения.

— А как же «Пульсар»?

Петров посмотрел на Аничкина так, что тот сразу понял беспочвенность своего вопроса.

— Оставишь там все, кроме «П-6». А вот его-то как раз и доставишь в «Пульсар».

Аничкин кивнул.

— Взамен получишь два опытных образца «Самума» и привезешь сюда.

— Но вы же понимаете, Григорий Иванович, что просто так мне «Самум» не дадут...

— Знаю, — перебил его Петров, — вот тебе личный идентификатор. Тебя уже внесли в список лиц, имеющих прямой доступ к «Самуму». Так что действуй.

Генерал Петров протянул ему небольшую карточку, сделанную из серебристого пластика.

— А цель? — набравшись смелости, спросил Володя.

— Все та же, — туманно ответил Петров.

Аничкин вышел из кабинета шефа в полном недоумении. Он уже не понимал ровным счетом ничего. Если это была проверка источников утечки информации, то зачем нужно затевать всю эту езду между «Пульсаром» и Раменками. Даже если предположить невероятное — что кто-то в ФСБ или в «Пульсаре» пытается сплавить материалы на сторону, — логичнее было бы доставить их именно в институт, а затем проследить дальнейшую судьбу всех этих детонаторов, капсюлей и взрывателей. Хотя, может быть, они были нужны только для отвода глаз. Аничкин помнил, что две недели назад «Пульсар» заказал большое количество материалов, которых хватило бы не меньше чем на полгода. Значит, все дело в «П-6» и «Самуме». Но предположить, что хоть какая-то информация о «Самуме» просочилась наружу, он не мог. Даже если просочилась, зачем нужно было везти опытные образцы на Лубянку? И опять единственным объяснением было то, что опытные образцы «Самума» были всего лишь имитацией. Разъезжать по Москве с двумя атомными бомбами под мышкой? На такое не решился бы сам директор ФСБ.

Аничкин вытащил из портсигара еще одну сигарету и двинулся в обратный путь.

Вроде все было понятно. И все-таки на сердце у Аничкина было не совсем спокойно.

Эти десять лет многому научили его. Серое здание на Лубянке жило по своим, отличным от всех остальных, законам. Здесь каждое слово в зависимости от обстоятельств, еле заметных интонаций и личности его произнесшего могло иметь самое разное значение. А необдуманное действие порой влекло за собой самые плачевные последствия. Здесь требовалось каждую минуту чувствовать ситуацию, иначе можно было и не заметить того момента, когда голова полетит с плеч.

Надо сказать, Аничкин в совершенстве овладел этой наукой. Его чутью мог бы позавидовать сам Штирлиц. И вот теперь это чутье подсказывало ему: здесь что-то не так.

Генерал-полковник Петров явно затевал какую-то крупную игру.

Глава 6

ТУРЕЦКИЙ И ГРЯЗНОВ

1

Страна выбирала себе Президента. Газеты, журналы, телевидение словно с цепи сорвались. Борьба за избирателей приняла такие чудовищные формы, что поневоле приходилось задумываться над одной простенькой и красивой мыслью: а на хрена нам Президент?

Ну что ж, думал я, если Стратегическое управление существует на самом деле, то сейчас тот самый момент, когда оно должно действовать. Одиннадцать кандидатов в Президенты. Это же свихнуться можно. Сколько простора, чтоб развернуться!

А ведь оно уже действует, подумал я, и, по всей видимости, действует давно. То есть я имею в виду, что до сих пор мы вообще о нем ничего не знали, как, впрочем, не знаем и сейчас. Ну разве кое-что.

Давай-ка представим себе, что мы легкомысленные мальчики и принимаем все на веру. То есть мы поверили во все то, что наговорил нам Степан Алексеевич Киселев, хоть нам и кажется все это, мягко говоря, фантазиями выжившего из ума последнего маршала. Но пусть его. Давайте поверим и посмотрим, что можно из всего этого выжать. Во-первых, нам необходимо ответить на вопрос: кому все это выгодно?

Кто из претендентов может быть ставленником Стратегического управления. Кроме действующего Президента, кто угодно. Ну, может быть, еще претендент-экономист, хотя это чисто личное впечатление, ничем не обоснованное и ничем, собственно говоря, не подкрепленное. И хотя полагаться на личные пристрастия в таких случаях не рекомендуется, интуиция мне подсказывает, что кандидат-экономист на дух не переносит всякие стратегические управления, если они связаны с кровью и прочим дерьмом. А как всякий следователь я имею право прислушиваться к голосу своей интуиции. Поэтому экономиста исключаем.

Я все время напоминаю самому себе, что принял рассказ Киселева за чистую монету, — так легче браться за дело. Если все окажется чепухой, я первый буду смеяться над собственными страхами. Но что-то мне подсказывает, что смеяться мне не придется. Скорее всего, придется плакать. И не мне одному.

Другой кандидат — генерал. Этот может быть связан с чертом, дьяволом и даже со Стратегическим управлением.

Еще один: лидер коммунистов. Не удивлюсь, если он. Вообще, мне кажется, что если за наследником Сталина и Ленина не стоит пресловутое Стратегическое управление, то какое-нибудь управление все равно стоит. Ну не верю я, что у этого достойного кандидата нет своих собственных начальников. Да, пожалуй, это наиболее вероятная кандидатура.

Потому что у остальных нет шансов. Не могут этим управлением (кстати, при ком состоит это управление — не при правительстве же?) управлять дебилы, которые не понимают, что у остальных кандидатов шансов стать Президентом нет никаких.

Действующего Президента, естественно, мы в расчет не принимаем. Что он — совсем сумасшедший, чтобы сидеть на такой пороховой бочке? Нет, он, я уверен, не имеет к этому никакого отношения, и если я не прав, то готов прожевать и сожрать свою прокурорскую форму старшего советника юстиции.

Итак, лидер коммунистов и генерал.

Ай да Турецкий, ай да сукин сын. Молодец, можешь бежать докладывать по начальству, что ты раскрыл всех злодеев и что нужно срочно лишить всех кандидатских полномочий вышеупомянутых кандидатов. И тогда населению России можно спокойно спать.

Или еще лучше, заарестовать обоих и припереть к стенке вопросом: где, мол, полковник ФСБ Аничкин, изверги?

Нет, так и чокнуться недолго.

Надо понимать, что кого бы ни протежировало это сумасшедшее управление, кандидат в Президенты от этого монстра, по сути, является их марионеткой. Если марионетка, то очень громогласная. Впрочем, ручаться я не могу — слишком мало знаю о марионетках, тем более такого рода.

Лидер коммунистов больше других подходит для этой роли, но тогда все было бы слишком просто. Хотя *они* никогда особо не отличались изощренностью в таких делах — вспомнить хотя бы августовский путч 1991 года. Невероятные наглость и самоуверенность стали их определяющей ошибкой. Поэтому личность Генсека могла бы их вполне устроить: они как раз и думают о том, что их-то он устраивает, а о тех, кто будет выбирать, то бишь избирать, они, как всегда, не думают вовсе. И это снова может стать их ошибкой.

Но пока это — так, общие рассуждения и измышления. Все может быть, надо просто иметь в виду. А пока нужно искать убийц и пропавшего полковника Аничкина.

2

К вечеру меня вызвал к себе Меркулов.

— Садись, — коротко приказал он, жестом указывая на кресло рядом с собой, и я понял: что-то произошло.

— Ты уже слышал про Борисова?

— Это кто? — спросил я.

— Значит, не слышал, — кивнул Костя. — Интересно, чем это ты у себя занимаешься? Чаи гоняешь?

— Что ты! — вроде как испугался я. — Так, в картишки по мелочишке перекидываемся. Какие чаи в рабочее время? Мы ведь понимаем...

— Короче, — перебил он меня. — Федор Борисов, председатель Национального фонда спортсменов. На него покушались сегодня ночью.

— Это тот самый, которого недавно арестовывали за хранение наркотиков? — проявил я свою осведомленность.

Меркулов снова кивнул:

— Тот самый. Наркотики оказались полным блефом. Явно подброшены, хотя, по моим данным, он их иногда употребляет. Но не в этом дело.

— Кстати, а почему это его выпустили? То есть я хочу сказать: зачем тогда арестовывали? Пугали?

Меркулов развел руками.

— Тайна сия велика есть, — сказал он. — Но ты будешь меня слушать или вопросы задавать?

— Буду, буду, — успокоил я его.

— В общем, так. Прежде чем я тебе кое-что скажу, должен сообщить нечто очень важное. Семен Семенович Моисеев нажал на НИИ судебных экспертиз, там есть кое-какие интересные результаты.

Семен Моисеев — еще один вернувшийся. В свое время его с почетом отправили на пенсию, что в переводе на нормальный язык означает выпроводили пинком, но после того, как Меркулов вернулся к работе, он настоял, чтобы Семена Семеновича Моисеева снова привлекли к работе в Генпрокуратуре: прокурором-криминалистом.

Я сделал заинтересованное лицо и спросил у своего всезнающего начальника:

— И что же это за результаты?

— Угадай.

С чего бы у него такое игривое настроение?

— Запросто, — сказал я. — Бывшего управделами Смирнова и маршала Киселева застрелили из одного и того же пистолета.

— Нет, дорогой мой, — покачал головой Меркулов. — Баллистическая экспертиза установила, что Смирнов и Киселев были убиты не из одного и того же оружия, как ошибочно ты предполагаешь, а из разных.

— Кто бы мог подумать!

— Представь себе. Более того... — он вздохнул. — В Борисова стреляли из того же пистолета, что и в Смирнова. Пули и гильзы об этом свидетельствуют со стопроцентной достоверностью.

— Разве Смирнов был убит не из винчестера?

— Я же говорю, — покачал Костя головой. — Из винчестера был убит Киселев. — А Смирнов был убит из крупнокалиберного пистолета «магнума». Из этого же пистолета было совершено покушение на Борисова.

— У этого Борисова, наверное, железное здоровье, — предположил я. — «Магнум» — оружие серьезное.

— Спортсмен, очевидно, — покачал головой Костя. — И фонд соответствующий.

— Кстати о фонде. Я слышал, они что-то там не поделили с каким-то вице-премьером. Это правда?

— Для аполитичного человека ты знаешь слишком много, — улыбнулся Меркулов. — Да, не поделили. Речь, если не ошибаюсь, идет о миллионах долларов, если не о миллиардах.

— Вот так, да? — сказал я. — Что касается меня, я бы знал, как поделить эти миллионы.

— Знаю, знаю, — сказал Костя. — Ты отдал бы эти деньги в фонд беженцев и голодающих Зимбабве...

— Я произвожу такое впечатление? — изумился я.

— И стал бы председателем этого фонда, — закончил свою мысль Костя, а я облегченно вздохнул.

— Откуда у этого фонда такие деньги?

— Борисов связан самыми тесными приятельскими отношениями с главным спортсменом страны, который курирует весь спорт страны и регулярно играет в теннис с Президентом. Слышал о таком?

— Не то бывший теннисист, не то бизнесмен.

— И то, и другое, — согласился Меркулов. — Ну и вот. Этот самый спортсмен добился для Борисова неслыханных льгот. Не хочу вдаваться сейчас в подробности, но об этом все газеты пишут.

— Да? — недоверчиво переспросил я. — В последнее время я не читаю газет.

— А телевизор ты смотришь?

— «Санта-Барбару», — кивнул я.

Он не принял шутки.

— Нужно хотя бы новости слушать, — голосом наставника провещал он, и я чуть не обложил его трехэтажным матом: как будто он не знал, что если у меня есть время, то я использую его только для того, чтобы урвать кусочек сна. Это у него в кабинете телевизор, а не у меня.

Но я сдержался и спросил только:

— Ну так что там представляли из себя их льготы и как с ними боролся вице-премьер?

— Этот фонд занимался распространением алкогольных и табачных изделий, причем не платил налоги за акциз, таможенных пошлин и прочее в этом роде.

— Здорово! — восхитился я. — То, что спортивный, так сказать, фонд не платит налоги, это нормально. А то, что он занимается распространением *такой* продукции, вообще никого не занимает. Нацию губит тот, кто должен заботиться о ее здоровье.

— Заплачь, — посоветовал мне Костя. — Ну и вот. В результате всех этих льгот фонд имел колоссальные прибыли. За миллиард долларов. Вице-премьер, как один из особо приближенных к Президенту, очень переживал по этому поводу.

— Ты думаешь, это он стрелял в Борисова? — поинтересовался я.

Костя моментально окаменел и строго посмотрел на меня, внимательно так посмотрел.

— А что, с тебя станется, — проговорил он задумчивым голосом. — Ты еще, чего доброго, попросишь у меня санкцию на его арест. И найдешь такие аргументы, что я санкционирую его арест несмотря на всю его депутатскую и прочую неприкосновенность.

Я был и польщен, и озадачен: зачем он мне дифирамбы поет? Странно все это как-то. Ладно, посмотрим, что ты мне дальше приготовил.

И он спросил:

— Саша, ты не задумывался над тем, откуда у этого Стратегического управления деньги? Ведь им надо очень много денег, чтобы осуществить то, что они задумали.

Я озадачился еще больше:

— То есть ты как бы говоришь мне, что информация о Стратегическом управлении заслуживает самого серьезного внимания? Так?

— Безусловно, — ответил мне Костя.

— И что это управление является сейчас для нас целью наших дальнейших следственных усилий. Мы принимаем за основную версию то обстоятельство, что Смирнова и Киселева убили по инициативе Стратегического управления? Именно шефы этого управления направили руку убийцы или убийц, если их было несколько?

— Точно так, — был ответ Меркулова.

А что, собственно, меня удивляет? Почему я, лично я, стыжусь себе признаться, что существование Стратегического управления — установленный факт? И что это — та же самая банда, только для того, чтобы ее обезвредить, понадобятся, быть может, несколько другие методы, чем это бывает в работе над обычными бандами. Но ведь наша работа такая, что мы редко когда повторяемся во всех проявлениях и деталях. Каждая банда всегда отличается от других, несмотря на все их схожие структуры и черты. Вот и надо относиться к этому Стратегическому управлению как к обыкновенной банде. И делать свое следственное дело — работать. Я даже повеселел после такого внутреннего монолога.

— Итак, ты хочешь сказать, что Стратегическое управление существовало на деньги, вырученные от продажи и алкоголя? — спросил я.

— Во-первых, не обязательно, — покачал он головой. — Во-вторых, почему — существовало?

Может, и до сих пор существует, даже уверен, что существует. Не обязательно, конечно, на деньги спортивного фонда, но и не исключено. А также и на средства любого другого фонда. Откуда я знаю? Это твое дело, ты и разбирайся и докапывайся до самой сути. Что я тебя, так и буду за ручку всегда водить? Ты уже и сам большой мальчик.

— Спасибо.

— Пожалуйста. Ну, и что ты там нарыл?

— Немного.

— Будешь рассказывать, или тебя нужно заставить написать мне докладную записку?

В двух словах я рассказал о своих мыслях и предположениях относительно Аничкина, о кандидатах в президенты: генсеке коммунистов и генерале. Костя приготовился слушать долго, но я так быстро закончил свой импровизированный доклад, что, когда в кабинете воцарилась тишина, он некоторое время так и сидел с закрытыми глазами, а потом открыл их и недоуменно на меня уставился.

— Ну и... — сказал он, ожидая, что я закончу его мысль. Или свою.

— Что — и? — спросил я.

— Дальше?! — смотрел на меня недоуменно Меркулов.

— Это все.

— Все?!

— Все, — подтвердил я.

— А... — сказал Костя и закрыл рот. И вдруг вспылил: — Послушайте, старший советник юстиции Турецкий, вы чем это там занимаетесь?! Социологическими исследованиями?! Где факты? Где доказательства, все это построено на гнилом песке!

— Константин Дмитриевич...

— Вон! — заорал он. — Вон из моего кабинета. И чтобы завтра к утру у меня была информация, с которой можно было бы идти к Генеральному прокурору России, я не желаю выслушивать твои устные фельетоны и байки. Ты не Жванецкий! Таланта нет. Тебе ясно?!

— Так точно! — бодро отрапортовал я и вдруг спросил его: — Костя...

— Что еще? — сурово смотрел он на меня.

— Ты что — доложил генеральному об этом Стратегическом управлении?!

— У тебя забыл разрешения спросить! — саркастически заявил мне Меркулов. — Да, доложил. И что? Что ты хочешь сказать? Что Генпрокурор России — идейный вдохновитель Стратегического управления?! Серый кардинал этого тайного ордена?

— Как можно...

— Ну так и молчи себе в тряпочку, — отрезал Костя. И добавил уже потише: — Тому, предыдущему, не доложил бы. А этому доложил. И что?

— Тот сам не стал бы тебя слушать, — напомнил я ему.

— Идите работать, Турецкий, — сказал он мне.

Я кивнул и пошел.

3

Вообще-то ничего нового во всем этом не было, но все равно странно... Что-то я не припомню, чтобы со мной так разговаривали.

Офицеры ФСБ, как любые загадочные люди, имеют обыкновение время от времени исчезать, и лишние вопросы иногда в таких случаях портят репутацию тому, кто их задает. Но хамить-то зачем?

Для начала я связался со своим старым знакомым из центрального аппарата ФСБ полковником Лукашуком, с которым по долгу службы мне приходилось иногда иметь дело. Он как раз занимался оперативными кадрами. После обычных дежурных вступительных фраз я перешел к делу:

— А скажите мне, товарищ полковник, — Лукашук терпеть не мог обращения «господин», и приходилось идти на поводу у привычек этого достойного офицера, — не скажете ли вы, где я могу найти полковника Аничкина? Он мне тут срочно понадобился.

На том конце провода повисла пауза. Это было непривычно для того Лукашука, которого я знал.

— Алло, полковник, вы здесь? — Я решил быть настойчивым настолько, насколько это было возможно.

— Да, — откликнулся он не сразу. — А зачем он вам понадобился?

Очень интересно.

— Товарищ полковник! У меня к нему конфиденциальное дело. Строго. Я имею самые высокие полномочия на этот счет.

Распространяться о том, что полномочия эти дала мне жена Володи, я не стал.

— Вот как? — сказал он. — Что ж, раз у вас есть полномочия, значит, вы понимаете, что эти вопросы не в моей компетенции. Желаю удачи.

— Погодите, полковник, — остановил я его,

несколько озадаченный его пожеланием мне удачи. Так обычно говорят тогда, когда сами уже плюнули на это дело. — Вам известно хоть что-нибудь?

Снова молчание, но на этот раз оно говорило мне намного больше, чем первое.

— Господин полковник!

— Я вам не господин! — окрысился вдруг Лукашук. — Хотя и вы мне не товарищ, конечно.

— Простите, если обидел вас, полковник, но все-таки очень прошу вас сказать мне хоть что-нибудь. Мне будет достаточно, если вы скажете мне, что Аничкин выполняет задание родины где-нибудь на Канарских островах последние, скажем, полгода.

— Полгода? — быстро переспросил меня Лукашук. — Почему полгода?

— А что, больше? — подхватил я — Или меньше?

— Послушайте, Турецкий, — сказал мне Лукашук, — хочу дать вам один маленький совет, который, чувствую, очень вам нужен.

— Слушаю вас, товарищ полковник.

— Не лезьте в дела, которые вас не касаются. Только в этом случае вы более-менее будете спокойны за свое будущее, а также за будущее своих близких.

— Не понял.

— Очень жаль. Но я все-таки надеюсь, что вы меня поняли. Потому что единственный человек, который может вам сейчас помочь, — это вы сами. Всего хорошего.

— До свидания, — растерянно проговорил я, слушая короткие гудки.

Я с подозрением посмотрел на трубку. Мне действительно угрожали или это плод моего воспаленного воображения? Если трубка сейчас на моих глазах растает, значит, это все галлюцинации — слуховые и зрительные. Но трубка не таяла и вообще символизировала собой материальность мира. Поэтому я бросил ее на аппарат и громко выругался.

Разозлился я необычайно. Что он себе позволяет, этот вшивый Лукашук? Шантажом я это не назову, конечно, но на хамство это тянет вполне. Жаль, что хамство не преследуется по закону. Во всяком случае, этого дерьмового полковника к ответу привлечь я не могу.

Пока.

Итак, мне советуют не лезть не в свое дело. Сиди, мол, себе, Турецкий, и не рыпайся. Ладно. Хорошо. Вы меня заинтересовали, господин Лукашук. До этой минуты я хотел только знать, где находится Аничкин. Теперь мне до зарезу хочется узнать, в чем заключается его настоящее задание. То, что он, Аничкин, жив, сомнению не подлежит. Если бы он погиб или умер естественной смертью, что для тренированного мужчины проблематично, из его смерти не делали бы военной тайны, а даже, может быть, наоборот. Похоронили бы с военными почестями, и всякое такое. Но нет. Они делают из этого даже не секрет и даже не военную тайну, а черт знает что. И мне безумно интересно разыскать Аничкина и задать ему пару-тройку вопросов, и не будь я Турецкий, если он не расколется.

... Прямо выйти на это таинственное Стратегическое управление у меня не было возможности. Поэтому я пошел окольными путями. Решил разобраться с Борисовым.

Борисова почему-то привезли в военный госпиталь, и пробраться к нему было практически невозможно. Все, кто мог бы мне помочь встретиться с раненым, делали как раз наоборот: чинили всяческие препятствия, чего-то недоговаривали, уводили в сторону глаза.

Наконец, я не выдержал и попросил об аудиенции у начальника отделения, в котором лежал Федор Борисов. Навстречу мне вышел сухонький маленький пожилой врач, чем-то неуловимо похожий на нашего эксперта-криминалиста Семена Семеновича Моисеева.

— Здравствуйте, доктор. — Я пожал его узенькую, почти девичью ладонь. — Моя фамилия Турецкий. Я из прокуратуры.

— Кац, — сказал он.

— Простите? — вырвалось у меня, и я тут же прикусил себе язык. Ох и осел же я.

— Ефим Шаевич Кац, — повторил он дребезжащим голоском. — Хирург.

— Очень приятно. Разрешите несколько вопросов?

— Пожалуйста.

Какой-то древнерусский еврей, подумал я.

— Как состояние Федора Борисова?

— Уже стабильно. Кризис миновал, и мы с изрядной долей уверенности можем утверждать, что самое страшное для его жизни позади.

— Тогда почему к нему не пускают посетителей?

— Сам удивляюсь, — ответил неожиданно Ефим Шаевич.

— То есть как это?

— Пришел сегодня после обеда какой-то важный чин, собрал врачей и медсестер и в моем присутствии запретил больному посещения.

— Он был врач, этот важный, по-вашему, чин? — спросил я, уверенный в отрицательном ответе.

— Если у него и есть медицинское образование, — ответил Кац, — то явно невысокого уровня. Санитаром бы я его взял, но вот лечащим врачом... сомневаюсь.

— Вы уверены, что он имел право давать вам какие-либо указания?

— Уверен ли я? — усмехнулся Ефим Шаевич. — Я ни в чем не уверен. А вот сам он был уверен, и еще как уверен. Можете считать это привычкой, но я подчинился ему вполне осознанно. Надо, значит, надо. Что же теперь делать, раз такая уж государственная необходимость.

— Это он сказал вам о том, что все эти меры — государственная необходимость?

— Разумеется.

— Его охраняют? Я имею в виду Борисова. У дверей палаты, в которой он лежит, выставлена охрана?

— Разумеется. Там круглосуточно сидят два вооруженных человека.

Два человека — это круто. С одним я бы еще как-нибудь справился, одному человеку заморочить голову — пара пустяков. Но двое... Тут надо извернуться.

Попробуем.

— Проводите меня туда, — попросил я Каца.

— Ради Бога, — пожал плечами милейший врач и, повернувшись, зашагал прямо по коридору. Я поспешил за ним.

Коридор был длинным, со множеством дверей в палаты, но ни у одной я не видел чего-то, хоть отдаленно напоминающего пост. Но когда вдруг коридор сделал неожиданный поворот направо, словно из-под земли передо мной выросли два добрых молодца — косая сажень в плечах. Одним словом, мордовороты. Взгляд их не выражал ничего. Когда я говорю «ничего», это означает, что их взгляд не выражал ни-че-го. Понимайте как можете, но все равно это надо видеть своими глазами. «Бессилен мой язык»...

— Добрый день, — сухо поздоровался я с ними. — Старший следователь по особо важным делам Генпрокуратуры, старший советник юстиции Турецкий. Вот мое удостоверение. По распоряжению Генерального прокурора страны мне необходимо немедленно поговорить с потерпевшим Федором Борисовым. Он лежит в этой палате, как я понимаю?

Больше официальщины, Турецкий, и у тебя есть шанс.

— Не положено, — ответил мне один из них, глядя на меня ничего не выражающими водянистыми глазами.

Я даже растерялся — так нелепо звучали два этих слова.

— Что?!

— Не положено, — тем же тоном повторил он.

— Кажется, вы не расслышали, — загорячился я. — Я старший следов...

— Не положено, — ровным голосом снова повторил он.

Я, конечно, понимал, что мне придется туго, но не представлял себе, насколько это было безнадежно.

— Кто вам дал это распоряжение? — спросил я. Ответа не последовало.

— Попрошу показать ваши удостоверения, — продолжал я портить себе жизнь.

Этот бугай смотрел на меня как на больничный инвентарь, слегка попорченный и бесполезный.

— Я сейчас приду сюда с нарядом милиции, — беспомощно заявил я и поймал сочувствующий взгляд Каца.

Я разозлился еще больше. Какого черта?!

— Ну хорошо, — сказал я этим зверям. — Очень скоро я развяжу вам ваши поганые языки.

Ничего другого, к сожалению, я придумать не смог. Повернувшись к ним спиной, я твердо зашагал обратно, стараясь изо всех сил сохранить собственное достоинство. Я даже забыл попрощаться с Кацем.

Я ехал к себе в следственную часть и размышлял. Интересно, а что, собственно, дала бы мне беседа с этим Борисовым? Не уверен, что он разглядел стрелявшего в него киллера. Кстати, почему его не прикончили? Киллеры, как правило, делают свое дело профессионально и доводят начатое до конца, как они себе его представляют. Попугать хотели? Из крупнокалиберного пистолета? Нет, что-то тут не сходится.

Думай, Турецкий, на что тебе голова дана. Не орехи же ею колоть, верно?

Итак...

До покушения на этого самого Борисова были совершены два убийства. Причем убиты были не просто работяги на бытовой там почве и даже не банкиры в финансовой разборке, а люди, можно сказать принадлежавшие к политической элите страны. Так? Так.

Дальше. Исчезает зять одного из убитых. Некто Аничкин, полковник, на минуточку, ФСБ. Так? Так.

И что? Какие такие у меня основания, чтобы связать воедино эти четыре (или сколько их там?) дела в одно? Где, так сказать, доказательства того, что все это — звенья одной цепи?

Можете считать меня самонадеянным болваном, но я верю в такую роскошь, как интуиция. А именно она мне и подсказывала, что я на правильном пути.

Так или иначе, но я все равно брошу камень в это болото. Ишь — «не положено»!

Ворвавшись в кабинет Меркулова, я с ходу выложил ему всю эту безобразную историю в госпитале, где два здоровенных дебила не пустили меня к Борисову. Я был вне себя, я метал громы и молнии, обещая всем своим недругам вообще и дебилам в частности самые крупные неприятности.

127

Он смотрел на меня, словно я был пациентом дурдома и только что сбежал из отделения буйных умалишенных.

— Успокойся, — сказал он, когда я закончил бессмысленный монолог. — Что с тобой, Саня? Ты не понимаешь очевидных вещей?

— Каких именно? — вскинул я голову. — Дело не в том, что я не успел пообщаться с тем, кто ведет дело Борисова, дело в этих гориллах, которые оборзели и творят все, что хотят!

— Вот что, — сказал он. — У меня к тебе серьезнейший разговор.

Я пожал плечами:

— Говори.

— Обязательно скажу, — пообещал он. — Но только после того, как ты вернешься с Фрунзенской набережной.

— Какого хрена я там забыл? — выкрикнул я. — Еще кого-то пристрелили?

— Не забывайтесь, Турецкий!!! — грохнул Меркулов кулаком по столу. — И перестаньте немедленно хамить.

Раз он перешел на «вы», значит, я перегнул где-то палку. Нужно было срочно выправлять положение.

— Прошу прощения, — пробурчал я. — Больше не повторится, ваше благородие.

— Не дерзи, — предупредил он меня помягчевшим голосом, — а слушай. На Фрунзенской набережной произошло еще одно убийство.

— Тьфу!

— Убит замминистра юстиции Воробьев.

— Когда?

128

— Грязнов звонил полчаса назад. Он на месте вместе с оперативно-следственной группой. Сообщил мне.

— Почему?

— Что — почему?

— Почему он сообщил тебе? С каких пор он тебе докладывает сводку преступлений по городу?

Меркулов внимательно посмотрел на меня, как бы пытаясь понять, издеваюсь я над ним или просто дурака валяю.

Наконец он спокойно ответил:

— Грязнов полагает, что убийство Воробьева связано с делом, которым ты сейчас занимаешься. То есть убийство Воробьева связано с убийством Смирнова и Киселева.

— Из чего это следует? — настойчиво расспрашивал я своего шефа. — У него есть какие-то доказательства?

— Саша, — сказал мне Меркулов. — Почему бы тебе не поехать на место и самому не поговорить там, на месте преступления, обо всем том, о чем ты меня так дотошно расспрашиваешь? Тем более что Грязнов ждет тебя.

— Ждет?

— Я сказал, что пошлю тебя к нему, как только ты появишься.

— Вот так, да? — сказал я. — А что же я тут делаю?

Через пару секунд меня уже не было в кабинете Меркулова. Адрес убитого Воробьева я знал. Мы с ним были соседями.

Воробьев жил в моем доме, в соседнем подъезде.

Странно, что Костя сам не упомянул этот факт. Закрутился, наверное. Через полчаса служебная машина подвезла меня к собственному дому. Но в свой подъезд я заходить не стал.

У двери квартиры, в которой жил Воробьев, меня встретил оперативник. Я представился, и меня проводили к Грязнову. Слава сидел в кабинете покойного за его столом и что-то глубокомысленно изучал.

— Здравствуйте, — сказал я, отрывая его от бумаг. — Вызывали?

Он поднял на меня глаза и, удовлетворительно кивнув, встал.

— Так точно, — ответил мне замначальника МУРа подполковник Грязнов. — Не угодно ли взглянуть на убитого?

— Что-нибудь необычное?

— Как тебе сказать... — задумчиво проговорил Грязнов. — Давай-ка ты взгляни, а потом мы поговорим, ладно?

Он вышел из-за стола и направился к двери. Я внимательно за ним наблюдал. Почему он просил Меркулова, чтоб приехал именно я, а не другой следователь?

Мы вошли в спальню. Воробьев лежал на широкой постели, неестественно высоко задрав голову. Постель была залита кровью, так же как и вся стена сзади кровати. Приглядевшись повнимательнее к убитому, я понял, почему его голова зафиксирована в такой позе. У Воробьева было перерезано горло от одного уха до другого. Я сдержал подступившую к горлу тошноту.

Один из работавших в этой комнате экспертов-криминалистов обратился к Грязнову:

— Здесь мы закончили, Вячеслав Иванович.

— Нашли что-нибудь еще? — спросил его Грязнов.

— Нет, — ответил эксперт и перешел в другую комнату.

Грязнов повернулся ко мне:

— Жена и сын убитого еще не знают о случившемся. Они на даче. Об убийстве нам сообщила любовница.

— Чья любовница? — не понял я.

— Не моя, — усмехнулся Грязнов. — Любовница убитого. Бероева Маргарита Семеновна. Она сидит на кухне и ждет, пока ей разрешат уйти.

— Почему же ты не разрешаешь? У тебя есть к ней вопросы?

— У меня — нет. — Он почему-то смотрел на меня пристально. — Я полагал, что вопросы к ней могут возникнуть у тебя.

— Если я буду вести еще и это дело, то вопросы к свидетелю у меня безусловно будут.

Если бы я встретил Маргариту Бероеву на улице, то забыл бы обо всех своих делах и пошел бы за ней — сто процентов. Но такие дамы по улицам не ходят. Дом, автомобиль, театр, презентация, постель — вот их обычный маршрут.

Она сидела в плетеном кресле, положив ногу на ногу. И естественно, курила.

— Здравствуйте, — сказал я. — Я — следователь Турецкий. Скажите: какие отношения вас связывали с убитым?

Женщина посмотрела на меня с недоумением.

— Близкие, — ответила она.

— Это понятно, — кивнул я. — Меня интересует другое. Были ли вы в курсе дел потерпевшего?

— Когда приедет Нина Викторовна? — неожиданно спросила она меня.

Я посмотрел на Грязнова, и тот немедленно пришел на выручку.

— Это жена убитого, — с каменным выражением лица сообщил он. И добавил для Бероевой: — Она приедет где-то через час. У вас есть время.

— Спасибо, — кивнув, поблагодарила его Бероева. И, посмотрев на меня, спросила: — Что конкретно вы имеете в виду?

Решительная женщина. Ладно.

— Вы говорили с покойным о его работе? Точнее, о деталях работы?

Она приподняла брови:

— Зачем?

Действительно — зачем? Чего это я пристал к бедной женщине?

— А о политике? — не сдавался я. — Воробьев никогда не говорил при вас нечто такое, что вам казалось непонятным?

— Он всегда говорил непонятно, — ответила Маргарита Семеновна. — Он вообще был непонятным человеком.

— В каком смысле? — быстро спросил Грязнов.

Должен признаться, что по сравнению с

МУРом Генпрокуратура сегодня выглядела бледно.

— В прямом, — пожала она плечами. — Я никогда не понимала, что он от меня хотел. Что же касается политики... — она замолчала.

— Что? — Я внимательно наблюдал за ней.

Она глубоко затянулась и выпустила длинную струю дыма.

— Не знаю, как сказать, — задумчиво проговорила Маргарита Семеновна. — Ну, в общем... Как-то он спросил меня... неожиданно... что я буду делать, если к власти придут коммунисты. Куда, мол, я буду прятать свои драгоценности. И поеду ли я с ним в Швейцарию.

Я посмотрел на Грязнова. Лицо подполковника было непроницаемым. Он пристально смотрел на Бероеву.

— Это все? — спросил он у нее жестким голосом.

Она покачала головой.

— Что еще? — спросил я как можно более мягко. Грязнов удивленно на меня посмотрел.

Бероева благодарно мне улыбнулась и ответила:

— Наверное, это касается все-таки больше вас.

— Что именно? — насторожились мы вместе с Грязновым.

— Папка, — сказала она.

— Что?!

— Папка, — повторила Бероева, безмятежно глядя на нас. — Он передал мне папку и сказал, что, если с ним что-нибудь случится, я должна позвонить по номеру, который он мне записал на обложке этой папки. Я умная, но у меня совершенно дырявая память.

— Позвонить и что сказать? — с нетерпением, вполне понятным, спросил я.

— Сказать, что папка у меня. Ко мне приедут и заберут ее у меня. Вот и все. Но мне показалось, что раз тут и МУР, и прокуратура, то вы разберетесь быстрее. Все-таки вы представляете закон, а я довольно законопослушная гражданка. Стучать ни на кого не буду и то, что не мое, отдам. Я правильно поступила, рассказав вам все это?

В последнем вопросе было, конечно, больше чисто женского кокетства, но она заслужила наше восхищение.

— Еще как правильно, — широко улыбаясь, ответил я. — Вы даже не представляете, как велика наша благодарность.

Еще немного, и я перешел бы границы дозволенного, но Бероева была настолько умна, что перебила меня.

— У меня траур, — остудила она мой пыл, напомнив, по какому поводу, собственно, мы здесь собрались.

Глава 7

СОБЫТИЯ РАЗВИВАЮТСЯ

1

Генерал Петров явно затевал какую-то крупную игру.

Хотя, скорее всего, он был лишь исполнителем, а организатор — кто-то повыше. Сам он едва ли стал бы так вольно обращаться с «Самумами».

В любом случае Аничкину в этой игре была предназначена лишь второстепенная роль. Что ж, по Сеньке и шапка. Но в итоге Володю мог ждать как приз, так и полный крах. Игра, она на то и игра, чтобы в ней были победители и побежденные. И Аничкин, разумеется, совершенно не хотел быть побежденным.

Когда он добрался до своего кабинета, было уже около семи. Однако никто расходиться по домам не спешил. Такова была специфика работы в этой конторе. Даже глубокой ночью во многих кабинетах здесь горел свет.

Аничкин сел за свой стол и допил чай из бокала. Во рту сразу же появилась неприятная горечь. Сплюнув в корзину для бумаг, он снова достал свой портсигар. Тот был пуст. Тогда Володя по старой студенческой привычке порылся в стоящей у него на столе большой пепельнице, сделанной из черепашьего панциря, и, выбрав окурок подлиннее, с наслаждением закурил.

Итак, логично было бы предположить, что, раз в этой операции каким-то образом замешаны ядерные чемоданчики (или их муляжи, это не важно), главными организаторами были люди из руководства ФСБ. Во-первых, о существовании «Самума» известно весьма ограниченному кругу лиц, а во-вторых, о любых действиях, связанных с «Пульсаром», Петров был обязан докладывать наверх, иначе все моментально блокировалось: механизм многоступенчатого контроля и соблюдения секретности здесь отлажен как часы. И все-таки где-то он, видимо, дал сбой.

Судя по тому, что кейсы требовалось доставить на Лубянку, утечка информации была именно здесь. Кто-то из сотрудников отдела? Вряд ли. Ни один из них не знал даже кодового названия «Самум», не говоря уже о том, что за ним скрывалось. Может быть, вся эта затея была для того, чтобы свалить кого-нибудь из руководителей ФСБ? Вот это уже больше похоже на правду. А для чего же тогда был тот первый визит Петрова в кабинет Аничкина?

Володя докурил бычок до самого фильтра и полез в пепельницу за новым.

Информация, которую сообщил в тот раз Петров, была рассчитана на кого-то другого. Причем этот «кто-то» должен был знать только о том, что материалы в скором времени будут доставлены в

«Пульсар». Опять не получается! Тогда какого хрена их нужно было везти в Раменки?

Аничкин терялся в догадках. Однако ему обязательно нужно было выяснить причины таких странных действий генерала Петрова, иначе в случае допущенной ошибки все могли свалить на него. А этого допустить было нельзя.

И тут он вспомнил про карточку — личный идентификатор, врученный ему генералом. Может, она что-нибудь прояснит?

Аничкин достал из кармана карточку и повертел ее в руках. Странно, но на ней не было ровным счетом ничего. Ни выбитых имени и фамилии, ни, на худой конец, спецкода. Маленький серебристый кусочек пластмассы. Такая будет валяться на асфальте, никто и не подумает, что это пропуск в сверхсекретный научно-исследовательский институт. Только в нижней ее части находилась узкая магнитная полоска, предназначенная для считывающего устройства.

Аничкин снял трубку внутреннего телефона и набрал четырехзначный номер.

— Ахмет Ахметович? Мое почтение. Аничкин беспокоит. Вы еще домой не собираетесь? Ну так я сейчас к вам зайду.

Аничкин вышел из кабинета и лифтом спустился на третий этаж, где находилась научно-исследовательская лаборатория.

Ахмет Ахметович Абушахмин служил здесь с незапамятных времен. Когда сразу после войны его, только что получившего диплом химфака МГУ, пригласили работать на площадь Дзержинского, он был немало удивлен. Такое пренебрежение содержимым пятой графы его паспорта, где он числился татарином, можно было объяснить только катастрофической нехваткой кадров. И совершенно неожиданно для самого себя он проработал здесь почти всю жизнь. Поговаривали, что как-то Андропов решил отправить Абушахмина на пенсию. Устроили торжественные проводы, подарили именные часы и радиоприемник. А через два месяца пришлось звать обратно: лаборатория почему-то отказывалась работать без Ахмета Ахметовича. Скопились груды неисследованных образцов, отправленных на экспертизу, остановились неотложные дела. А как только Абушахмин вернулся, все вновь заработало.

Старые сотрудники называли его «неотложкой», потому что не было такого вопроса, на который он не мог бы дать обстоятельный и исчерпывающий ответ. К тому же Ахмет Ахметович каким-то удивительным образом умудрялся следить за последними техническими новинками. Разобраться в компьютерной программе или, скажем, взломать на ней пароль было для него парой пустяков. Как этот сухонький старичок на седьмом десятке сумел сохранить ясность ума и энергию, которой могли бы позавидовать многие молодые, оставалось тайной. Впрочем, Ахмет Ахметович всю жизнь имел дело с тайнами. Не было ли среди них случайно секрета вечной молодости?

Когда Аничкин вошел в лабораторию, Абушахмин что-то разглядывал под микроскопом.

— Здравствуй, Володя, — сказал он, не поднимая головы, — я сейчас.

Сделав какие-то пометки на листе бумаги, он повернулся к Аничкину:

— Ну-с, с чем пожаловал?

Вместо ответа Аничкин протянул ему серебристую карточку.

Абушахмин оглядел ее со всех сторон, стер полой своего белого халата незаметное пятнышко с блестящей поверхности и вернул ее обратно Володе:

— Это личный идентификатор. Последнее изобретение нашего шефа. Считается, что он гораздо надежнее простой бумаги с печатью. Хе-хе.

— Ну, Ахмет Ахметович, это я и без вас знаю.

Абушахмин хитро подмигнул:

— Как я понимаю, ты хочешь считать информацию с нее?

— Да.

Он покачал головой.

— Не могу. Строжайше запрещено правилами. Ты же знаешь, как я дорожу своей работой. Близко от дома, и вообще...

— Очень надо, Ахмет Ахметович. Под мою ответственность.

— Эх, Володя, Володя, помню я, как ты пришел сюда, в это здание, розовым юнцом. И вот ты уже большой начальник, который может брать на себя ответственность за крупное нарушение правил, ничем при этом не рискуя. А я, заметь, все на той же самой должности. И шишки все так же будут валиться именно на мою голову, а она уже не такая крепкая, как десять лет назад...

Аничкин выслушал эту тираду молча, а когда старик закончил, положил карточку на край стола и легонько пальцем подтолкнул ее по направлению к Ахмету Ахметовичу.

Тот глубоко вздохнул, но карточку все-таки взял:

— Раньше за такое дело полагался расстрел на месте, и это было правильно. А сейчас всюду бардак, всюду бардак, даже здесь, в Кагэбэ.

Абушахмин принципиально не признавал новых наименований. Он продолжал называть Государственную Думу Верховным Советом, Лубянку — площадью Дзержинского, а расположенный неподалеку супермаркет «Седьмой континент» — сороковым гастрономом. Кроме того, он не верил, что новые порядки продержатся долго. Может быть, у него, старого сотрудника органов госбезопасности, были основания так думать?

Бурча что-то себе под нос, Абушахмин вставил карточку в прорезь стоящего на столе магнитного сканера, собранного, скорее всего, его собственными руками, и вывел информацию на экран компьютера. Однако на нем появилась лишь сухая надпись: «введите текущий пароль».

— Ладно, попробуем с другой стороны.

Но все его попытки были тщетны. В ответ на каждое его действие на экране появлялась маленькая смеющаяся рожица и красная табличка со словами: «Попытка взлома программы является грубым нарушением внутренних правил Федеральной службы безопасности России».

В конце концов, Абушахмин, почесав в затылке, отдал карточку Аничкину:

— Здесь использованы какие-то неизвестные коды. Могу только сказать, что они будут, пожалуй, посложнее кремлевских. Мне удалось выяснить лишь две первые буквы кода — СУ. Обычно они обозначают какое-то сокращение. Однако мне неизвестен отдел, организация или проект с таким названием. Может быть, что это просто условное буквосочетание. Очень жаль, что не смог помочь.

Выйдя из лаборатории, Аничкин решил сразу, не заходя в свой кабинет, отправиться домой.

На часах было начало девятого. Володя вырулил с маленькой стоянки, находящейся за зданием ФСБ, и поехал на Красную Пресню, где вот уже десять лет они жили с Таней Зеркаловой. Володя не настаивал на том, чтобы она переменила фамилию. Для нее это тоже был непринципиальный вопрос. Правда, как-то раз она сделала такую попытку, но, увидев в паспортном столе длиннющий перечень бумаг, которые нужно было собрать для этого, быстренько ретировалась. Окончательную точку в этом вопросе поставил Михаил Александрович, который сказал: «А если разбежаться задумаете? Опять все по новой затевать?» Так Таня и осталась с фамилией своего бывшего мужа. Кстати, интересно, что теперь поделывает Толя?

Володя не торопясь выехал на Тверскую. Час пик давно прошел, и машин было немного. Порывшись в бардачке, он обнаружил давно забытую там начатую пачку «Кэмел», размял изрядно подсохшую сигарету и закурил.

Посещение Абушахмина скорее породило новые загадки, чем разъяснило ситуацию. Конечно, миниатюрная атомная бомба — это не шутки, доступ к ней должен быть надежно защищен. Но почему Петров не воспользовался обычным предупреждением начальника «Пульсара» по шифрованной связи? Аничкина там все знали, и вряд ли кому-нибудь в институте пришло бы в голову возражать. Зачем надо было специально изготавливать такую мудреную магнитную карточку, которую даже Абушахмин не смог расшифровать?

Внешне, конечно, все выглядело вполне логично — само существование «Самума» составляло важную государственную тайну. Но Аничкин нутром чувствовал, что вся эта операция (как ее назвал Петров? «Профилактика»?) имеет еще один, скрываемый от него смысл.

Стоп! А если ключом к загадке может быть эта странная аббревиатура, которую назвал Абушахмин.

СУ. Что бы это могло обозначать? Союз утопленников?

Нет. Это может быть...

Аничкин так резко нажал на тормоза, что двигавшийся сзади «джип» едва не ткнулся в багажник его «девятки». Сидящая за рулем «джипа» смазливая блондинка покрутила пальцем у виска и, объехав машину Аничкина, укатила дальше. Володя рассеянно проводил ее взглядом и, спохватившись, подрулил к тротуару.

...Это было около месяца назад.

Таня не любила шумных компаний, и поэтому гостями на днях ее рождения обычно были только родители. И на этот раз все было точно так же. Посидели, выпили, Михаил Александрович преподнес дочери подарок — серьги с небольшими изумрудами. Все-таки это был юбилей — Тане стукнуло тридцать пять.

Часов в девять вечера родители поехали домой. Таня, свалив грязную посуду в раковину, пошла спать, а Володя решил курнуть на сон грядущий. Тут он обнаружил валяющийся на диванчике пиджак Михаила Александровича. Видимо, старик хватил лишнего за здоровье любимой дочери и по рассеянности забыл его здесь. Погода тогда была теплая, так что, даже выйдя на улицу, он не обратил внимания на отсутствие пиджака. Так и уехал на своем служебном «ЗИЛе».

Аничкин к своему тестю относился с большим уважением, поэтому решил повесить пиджак в шкаф, чтобы он не помялся. Возвращаясь на кухню, он заметил валяющуюся на полу сложенную вдвое бумажку. Видимо, она выпала из кармана пиджака Михаила Александровича.

Володя развернул ее. Это был простой клочок бумаги, на котором размашистым почерком было написано: «Как насчет фондов для Стратег. упр-я?» Аничкин не придал бы этой бумажонке никакого значения, если бы не одно обстоятельство. Записка была написана химическим карандашом. На ней совершенно явно были заметны места, когда пишущий слюнявил карандаш, и он начинал писать темно-фиолетовым, а потом, когда грифель высыхал, черта начинала бледнеть. Ну кто еще, скажите на милость, кроме генерала Петрова, в наше время пользуется химическим карандашом? Да и почерк был вроде как его.

Аничкин пребывал в несколько разомлевшем состоянии после выпитого и поэтому, положив записку в карман пиджака тестя, забыл о ней.

А задуматься следовало. Хотя бы над тем, какие такие общие дела могли связывать начальника отдела ФСБ, занимающегося разработкой нового оружия, и совминовского работника...

Итак, в записке говорилось о фондах для какого-то «Стратег. упр-я», по всей вероятности, Стратегического управления. А не есть ли это расшифровка аббревиатуры СУ?

Совпадение было весьма очевидным. Карточка-идентификатор была получена из рук Петрова, записку писал он же. Судя по тому, что об этом Стратегическом управлении никто и слыхом не слыхивал, факт его существования находился на недоступном Аничкину уровне секретности. Это вполне соответствовало тому, что коды, защищающие информацию на пластиковой карточке, были, по выражению Абушахмина, «почище кремлевских».

В окно машины постучали. Размышления Аничкина прервал инспектор ГАИ.

— Сержант Щипачев, — козырнул он, — вы что, знака не видите?

— Извини, командир, — развел руками Аничкин, — темно, не заметил.

Инспектор иронически хмыкнул:

— А фонари на что везде понаставили? Придется штраф уплатить.

И он достал из кармана квитанционную книжку.

— Ваши права, пожалуйста.

Володя достал свое удостоверение и раскрыл его прямо перед носом инспектора. Тот с минуту разглядывал документ, сличая фотографию с оригиналом, потом снова козырнул:

— Извините, товарищ полковник, работа такая.

— Ничего, — сказал Володя, поворачивая ключ зажигания, — всего хорошего.

Он рванул с места и поехал дальше по Садовому. Машин было уже совсем мало — часы показывали половину одиннадцатого.

Интересно, чем занимается это Стратегическое управление? И какое отношение оно имеет к «Самуму»? И все-таки какая связь между Смирновым и генералом Петровым?

Вопросов было столько, что у Володи разболелась голова. Надо будет по дороге заехать в аптеку за анальгином.

Пии-пии-пии!...

Это запищал специальный пейджер для экстренной связи с начальством. Каждый сотрудник Главного управления ФСБ обязан был постоянно носить его с собой. Правда, Аничкин не видел в этом особого смысла: последний раз этой связью пользовались три года назад, в октябре 1993-го, когда в Москве были беспорядки и приходилось дежурить на Лубянке день и ночь. Интересно, что случилось на этот раз?

На маленьком экранчике пейджера появилась надпись: «Полковнику Аничкину немедленно явиться в Главное управление. Генерал-полковник Петров».

2

Домой к Бероевой мы ехали вместе — я, Маргарита и Грязнов — на моей служебной машине. Я сидел рядом с водителем Валерой, а Слава с женщиной на заднем сиденье.

За всю дорогу мы не проронили ни слова. Валера иногда косился в зеркало, наблюдая, чего это, мол, там происходит сзади? Но ничего не происходило. Бероева курила одну сигарету за другой. Грязнов страдал, но терпел.

Прежде чем выехать, Грязнов попросил меня уединиться с ним для конфиденциального, как он извинился перед Маргаритой Семеновной, разговора. Мы вышли с ним на лестничную площадку.

— Ну? — сказал он. — Что скажешь?

— Пока ничего, — ответил я. — Нужно еще взглянуть на эту папку с ботиночными тесемками.

— С чего ты взял, что папка — с ботиночными тесемками? — насторожился он. — Ты уже слышал что-то о ней?

— Слава! — вздохнул я, удрученный его невежеством. — Классиков читать надо. Ильф и Петров плачут, на тебя глядючи.

— Саня! — Грязнов был невероятно серьезным, и мне пришлось скорчить подобающую случаю мину. — Ты понимаешь, что происходит?

— Немного, — кивнул я. — В связи с выборами страна освобождается от своих героев. Кому-то наши покойники встали поперек горла.

— Значит, ты утверждаешь, что это связано с выборами?

— А ты — нет? — спросил я. — Ты что, думаешь, что это обычные убийства? Из-за мести? А может, из-за ревности?

Он усмехнулся.

— Ты даже не представляешь, как обычная уго-

146

ловщина может быть тесно связана с высокой политикой, — проинформировал он меня.

— Высокой политики не существует! — запротестовал я. — Есть только грязная политика.

Он пожал плечами.

— Другой бы спорил, — как-то легко согласился он. — А я не стану. Так вот. По-моему, это тот самый случай, когда интересы наших ведомств пересекаются самым тесным образом.

— Первый раз, что ли? — буркнул я.

— Таким образом, — сделал он ударение на первом слове, — действительно в первый раз. У меня такое ощущение, что в этом деле нет полутонов.

— В каком смысле?

— В прямом. Посмотри: кого убивают? Представителей высшего класса общества. А кто убивает? Отребье.

— Да? — удивился я. — Ты это знаешь точно? Как насчет того, чтоб назвать, не сходя с места, парочку фамилий? Или кликух, на худой конец?

— Пока не могу, — признался он. — Но не потому, что не знаю. А потому что не уверен в точности. Как только эксперты закончат работу и дадут данные и как только я получу ответ на свой запрос, тогда я тебе и скажу, наверное, то, что думаю об этом деле.

— Слава! — вздохнул я. — Посмотри на меня: похож я на представителя прессы? Что ты мне мозги вправляешь? По-твоему, я не знаю, что такое рабочая версия?

Он кивнул.

— Ты прав. И мы еще серьезно поговорим об

этом. Но потом, как только съездим домой к этой дамочке.

— Просто здорово, — покачал я головой. — Меркулов грозится поговорить со мной, как я приеду к нему отсюда. Ты — то же самое. С кем приходится работать! Все недомолвки какие-то, тайны...

— Меркулов? — переспросил меня Грязнов.

— Он самый.

— Вот и хорошо. Вместе к нему и поедем, — решил Грязнов проблему в одночасье.

— Да намекни хотя бы! — взмолился я.

— Потом! — отрезал Грязнов. — Я тебе только одно могу сказать. Мы по пояс в дерьме, и, пока нас не затянуло по самую макушку, нам придется поработать. Обоим.

— Вот так, да? А до этого мы груши околачивали?

Он внимательно посмотрел на меня.

— Саня, — тихо сказал он. — Ты прикидываешься шутом или и впрямь не понимаешь? Неужели до тебя не доходит, что, когда я говорю, что нам придется поработать обоим, я имею в виду только тебя и меня? А не два наших могущественных ведомства?

— Да ты поэт, — пробормотал я, пытаясь скрыть свое смятение.

Я начинал его понимать. Как говорил Мюллер из известного сериала, в наше время никому нельзя верить. Даже себе. Мне можно, ха-ха-ха!

— Хорошо, а Меркулов? — не сдавался я.

— А что — Меркулов? — удивился Грязнов. — Мы же договорились. Меркулову я верю. Заберем папку и поедем к нему.

— Ага, — кивнул я. — Вот и сообразим на троих.

— Можно и сообразить, — согласился Грязнов подозрительно быстро. — Коньячку захватим.

— У него есть, — успокоил я его.

Мы подъехали к дому Бероевой.

3

В полном, я бы сказал, гробовом молчании мы вышли из машины, вошли в подъезд, поднялись по ступенькам на второй этаж, подошли к двери квартиры Бероевой, и тут Маргарита Семеновна громко вскрикнула.

Дверь была взломана.

Мы с Грязновым переглянулись. Маргарита Семеновна вихрем ворвалась в квартиру, заранее плача и причитая. Грязнов тяжело вздохнул и последовал за ней. Молча. Я вошел последним.

Вся квартира олицетворяла собой бардак и хаос. Повсюду летал пух, который своим количеством уступал только перьям. Подушки и многочисленные, видимо, перины были вспороты, но это еще были цветочки. Ящики столов валялись на полу, дверцы шкафов были распахнуты настежь, вещи из них были разбросаны по всем комнатам, комод был выпотрошен, а посуда на кухне почему-то вся перебита. Уборки здесь предстояло на год, не меньше.

Маргарита Семеновна села прямо на пол. Сказать, что она горько плакала, значит, ничего не сказать. Она даже не рыдала. Это была гремучая смесь вселенского страдания, мировой скорби и отчаяния восточной женщины, оскорбленной в своих самых лучших чувствах. Короче, ор стоял необыкновенный.

Мы с Грязновым изрядно приуныли. Надо же, так не повезло. А счастье было так близко, так возможно. Но... кто-то нас явно опередил.

Маргарита Семеновна, наконец, встала и, как сомнамбула, заходила по квартире. Со смешанным чувством тревоги и сострадания мы внимательно за ней наблюдали.

Вдруг она остановилась и посмотрела на нас. Во взгляде ее читалось непонимание. Она словно силилась вспомнить, кто мы такие и что делаем в ее многострадальной квартире. Грязнов не стал ждать, когда она начнет спрашивать нас, кто мы такие, и сказал:

— Спокойно, Маргарита Семеновна. Милиция уже здесь. Посмотрите, все ли на месте? Если они искали что-то конкретное, в данном случае это может быть та самая папка, то драгоценности ваши и деньги они вполне могли не тронуть.

— Да, — сказала она. — Конечно. Но я уже вижу.

— Одну минуту, — прервал ее Грязнов и подошел к телефону.

Набрав номер своей конторы, он назвал адрес Бероевой и вызвал дежурную оперативно-следственную группу. А потом снова повернулся к женщине.

— Слушаю вас, Маргарита Семеновна.

Бероева стала называть похищенные вещи и примерную их стоимость. Кто-то нехило поживился. Общая сумма похищенного уже перевалила за двести тысяч долларов, а Маргарита Семеновна и не собиралась останавливаться. Меня так и подмывало попросить ее забыть о своих проблемах и материальных потерях, с тем чтобы поинтересоваться насчет папки. Что касается Грязнова, то он будто забыл, зачем мы сюда приехали. В смысле — за чем. Он словно соскучился по своей работе, и, глядя на него, можно было заключить, что его вообще-то хлебом не корми, дай только за ворами и грабителями погоняться. В сущности, наверное, так и было, но мне никак не удавалось забыть о том, что мы с ним в этот исторический, так сказать, момент искали рыбу покрупнее. Я молчал, изнывая от желания заикнуться насчет папки, которую уже начинал ненавидеть, но тут, на мое счастье, речь зашла как раз о ней.

— Кажется, все, — закончила Бероева долгое перечисление своих потерь. — Сейчас я принесу вам вашу папку.

— Как?! — воскликнули мы с Грязновым в один голос.

Она посмотрела на нас удивленно:

— Разве не за ней вы приехали?

— Да, но мы думали...

Она кивнула.

— Не думаю, что они догадались распороть пальто.

— Пальто? — переспросил Грязнов.

— Воробьев собственноручно зашил папку под подкладку моего старого осеннего пальто, — объяснила она. — Зашил он крепко, но из рук вон некрасиво, впрочем, я и не собиралась его носить. Он говорил...

— Где пальто? — не выдержал я ее многословия.

Слава посмотрел на меня с укоризной.

Она царственно повернула свою голову и холодно посмотрела на меня, будто спрашивала: кто это? А потом снова обратилась к Грязнову и с этой секунды имела дело только с ним. Я понял, что могу хоть на уши встать, — больше для этой ослепительной женщины я не существую. Все мужчинское во мне поникло от огорчения.

— Он говорил, — повторила она, будто и не слышала моего хамского вопроса, — что, если ко мне нагрянут воры, это не страшно. Все, что они унесут, можно или найти, или заново купить. Но если пропадет папка, то по последствиям своим это будет намного хуже. Что-то он еще говорил, но я сейчас не могу вспомнить. Вам принести папку?

— Да! — завопил я.

Она даже глазом не моргнула. Стояла и смотрела на Грязнова. Тот вежливо ей улыбнулся.

— Будьте так любезны, пожалуйста, — медоточивым голосом попросил он.

Мне стало противно, словно я съел таракана. Ладно, потерпим. Еще и не такое терпели.

Она вышла из комнаты. Грязнов мне подмигнул. Я показал ему большой палец. Почти сразу в комнату вернулась Маргарита Семеновна. В руках у нее действительно было пальто. Не скажу, чтобы старое. Могу даже сказать, что совсем не старое. Новое, одним словом. И потрясное.

— Здесь она, здесь, — сказала Бероева. — Распороть нужно.

— Турецкий, займись, — приказал мне Грязнов, и я ошарашенно на него посмотрел. Что это он командует? А потом понял: он говорит то, что приятно слышать Бероевой.

Я плюнул и бросился на кухню — за ножом. Здесь, как я уже сказал, тоже был погром, поэтому мне пришлось потрудиться, прежде чем я нашел нож — огромный, острый, сантиметров под тридцать. Когда, сжимая его в руке, я вернулся в комнату, Маргарита Семеновна попятилась. Но быстро взяла себя в руки и небрежно вручила мне пальто. Едва не рыча от нетерпения, я принялся кромсать подкладку.

Папка была зеленого цвета. Я хотел уже раскрыть ее, но Грязнов меня остановил.

— Одну минуту, — сказал он. — Маргарита Семеновна, у меня к вам серьезная просьба.

— Да, конечно, — с готовностью кивнула она.

— Скоро сюда подъедет оперативная группа. Вам, вполне естественно, будут задавать вопросы. Отвечайте на них обстоятельно и как можно более полно. Но ни в коем случае не упоминайте папку, которую вы нам только что вручили. Договорились?

— Но почему?! — удивилась Бероева. — Впрочем, это ваши проблемы. Папку я вам дала, а вы, будьте добры, найдите мне мои драгоценности и остальное.

— Могу вас заверить, что дело ваше будет под моим особым и неусыпным контролем, — заявил ей Грязнов. — Еще раз прошу вас никому не говорить ничего об этой папке. Дело это государственной важности. И, поймите меня правильно, это просто в ваших интересах.

— Да о какой папке вы мне все время талдычите? — раздраженно воскликнула Бероева. — Знать ничего не знаю о какой-то папке. Кто я, по вашему, — секретарша?!

— Очень хорошо, — широко улыбнулся ей Грязнов. — Просто замечательно. Значит, здесь мы с вами нашли полное взаимопонимание.

Мы составили протокол об изъятии, вернее, добровольной выдачи папки на стольких-то листах, но более подробный перечень находившихся в них документов и материалов решили отложить до приезда в Генпрокуратуру. И стали ждать прибытия в квартиру Бероевой дежурной оперативно-следственной группы.

4

Это была сплошная бухгалтерия. Мы сидели с Грязновым на заднем сиденье и листали страницы из папки, а машина везла нас к Меркулову. Мы таращились и пытались понять, что может стоять за цифрами, датами и встречающимися время от времени инициалами.

Иногда мы синхронно поднимали друг на друга глаза, и каждый убеждался, что второй из нас такой же дурак, как и первый. Облегченно вздохнув, мы вновь опускали головы и так же старательно изучали ровные строчки. К Меркулову приехали расстроенными и опустошенными.

...Я был уверен, что Костя поймет меня и не станет очень уж ругать за то, что привез с собой Грязнова. Кому, как не Меркулову, знать, что Слава — самый проверенный человек из всего Московского уголовного розыска и именно он может нам помочь в тех поисках, которые мы затеяли на свой страх и риск.

— Что он знает? — спросил меня Костя, после того как обменялся с Грязновым рукопожатием.

— Все, — ответил я.

— Да?! — удивился Меркулов. — Значит...

— Нет-нет, — с мягкой улыбкой перебил его Грязнов. — Я знаю на самом деле очень мало. Я знаю, к сожалению, столько же, сколько и Турецкий.

— Это не так уж мало! — запротестовал я, поняв, что дал маху, — *все* в этом деле пока никто не знает. Кроме, может быть, руководителей Стратегического управления — или как они там себя называют? Вождями?

Меркулов кивнул.

— Я так и думал, что ты знаешь не больше нашего, — сказал он. — Итак, господа, прошу садиться. Разговор предстоит серьезный.

— Турецкий обещал коньяк, — вспомнил вдруг прощелыга Грязнов.

— Я?! — как можно натуральнее удивился я. — Не помню...

Меркулов успокоительно поднял руку.

— Будет коньяк, — улыбнулся он. — Но после разговора.

— Согласен, — тоже улыбнулся Грязнов. — Надеюсь, у тебя настоящий французский.

155

— Всего лишь армянский, — покачал головой Костя и без всякого перехода добавил: — Сегодня я разговаривал с генеральным.

— Как он? — полюбопытствовал я.

— Твоими молитвами, — сердито ответствовал Меркулов. — Мы будем серьезно говорить? Или бутылку открывать?!

— Будем, будем, — испугался я.

— Сегодня Генеральный прокурор России разговаривал со мной, — исправился Меркулов, и я не стал его перебивать: люблю людей, признающих свои ошибки, пусть даже мелкие. — Я доложил ему о нашем деле.

— Ты уверен, что поступил правильно? — встрял Грязнов. — Черт его знает, что это за Стратегическое управление такое...

— Я уверен в нем так же, как Турецкий уверен в тебе, — отрезал Меркулов, и Грязнов поднял руки в знак того, что он сдается. Меркулов добавил помягче: — Впрочем, я вам обоим доверяю полностью. Все личные и государственные тайны.

— Спасибо за доверие, — с клоунской миной кивнул Грязнов.

— Пожалуйста. Итак, поговорим о деле? Есть что-нибудь новенькое?

Я протянул ему папку. Он взял ее в руки и вопросительно посмотрел на нас обоих. Я вкратце рассказал ему о Бероевой и о том, как Воробьев просил присмотреть за этой папкой.

Пока Костя просматривал листы, в кабинете царило гробовое молчание.

— Интересно, — приговаривал Меркулов. — Очень интересно.

Наконец он отложил папку в сторону и посмотрел на нас.

— Ну что ж, — сказал он. — Есть начало романа.

— Это что-нибудь говорит тебе? — спросил его Слава, кивнув на папку.

— Нет, — спокойно сказал Меркулов. — Но скажет. Обязательно скажет. А сейчас давайте-ка переменим тему, не возражаете?

Грязнов пожал плечами. Что касается меня, то спорить с начальством я стараюсь только в самых крайних случаях.

— Скоро, как вы знаете, состоятся выборы Президента, — официально заговорил Меркулов, и мне сразу стало ужасно скучно. — По сути, народ выберет путь, по которому мы пойдем дальше.

— Простите, — сказал я. — У нас политинформация или мы здесь по делу собрались?

— Это и есть дело, — не принял шутки Меркулов. — И не говори, что ты не понимаешь, в чем тут дело и почему я начал говорить именно об этом. Так вот. Сегодня я разговаривал с генеральным.

— У меня есть знакомый журналист, — заметил я. — Как-то он в составе делегации удостоился рукопожатия папы римского. Тоже все уши мне прожужжал об этом, вот прямо как ты сейчас с нашим генеральным.

Оба посмотрели на меня так сердито, словно я рассказал им идиотский анекдот.

— Генеральный рассказал мне одну интересную историю, — практически не обращая на меня внимания, продолжал свою речь Меркулов. — В то время, когда здесь, в Генпрокуратуре, начальствовал другой тип по кличке И.о., к нему обратился некто Олег Васильев. Знакомая фамилия?

— Артист такой есть, — легко откликнулся я, — только его Владимиром зовут. В балете танцует.

— Этот Васильев работает в администрации Президента, — проговорил Грязнов.

Меркулов кивнул.

— Правильно. Так вот. Васильев имел с генеральным очень долгую беседу. По словам генерального, Васильев его всячески прощупывал. Уже тогда было ясно, что бывший генпрокурор долго не продержится, и кандидатур для его замены было предостаточно. Васильев вел себя так, будто ему было известно, что вечно исполняющего обязанности вот-вот снимут, а вместо него будут рекомендовать нашего шефа. То есть того, кто в итоге и стал генеральным. Такое сложилось впечатление. Васильев, по словам генерального, как бы ходил вокруг да около, словно хотел сделать какое-то конкретное предложение. Они говорили буквально обо всех аспектах общественно-политической жизни страны. Складывалось ощущение, что кандидата в генпрокуроры проверяют, прощупывают на лояльность и, как он сам выразился, на политическую дальновидность.

После того как нынешний генеральный был утвержден в должности, он подумал, что Васильев как работник администрации Президента провел с ним определенную работу, как и с остальными кандидатами на пост генерального, и доложил, естественно, о результатах руководству. Он был даже благодарен Васильеву за его лояльность и профессионализм, потому что думал, что тот доложил о результатах их переговоров предельно точно и честно. Но сравнительно недавно он узнал такое, от чего озадачился. Генеральный узнал, что Васильеву никто и никогда не давал такого поручения — проверить всех возможных кандидатов на пост Генерального прокурора страны. Таким образом, стало ясно, что Васильев действовал по собственной инициативе и непонятно зачем.

После того как я доложил ему о Стратегическом управлении, я был вправе ждать, что меня не поймут — как минимум. Но неожиданно генеральный заинтересовался этим делом. Он много меня расспрашивал, но, сами понимаете, сообщить я ему мог немного. Вот тогда-то он мне и рассказал эту историю. И еще вспомнил, что Васильев в разговоре с ним упомянул о том, что стратегия в наше непростое время — одно из основных условий успеха. В общем-то фраза достаточно невинная. Но в свете нашего с вами дела на этот разговор можно посмотреть совсем с другой точки зрения.

— Если я правильно понимаю, — медленно произнес Грязнов, — у нас появился первый прозрачный подозреваемый, не так ли?

— Совершенно верно, — кивнул Меркулов. — Конечно, этот вопрос входит в компетенцию службы безопасности, но...

— Кстати о доблестных чекистах, — вклинился я в беседу и вкратце рассказал свою эпопею с госпиталем, куда меня не пустили к великому спортсмену Борисову, и загадочную историю исчезновения полковника ФСБ Владимира Аничкина.

— Борисов пока подождет, — нетерпеливо отмахнулся Меркулов. — А почему тебя так интересует этот Аничкин? Он как-то связан с делом маршала, которое ты ведешь?

— Относительно, — пожал я плечами. — Он, видите ли, на минуточку, зять убитого экс-управделами Совмина Смирнова.

— Да? — задумчиво произнес Меркулов. — Ну что ж, разрабатывай пока эту версию, то есть связь этих событий, хотя к чему она приведет, заранее сказать трудно. Не исключено, что здесь может быть что угодно.

Он обвел нас с Грязновым долгим взглядом и сказал:

— Итак, я говорил о выборах. Коммунисты рвутся к власти. Как вы думаете, лидер коммунистов — самостоятельная фигура и представляет то, что о нем пишут и что он сам о себе говорит? Или за ним кто-то стоит?

— Как в трамвае, — ответил я.

— Что? — не понял Меркулов. И правильно, где ему, номенклатурщику, понять.

— В трамвае, — с готовностью объяснил я ему. — Едешь, бывалоча, на работу, а там только об этом и говорят, кто за боссом коммуняк стоит, а кто за Президентом.

— Зря смеешься, — серьезно посмотрел на меня Меркулов. — Иногда глас народа и послушать полезно. Подумай: если кто-то стоит за коммунистом — кто это может быть? И хотя бы на минуту поставь вместо этого мифического кого-то — Стратегическое управление. А?

Крыть мне было нечем. Действительно, стройненькая получается картинка.

И страшненькая такая...

— Сечешь? — не унимался Меркулов.

— Костя, я уже подыхаю от страха, — заверил я его. — Честное пионерское, я сделаю все, что в моих силах, чтобы покончить с этой нечистью.

— Я думаю, что ничего несбыточного тут нет, — сказал Костя. — Это вполне может быть то, чего мы не ведаем, а также то самое Стратегическое управление, которое выплыло наружу в связи с убийством двух стариков. Так что работать надо в этом направлении. Итак, что мы имеем?

Смирнов, Киселев, Воробьев — убиты. Судя по всему, они были не последними членами этой конторы, и убили их в результате внутренних разборок, о которых мы ничего пока не знаем. Скорее всего, они активизировали свои действия в связи с выборами. Время напряженное, и, чтобы победить, они готовы на все. Что конкретно происходит, мы не знаем, но Турецкий обещает покончить с этой нечистью, а значит, он это сделает, он свое слово крепко держит.

— Мерси, — поклонился я.

— Дальше. О громких делах типа убийства Холодова, Листьева говорить пока не будем. Слишком красивая мечта. Но в виду иметь будем.

— Договорились.

— Папка. — Три пары глаз устремились на зеленую кожу, под которой находились таинственные листы. — Ее я отдам на экспертизу одному моему хорошему знакомому. Он — отличный бухгалтер и аналитик. Надеюсь, его анализ будет детальный, и он не сломает себе голову, расшифровывая все эти записи. У вас, друзья, есть ко мне вопросы?

— Есть, — подал голос Грязнов. — Каким ты, Костя, видишь в этом деле мое участие?

— Работай, Слава, по своей оперативной линии, подключай агентуру, — ответил ему Меркулов. — Рой землю. Общайся со следопытом Турецким. Ищите доказательства связи всех этих убийств с этим таинственным Стратуправлением.

— Понял, — серьезно кивнул Грязнов.

На этих мужиков-следопытов было приятно смотреть, честное слово. Да и работать с ними — дело ответственное и, можно сказать, почетное!

5

Я позвонил домой и сообщил Ирине, что задержусь.

— Но уже и так поздно, Турецкий, — заставила она меня посмотреть на часы.

Ничего себе. Половина двенадцатого.

— Спи спокойно, дорогой товарищ, — пожелал я ей. — Твой муж занимается важными государственными делами.

— Звонила тетя из Риги. Я не могу туда ехать пока. У нее проблемы, может быть, ты что-нибудь придумаешь? Нам с Ниночкой нужен отдых.

Ох, черт!

— Ты что, завтра уже хочешь уезжать?!

— Турецкий! Твои государственные дела сделали из тебя мужлана. Не обязательно грубить.

— Ну, извини, извини. Ничего страшного не произошло, ведь так? Разумеется, я что-нибудь придумаю, куда я денусь. Я же все-таки любящий муж и отец!

— Надеюсь, — сказала она и положила трубку.

Как же я забыл? Случайность и вправду — осознанная необходимость. Лиля Федотова тут, кстати, сообщила мне, что достала путевку для моей жены и дочки. Самое смешное, что именно в Прибалтику. Бывают же такие совпадения. Нет, говорю, не надо путевок, у нее, у Ирины, тетка там живет. То ли не поверила, то ли очень уж ей услужить хочется начальству. Интересная особа, очень интересная... Самая лучшая помощь — та, которая приходит вовремя. Когда-нибудь она все-таки затащит меня в постель, и я не буду сопротивляться. А почему это, интересно, я сопротивляюсь до сих пор? Удивительно!

Телефон на моем столе зазвонил, и я снял трубку. Кого несет в такое время?

— Турецкий слушает.

— Саша? Это я, Таня.

— Таня?

— Зеркалова.

— Я понял, что Зеркалова. Что-то случилось?

Она помолчала, и я прикусил язык. Турецкий, дубина, у этой женщины отца убили, муж пропал, а ты, тактичный наш, спрашиваешь, что у нее случилось.

— Саша, — тихо проговорила она, и я вжал трубку в ухо, чтобы лучше слышать. — Ты не можешь приехать ко мне? Прямо сейчас.

— Конечно, могу, — тут же ответил я, — раз надо, разумеется, приеду. Адрес я помню.

— Жду.

В трубке послышались короткие гудки. Я положил ее на аппарат и встал. Если женщина зовет — нужно ехать.

Через сорок минут я нажимал кнопку звонка Таниной квартиры. Дверь открылась сразу, как будто хозяйка квартиры стояла прямо за ней и ждала моего прихода. Очевидно, так и было.

— Саша! — И она кинулась мне на грудь, будто это я пропал и вот теперь вернулся.

Она втащила меня в квартиру, держа обеими руками, ногой захлопнула дверь и, не отпуская, потащила в комнату, к тому же не просто в комнату — в спальню. При этом губами она яростно искала мои губы.

Я впервые был в такой ситуации. Конечно, бывало, что женщины меня хотели, бывало, они набрасывались на меня, как только я вставал у них на пороге, не давая ни минуты, и мне, не скрою, это нравилось. Но никто еще не тащил меня в постель так откровенно при пропавшем муже и при убитом отце. Я был в шоке.

И я совершенно не представлял, как мне себя вести с ней. Дать пощечину? На каких основаниях? Я не жлоб, не ханжа и не святой. Трахнуть? Но ведь я некоторым образом и не скотина. Ужасно, просто ужасно, как все в этом мире относительно. Что же мне делать-то?

Как за мгновение до смерти человек вспоминает всю свою прошлую жизнь, так в эту секунду передо мной пронеслись все женщины, с кем я когда-то имел интимные отношения: от первого

164

почти невинного поцелуя до самого разнузданного секса с одной очень экстравагантной... Впрочем, зачем вспоминать?..

Постель была разобрана. Внезапно я понял, что Зеркаловой был нужен вовсе не секс — ей была необходима защита. В одночасье она лишилась двух надежных опор — отца и мужа. В ее понимании секс со мной вовсе не был никакой изменой. Она искала защиту и видела ее во мне. Ну что ж. Я дам ей ее. Или хотя бы ее иллюзию.

Мы сели на кровать, и я крепко прижал ее к себе, гладя по волосам. Она прижалась ко мне всем телом и жадно впитывала в себя мой голос, мои слова:

— Ну что ты, Танюша... Ну что ты, глупая... Не волнуйся. Все будет хорошо. Все будет хорошо.

Она плакала, и кивала, и снова плакала, и ничего не говорила, а я нес и нес эту убаюкивающую чушь и сам верил во все, что говорил.

Внезапно она вскинула голову, пристально посмотрела мне в глаза, и я с ужасом понял, что произойдет в следующие минуты. И не ошибся.

Хриплым голосом она потребовала:

— Поцелуй меня.

Я наклонился к ней и нежно поцеловал в краешек губ.

— Поцелуй меня по-настоящему! — настойчивее повторила она.

И, обхватив обеими руками мою голову, она изо всех сил прижалась к моим губам, словно боясь, что я вскочу и побегу куда глаза глядят. Но я никуда бы уже не побежал. Я был сломлен и готов на все.

Совершенно непроизвольно рука моя скользнула по ее груди, и она так отчаянно застонала, что у меня отпали всякие сомнения: я не знал, изменит ли она мужу, но вот что я изменю Ирине — это однозначно, как говорит один из кандидатов в Президенты.

Единственное, что меня утешало в этой ситуации, — то, что изменял я Ирине не впервые. Это прощало в моих глазах неистовую в эту минуту Таню Зеркалову.

Впрочем, не только это прощало. Все прощало. Давно я не видел такой страсти. Давно я сам не был охвачен страстью. Давно мне не было так хорошо.

И так грустно... Но как бы мне ни было грустно, в следующую ночь я снова пришел сюда.

Глава 8

РУССКИЕ И ЧЕЧЕНЦЫ

1

Было уже начало двенадцатого, когда Аничкин вернулся обратно на Лубянку. Бесконечные коридоры Главного управления были на удивление пустыми, только одинокие дежурные, как сфинксы, сидели за своими столиками, внимательно вглядываясь в пустоту. Конечно, кое-где были установлены автоматические телекамеры, но руководство больше доверяло человеческим глазам. И кроме того, никто бы не решился отменять много лет назад заведенные порядки. Это было не в здешних традициях.

Вообще-то Аничкину не были свойственны мистические наклонности. Но, проходя иной раз по мрачным коридорам, он явственно слышал негромкие разговоры, шаркающие звуки шагов и сдавленные крики. Хотя какие, к черту, шаркающие звуки, когда его собственные шаги момдтально глохли из-за плотных ковровых дорожек, которыми были устланы полы, и толстых фанерных листов, покрывающих стены. И все-таки какие-то странные звуки доносились до Аничкина и на этот раз. Может, это от сильной концентрации тайн, интриг и заговоров на квадратный метр площади?

«Интересно, а дежурные слышат что-нибудь?» — подумал Аничкин, проходя мимо вытянувшегося по стойке смирно сержанта охраны. Лицо того не выражало ровным счетом ничего, а взгляд, казалось, смотрел куда-то сквозь Аничкина.

Володя остановился рядом с охранником. Тот еще больше выпятил грудь.

— Скажите, сержант, вы сейчас ничего не слышали?

— Нет, товарищ полковник, — четко отбарабанил охранник, как будто весь вечер ожидал именно этого вопроса.

— А шаги?

— Так точно, слышал.

У Аничкина екнуло сердце. «Значит, это не почудилось?»

— Давно?

— Только что. Ваши шаги, товарищ полковник.

Володя вздохнул и пошел дальше по коридору. За его спиной раздался скрип — это дежурный снова сел на свой стул. И опять, наверное, вперился взглядом в полумрак коридора.

«Однако нервишки начинают пошаливать. Надо будет на обратном пути заехать в дежурную аптеку за валерьянкой. Иначе так недолго и до невроза докатиться. Галлюцинации там всякие, черные человечки по ночам...»

Аничкину снова послышались какие-то голоса. Но на этот раз они доносились не из потустороннего мира, а из-за приоткрытой двери кабинета Петрова. Володя считал неприличным подслушивать чужие разговоры и поэтому даже не приостановился. Однако когда он подошел на достаточно близкое расстояние, то разобрал обрывок одной фразы, которая не только особенно заинтересовала его, нет, просто эти слова как-то резанули ему слух. Вот что он услышал:

— ...Времени осталось мало, и пора подключать черных...

Аничкин постучал в дверь. Разговор сразу смолк.

— Заходи, Володя.

Генерал Петров уже второй раз называл его по имени.

«Не к добру», — подумал Аничкин.

В кабинете, кроме Петрова, находились еще трое. Аничкин знал только одного — генерала Басова, заместителя председателя ФСБ. Остальных — грузного седого мужчину в форме генерала внутренних войск и довольно молодого человека в пижонском сером костюме с отливом — он видел впервые.

— А вот и полковник Аничкин, — сказал Петров.

Володя щелкнул каблуками и уже открыл рот для доклада, но генерал МВД его перебил:

— Обойдемся без церемоний. Присаживайся. Меня зовут Мальков, Павел Игнатьевич. Басова ты знаешь, а это, — он указал на молодого пижона, — Олег Константинович Васильев, из администрации Президента.

«Ну ни фига себе!» — только и подумал Володя.

— Как видишь, — усмехнулся Мальков, — состав довольно представительный.

Собравшиеся не сводили с Аничкина глаз.

«Все это сильно смахивает на какой-то заговор», — промелькнуло в голове у Аничкина.

Видимо, его сомнения отразились на лице, потому что Петров, внимательно посмотрев на Володю, проникновенно сказал:

— Да ты не волнуйся. Мы всего лишь решили несколько расширить масштабы нашей операции.

Мальков согласно закивал:

— Видишь ли, Аничкин, как ты знаешь, обстановка сейчас в стране сложная. К власти рвутся разные силы, и наша задача, как органов, обеспечивающих правопорядок и... — он в упор, не мигая, смотрел на Аничкина, — законность, — не дать им повернуть страну назад, с выбранного курса реформ. Правильно я говорю?

Он повернулся к Васильеву.

— Правильно, Павел Игнатьевич. Я даже скажу больше — мы обязаны не допустить коммунистического реванша. Вот.

— Да, — кивнул Мальков и снова уставился на Аничкина. — Верно. И мы тут собрались исключительно с этой целью.

— И тебя вызвали, — вставил Петров. — Чай будешь?

Несколько ошарашенный, Аничкин кивнул. И тогда генерал Петров лично (!) достал из маленького шкафчика в углу кобальтовую чашку с золотым ободком и налил (!) ему чаю.

«Вот уж не думал, что доведется пить чай из рук самого генерала Петрова».

— Спасибо, Григорий Иванович.

Ему было не по себе. Ощущение невероятности происходящего не покидало его. Все казалось, что он смотрит какой-то гигантский видеофильм и он находится внутри огромного экрана.

— Эти силы, — продолжал Мальков, — не останавливаются ни перед чем, в том числе не брезгуют переманиванием на свою сторону некоторых морально неустойчивых личностей. Ты меня понимаешь?

— М-м-да, — не очень уверенно протянул Аничкин, помешивая ложечкой в чашке.

Мальков внимательней пригляделся к нему и покачал головой:

— А мне говорили, что вы понятливый, полковник.

И вопросительно посмотрел на Петрова, который поспешно обратился к Аничкину.

— Ну мы же с тобой этот вопрос уже обсуждали, Володя, — с мягким укором произнес Петров. — Нужно выявить в нашей среде лиц, через которых происходит утечка информации.

— Не только информации, — внушительно сказал Мальков, — и не только в вашей среде.

— Во всех средах, — ни с того ни с сего подал голос генерал Басов.

— Вот видишь, Аничкин, какие дела? Поэтому мы и решили тебя как честного, исполнительного работника, опытного чекиста ввести в состав нашей комиссии. Думаю, что справишься.

«Ага, — подумал Аничкин, — вот и о комиссии какой-то заговорили. А не нахожусь ли я на совещании Стратегического управления?»

— Товарищ генерал, нельзя ли конкретнее обрисовать круг моих обязанностей? — Невольно Володя перешел на мальковскую манеру выражаться.

Что-то изменилось, Аничкин это почувствовал. Будто спало напряжение какое-то. Нормальный человек не почувствовал бы ничего, но полковник ФСБ Аничкин — почувствовал.

— Молодец, полковник, — сказал Мальков после длительной паузы, — сейчас мы тебе все объясним. Чайку попьем и объясним. Слушай, Григорий Иванович, а у тебя печенья не найдется? А то пустой чай как-то кисло хлебать.

— Не только печенье, но и получше кое-что имеется, — ответил Петров, снова залезая в свой шкафчик и извлекая оттуда большую коробку шоколадных конфет, кекс в блестящей упаковке и фигурную бутылку армянского коньяка. — Настоящий. В Ереване только один завод работает— ликеро-водочный. Так что, как и раньше, каждый месяц пять ящиков нам доставляют для внутренних нужд.

— Все-таки хорошо, когда традиции сохраняются, — с чувством сказал Мальков. Потом вдруг посерьезнел, посмотрел на Аничкина и добавил: — Конечно, если они не идут вразрез с курсом на демократизацию общества.

Петров достал объемистые стопки и разлил коньяк.

— Ну, за успех операции!

Аничкин почувствовал, что напряжение снова овладело присутствующими. Но теперь его это почему-то не волновало. Он уже принял решение.

Коньяк действительно был отменным. Вкус его

вызывал воспоминание о цветочном магазине — отличительная черта хороших армянских коньяков.

Аничкин посмотрел на часы. Было около часа ночи. Мальков отметил этот взгляд. И перешел к делу:

— Есть сведения, что чеченские террористы имеют здесь, в Москве, канал добычи оружия, преимущественно деталей для взрывных устройств. Кроме того, они очень интересуются новейшими разработками НИИ «Пульсар», ты, я надеюсь, понимаешь, о чем я говорю?

Аничкин кивнул.

— Вот. Наша задача — найти людей, которые связаны с чеченцами. Но сделать это крайне сложно. Поэтому мы решили пойти другим путем. Мы просто-напросто перехватим инициативу у тех, кто добывает оружие. Предложим более низкую цену, быструю доставку, они должны на это клюнуть. И этим займешься ты!

Все выжидательно посмотрели на Володю. Он немного помолчал, выдержал внушительную паузу и наконец спросил:

— А какой смысл?

— Что ты имеешь в виду?

— Ну, какая разница, откуда чеченцы будут получать оружие — от меня или от кого-нибудь другого. Да еще если по более низкой цене...

Мальков посмотрел на Аничкина с чувством удовлетворения:

— Хорошо мыслишь! Ловишь на лету! Вот в этом и состоит весь смысл. Мы будем поставлять чеченцам оружие, которое в последний момент откажет. Короче, бракованное. Когда это выяснится, они кинутся снова к старым каналам. А к тому времени мы их уже раскроем. Таким образом мы убьем сразу трех зайцев — раскроем предателей, чеченцев оставим без оружия и избавимся от брака на военных заводах. Рабочие получат зарплату. Ну как тебе такой план?

Идея была на редкость бездарной. И очень похожей на подставку. Но разве Аничкин, которого эти генералы с явной своей целью вводят в «комиссию», мог высказать свое отношение сидящим перед ним важным персонам? Нет, конечно. И потом, все равно и отказаться он уже не мог — приказ есть приказ. Поэтому, состроив кислую мину, он проговорил:

— Возможно, стоящий план.

Все присутствующие, казалось, облегченно вздохнули. Так, во всяком случае, показалось Аничкину.

— Отлично, — сказал Мальков, — вот тебя мы и назначаем его непосредственным исполнителем.

Петров снова разлил коньяк по стопкам. Все, кроме Васильева, выпили.

— Значит, так. Нам стало известно, что позавчера в Москву прибыл бывший заместитель Дудаева — Мажидов. Он занимается поставками оружия бандформированиям. Приехал он сюда, как ты понимаешь, не случайно. По оперативным донесениям, уже успел встретиться с какими-то людьми в ресторанах и ночных клубах. С кем они связаны, пока выяснить не удалось. Но среди них есть и наш человек. Через него мы устроим встречу Мажидова с тобой, на которой ты предложишь ему крупную партию взрывчатых веществ, капсюлей и детонаторов. Если он потребует еще что-нибудь — соглашайся. Все, что ему надо, достанем.

— А если он захочет приобрести «Самум»?

Мальков одобрительно улыбнулся и продолжал:

— Вот это и есть самое главное. Ты предложишь Мажидову имитацию «Самума». Ну, что-то типа муляжа. Но очень похожего на подлинный.

«Значит, я все-таки оказался прав», — подумал Аничкин и с недоумением уставился на Малькова:

— А откуда Мажидову известно о существовании «Самума»?

— Это ненужный вопрос, — исчерпывающе ответил генерал.

«Действительно, что это я?» — подумал Володя.

Мальков же продолжил:

— Завтра приходят грузы из Тулы и Арзамаса. Так что тебе остается только получить их, доставить в назначенные места и встретится с Мажидовым.

— Как я должен с ним связаться?

— Встреча уже назначена. Завтра в десять вечера в ресторане гостиницы «Москва». Он там и поселился.

— Какие условия я должен выдвинуть?

Мальков пожал плечами:

— Да, собственно, никаких. Поторгуйся для виду, но потом обязательно согласись. Помни: он должен получить все именно из наших рук.

— А условия поставки?

Мальков кивнул:

— Скажешь так: когда через несколько дней заберешь грузы со склада в Раменках, тут же передашь их Мажидову.

— А «Самум»?

— С «Самумом» посложнее. Этих чеченцев нужно сперва обучить работе с ним. Поэтому придется встретиться с ними еще раз на нашей конспиративной квартире. Но это мы обговорим позже. Все.

Аничкин понял, что главный инструктаж окончен, и встал:

— Я могу идти?

— Идите, полковник, — сказал ему Мальков.

Этот неожиданный переход на «вы» убедил Аничкина в реальности всего происходящего. Как ни фантастично это выглядело...

2

Муса Мажидов приехал в Москву много лет назад поступать в автодорожный институт. Он не поступил, но, вкусив прелестей столичной жизни, решил не возвращаться в родной Гудермес, устроился по лимиту на ЗИЛ и получил прописку в рабочем общежитии. В кузнечном цеху, где он числился, Муса так ни разу и не появился. Зарплату он отдавал начальнику цеха, и тот исправно ставил крестики в журнале посещения. Некогда было Мусе работать у грохочущего станка. У него были дела поважнее.

Весной и летом Муса вместе с парой-тройкой компаньонов, тоже чеченцев, носился по подмосковным колхозам, скупая за бесценок у одуревших от бесконечных проблем председателей колхозов клубнику, огурцы и молодой картофель. Потом все это сбывалось перекупщикам, во множестве слоняющимся рядом с Центральным и Рижским рынками. Зимой было посложнее — приходилось ездить за овощами-фруктами в Ростовскую область, в Краснодар, а то и южнее. Но все равно игра стоила свеч. Ежедневный доход от таких операций превышал месячную зарплату Мусы на ЗИЛе, так что жил он неплохо. Через полтора года он купил кооперативную квартиру в Мневниках, женился на присланной с родины дальней родственнице и приобрел подержанный черный «БМВ». Он уже пользовался определенным весом среди своих сородичей.

В то время по Москве только-только поползли слухи о всемогущей чеченской мафии, которая якобы подмяла под себя все властные структуры. Ради справедливости надо сказать, что это было сильным преувеличением. Вернее, так: чеченцы составляли очень небольшую и отнюдь не самую влиятельную часть столичного преступного мира. Грузинские группировки, например, контролировали гораздо более крупные экономические сферы, не говоря уже о том, что по числу своему были крупнее. Видимо, слухи о страшных чеченских бандах были вызваны наличием в верхних эшелонах власти нескольких чеченцев.

Как бы там ни было, Муса Мажидов продолжал заниматься фруктовым и овощным бизнесом, правда, теперь у него под началом имелось несколько человек, и, кроме того, он обладал двумя-тремя точками на Рижском рынке, которые давали стабильный доход.

Все нарушила неожиданно начавшаяся война в Чечне. Милиция то и дело начала устраивать рейды, после которых Мусе приходилось вызволять своих людей из милиции, а это стоило немалых денег. Кроме того, чиновники и милицейские чины, раньше удовлетворявшиеся парой сотен долларов, теперь окончательно обнаглели и, завидев смуглую кожу, черную как вороново крыло и жесткую щетку волос Мусы, заламывали за пустячные услуги непомерно высокие «гонорары». И это не считая всяких мелочей типа двойного тарифа у гаишников. Мусе, как, впрочем, и многим другим «лицам кавказской национальности», в столице приходилось несладко. Пришлось искать новые сферы деятельности.

А сделать это было не так просто, как кажется на первый взгляд. Все доходные отрасли были давным-давно распределены между национальными группировками. Например, анашой в районе Даниловского рынка торгуют только азербайджанцы, и ты, хоть тресни, туда не пристроишься. А если попробуешь открыть торговлю в районе Тушина, предварительно не спросив разрешения у какого-нибудь толстого грузина, живущего в скромной гостинице средней руки неподалеку, то в лучшем случае лишишься в первый же день всего заработанного, ну а в худшем... Да что там говорить, даже между своими шла жестокая конкурентная борьба. Муса начал понимать, что в свое время где-то проглядел, недосмотрел, вовремя не спохватился, и теперь настоящие деньги шли мимо его орлиного носа.

Конечно, жил он совсем неплохо. Купил новую квартиру поближе к центру. Завел любовницу — длинноногую блондинку с необъятным бюстом, приехавшую в столицу из Томской области искать приключений. Отрастил небольшое брюшко. Жена нарожала с пяток детишек, старший из которых уже ходил в первый класс.

«БМВ» у Мусы теперь был уже новенький, последней модели. И все-таки по сравнению с остальными чеченцами, с которыми Муса в свое время начинал, его доходы были довольно скромными.

Друзья давно звали Мусу в Венгрию, где чеченская мафия имела действительно большое влияние. Поразмыслив, он решил податься туда на заработки. Уже была готова виза и куплен билет на самолет, когда все внезапно и коренным образом переменилось.

Дело в том, что у Мусы был брат. Собственно, братьев у него хватало, но все они были вполне приличными людьми — один работал прокурором, другой директором овощебазы, третий владел в Подмосковье подпольным заводом по производству кристалловской водки, а четвертый, самый старший, скупал в разоряющихся НИИ детали давно устаревших ЭВМ и выплавлял оттуда золото и серебро. Короче, все находились при деле.

И только один брат Мусы, Рустам, был каким-то непутевым. После школы уехал в Ставрополь, поступил в общевойсковое училище, а закончив его, вообще учудил — подался на Сахалин, где пять лет служил в погранвойсках. И это после жаркой Чечни! Потом, правда, он перевелся в Эстонию.

В семье к Рустаму относились как к отрезанному ломтю: мотается черт знает где, ни кола ни двора, перед соседями неудобно. Долгое время Муса не получал от него никаких вестей.

И вот несколько лет назад, когда в Чечне прошли первые президентские выборы, Муса увидел своего брата. И не где-нибудь, а по телевизору, в программе новостей. Рустам стоял на трибуне за спиной нового президента Ичкерии, который принимал устроенный в его честь парад.

Немало подивившись этому обстоятельству, Муса, конечно, порадовался за брата, а потом, замотавшись, начисто забыл о нем. Чудесное возвышение Рустама, честно говоря, мало его тревожило: у него было по горло своих дел.

Но вскоре тот сам напомнил о своем существовании.

Как-то раз у дома Мусы остановился новенький черный «мерседес». В этом факте не было ничего странного: к Мусе часто приезжали друзья, и почти у каждого из них был черный «мерседес». Но этот «мерседес» прибыл не один. Сзади и спереди его сопровождали небольшие микроавтобусы, в которых сидели угрюмые люди в одинаковых кожаных куртках, подозрительно оттопыривающихся на животах. Как только этот маленький кортеж затормозил, охранники высыпали из машин и в течение минуты заняли заранее определенные для каждого позиции: двое встали у подъезда, другие заняли позицию во дворе, некоторые поднялись по лестнице, остальные окружили выбравшегося из «мерседеса» Рустама Мажидова и вместе с ним направились в квартиру его брата.

Муса, конечно, обрадовался неожиданному появлению Рустама, хотя и был несколько ошеломлен прытью его охранников: те, достав небольшие миноискатели, за несколько минут обшарили всю квартиру, осмотрели балконы и даже заглянули в канализационную шахту.

— Извини, — развел руками Рустам, — ничего не могу поделать. Они головой отвечают за мою жизнь, вот и стараются. Подозреваю, что за мной следят, поэтому пришлось нанять частную охрану. Своих же я сюда не повезу, сам понимаешь.

— Рад тебя видеть, — сказал Муса, — сейчас жена накроет на стол, посидим, поговорим.

— Да, именно за этим я и приехал. Мне надо с тобой поговорить.

У Мусы на сердце сразу потяжелело. Приезд высокопоставленного братца в самый разгар войны в Чечне обязательно должен был принести какие-нибудь неприятности. А уж если он собирается поговорить о чем-то серьезном... Жди беды.

Муса как в воду глядел. Едва они поели и выпили по стакану белого вина, Рустам знаком отослал охрану из квартиры и, наклонившись к брату, сказал:

— Мы в тяжелом положении.

— Кто это «мы»?

— Я, Джо, весь чеченский народ. Ты что, телевизор не смотришь?

— Смотрю...

— Ну вот. А если смотришь, наверное, заметил, что федеральные войска как звери наступают. А у наших — сплошные потери. Заметил?

— Да, — не очень уверенно ответил Муса, — заметил.

— А по телевизору показывают сотую часть того, что там делается. Поэтому я сюда и приехал.

— Хочешь уговорить телевидение показывать

побольше репортажей? — неуклюже пошутил Муса.

Рустам сильно рассердился:

— Тебе не стыдно? Пока ты тут прохлаждаешься, твой народ скоро полностью истребят.

— Извини, Рустам. Ты же знаешь, я здесь давно осел. У меня дети, семья. Но если чего-то нужно, я готов. Чем тебе помочь?

Рустам достал из кармана пачку сигарет и закурил:

— Оружия и боеприпасов катастрофически не хватает. Мы, конечно, берем трофеи, кое-что из Турции доставляют, но это все мелочи.

Он залпом опрокинул стакан вина и продолжил:

— А скоро осень, «зеленка» пропадет...

— Что? — не понял Муса.

— В каком смысле? — воззрился на него брат.

— Это... «зеленка».

— Ну-у, — протянул Рустам, презрительно глядя на Мусу, — если ты таких простых вещей не знаешь, какой же ты горец? Стыдно должно быть!

Муса не знал, куда спрятать глаза. Все-таки, несмотря на всю свою непутевость, Рустам был на год старше него, и поэтому он должен был во всем его слушаться. Что за дурацкие законы?

— Лекарство, что ли, такое типа йода? — осторожно спросил Муса.

— Эх ты, — снова пристыдил его брат, — «зеленка» — это листва деревьев и кустов, трава и тому подобное. Летом все это служит естественной маскировкой и, если глядеть в бинокль, сливается в сплошной зеленый фон. Понял?

Муса в отчаянии покачал головой. Рустам скверно выругался и продолжал:

— Под прикрытием «зеленки» можно на танке подъезжать — все равно никто не заметит. А осенью, когда листва осыпается, тебя видно за двадцать километров.

— Теперь понятно, — вздохнул Муса.

Осень у него тоже ассоциировалась с разными неприятностями — москвичи возвращались с дач и югов обленившиеся, наевшиеся овощей и фруктов, а главное, без денег. Доходы соответственно падали, овощи портились, фрукты текли... Муса даже поежился.

— Хвала Аллаху, мой брат наконец начал что-то понимать, — воскликнул Рустам. — В общем, так: до начала сентября остался месяц. И за это время мы должны захватить как можно больше территории, а если не захватить, то хотя бы закрепиться. Но оружия не хватает.

Муса понимающе кивнул:

— Значит, ты приехал в Москву за оружием?

— Да.

Только этого Мусе не хватало. И откуда Рустам свалился на его голову?

— Слушай, — осторожно поинтересовался он, — а где-нибудь поближе к Чечне разве его не проще раздобыть? И потом, везти поближе...

Брат только отмахнулся:

— Почти ничего уже не осталось. А на складах, которые снабжают федералов, договориться невозможно. Так что, как ни странно, в Москве оружие достать легче.

— А-а...

— Да, легче. И ты мне в этом поможешь.

Муса вздрогнул:

— Я?!

— Ты.

— Слушай, а может быть, я просто денег дам?

Рустам внимательно посмотрел в его глаза, потом схватился за голову:

— О, горе мне и всему нашему роду! Где вы, наши славные предки! Могли ли вы предположить, что когда-нибудь ваша кровь даст такое позорное потомство?! Что в нашей семье появится подлый трус, который только и знает, что торговать на рынке гнилыми помидорами.

Он с ненавистью посмотрел на Мусу.

— Но почему гнилыми? — попытался оправдаться тот. — Нормальные помидоры, свежие...

Внезапно Рустам вскочил и схватил Мусу за грудки:

— Ты предатель!

На шум в комнату вбежало несколько охранников, и только благодаря этому Рустам ослабил свою хватку.

— Все в порядке, — сказал он, и те испарились.

Рустам сел на свое место, с презрением наблюдая за братом, который потирал несколько помятую шею и вытирал платком выступивший на лбу пот.

— И это мой брат! «Денег дам». Нужны мне твои жалкие гроши! Спекулянт!

— Ну и что? — попытался оправдаться Муса. — Каждый занимается своим делом, ведь так? Ты, например, по профессии военный. И в твои обязанности входит воевать, защищать родину и все такое. А если я на войну сунусь, то только все напорчу. Ты же знаешь, я в автодорожный поступал, у меня совсем другая профессия.

— Что же ты на рынке делаешь, автодорожник? Проходы между прилавками мостишь?

Муса не нашелся что ответить.

— И потом, — упрямо продолжал Рустам, — нам, в Чечне, дорожники тоже нужны.

— Э-э, — махнул рукой Муса, — за пятнадцать лет знаешь как далеко наука шагнула? Да и не учился я толком...

Рустам стукнул по столу кулаком, отчего ножи и вилки подпрыгнули и жалобно звякнули.

— Ты мне давай зубы не заговаривай! Думаешь, умнее всех, да? «Наука», — передразнил он брата, — будешь мне помогать, даже если для этого тебе придется бросить свою вонючую торговлю. Ясно?

Что оставалось делать? Проклиная день и час, когда шестнадцатилетнему Рустаму пришла в голову дурацкая мысль поступать в военное училище, Муса согласился.

Впрочем, его участие в делах Рустама ограничивалось тем, что время от времени приходилось обналичивать через знакомых в банке крупные суммы денег, доставлять их в заранее условленные места и даже несколько раз поработать шофером — возить Рустама в Раменки, где, по-видимому, находился какой-то секретный военный склад. Муса безропотно выполнял все поручения Рустама, хотя во время операций его поджилки вовсю тряслись от страха.

Рустам приезжал в Москву раза три или четыре, и каждый раз Муса думал, что больше он не появится, что оружия закуплено достаточно, что скоро война кончится или еще что-нибудь произойдет, от чего он больше не будет подвергаться смертельной опасности и в конце концов поедет в Венгрию.

Поэтому когда по телевизору объявили о смерти Дудаева, Муса с облегчением вздохнул. Раз в Чечне новый лидер, значит, у него и помощник новый. И Рустам снова пропадет куда-нибудь еще на несколько лет и не будет ввязывать Мусу в совершенно несвойственные ему авантюры.

Но не тут-то было. Не прошло и месяца с того момента, как объявили о смерти Дудаева, когда у дома Мусы снова затормозил черный «мерседес».

Глава 9

АНИЧКИН ГДЕ-ТО БЛИЗКО

1

Дело вовсе не в том, что я люблю свою работу или не могу без нее жить, хотя и в этом есть немалая доля сермяжной правды. Почему-то, когда провожу расследование очередного дела, все остальное в этом не самом худшем из миров мне временно становится неинтересным.

Встречи с Таней Зеркаловой были, как я уже говорил, и приятны, и грустны. Почему приятны — говорить не стоит, надеюсь, вы не настолько любопытны, что вам интересны подробности, которые касаются только нас двоих, и никого больше. Ну, может быть, еще участника этого любовного треугольника — Аничкина, но тут уж ничего не поделаешь: жизнь просто изобилует подобными ситуациями, так что не мы первые, не мы последние. Уверяю вас, Аничкин тоже не единственный в мире рогатый представитель мужской половины человечества. Не исключено, что и моя голова... впрочем, хватит об этом.

А вот грустны — разговор особый. Когда-то мы с Таней были уже достаточно близки, и поэтому, имея прежний опыт, я с полной убежденностью могу утверждать: в одну реку не входят дважды. Нет, я не претендую на оригинальность этой мысли, понимаю, что первый, кто высказал эту глубочайшую мысль, вовсе не ваш покорный слуга. Но это не мешает мне авторитетно заявить, что не кто иной, как я, прочувствовал, что именно означает фраза столь глубокого, не побоюсь этого слова, философского звучания.

Глупости, скажете вы. Можно проверить, скажете. Можно, к примеру, взять с собой бутылочку водочки и поехать на Клязьму, найти подходящее местечко, пропустить для начала граммов эдак сто двадцать пять и — войти. А потом выйти, хорошенько растереться большим мохнатым полотенцем, жахнуть еще сто двадцать пять граммчиков, опорожнив таким образом бутыль ровно наполовину, и снова войти. И вы считаете, что у вас убийственное доказательство: вы только что дважды вошли в одну и ту же реку.

Вы забыли, с кем имеете дело. Напомню, что я — следователь. Более того, я — «важняк». Мне эти ваши доказательства разбомбить — шесть секунд. Не буду голословным, получите.

Вы думаете, что, когда вы входили в эту реку во второй раз, это была та же самая река? Называлась-то она по-прежнему Клязьмой. А воды-то в ней были те же самые, когда вы входили в первый раз?

Они что, эти воды, вернулись каким-то образом обратно и в то мгновение, когда вы снова стали входить, опять потекли? Вы кому, как у нас говорят, мозги вкручиваете?!

А теперь возьмем вас. Да-да, конкретно вас. Вы что — во второй раз входили точно таким же, как и в первый? А ну-ка вспомните, что вы сделали между первым и вторым заходами? Я вам напомню: вы выпили, вот что вы сделали. И разве это никак на вас не повлияло? Разве вы не изменились? Разве вы не стали входить вторично в реку совсем другим человеком? Полстакана водки — это, я вам скажу, даже не кружка пива. Так что и вы не тот, и река изменилась.

Да это — что! Река — это так, цветочки. А я вам сейчас действительно одну умную вещь скажу, причем такую, какую до меня действительно никто не говорил. Вот она: в одну и ту же женщину нельзя влюбиться дважды.

Потому что женщина — та же река. Она меняется каждую тысячную долю секунды.

В третью ночь я не выдержал. К стыду своему, я понял, что защитником и утешителем могу быть только очень ограниченное время. А потом... днем предпринимать усилия и искать человека, а ночью спать с его женой, отдавая ей немногие оставшиеся силы, что-то тут не совсем то...

Я лежал на спине, изучая потолок, и что-то думал в этом роде, пытаясь философски постичь нестандартную ситуацию, которая сложилась в результате моего вопиющего наплевательского отношения к вопросам этики и морали. Но ничего такого, что меня оправдывало бы, придумать не мог. Всякая ахинея типа того, что, мол, я не просто удовлетворяю, но еще и защищаю бедную женщину, на которую судьба свалила немыслимое количество испытаний, в этот раз почему-то не проходила. Я лежал и мучительно размышлял над вопросом, что я, собственно, делаю в этой широкой, уютной и все-таки не своей кровати.

И вот когда в размышлениях своих я достиг полного тупика, Таня вдруг тихо-тихо сказала:

— Хорошо...

С меня было достаточно.

Сначала я сел на краю кровати и тупо уставился в угол спальни, словно пытаясь увидеть в нем домового, который и проговорил это чудовищное слово. Но там, естественно, никого не было.

Я встал и начал спокойно одеваться.

— Ты куда? — в голосе Тани явственно звучало недоумение.

— Домой, — ответил я.

— Как — домой?

Мне не хотелось ее обижать, но и оставаться здесь я не собирался больше ни минуты.

Я молчал, натягивая на себя рубаху, и тут она привела, как ей казалось, серьезный аргумент:

— Ты же не можешь сейчас меня оставить.

Я обернулся, даже перестав застегивать пуговицы, и посмотрел в ее широко раскрытые глаза.

— Почему? — спросил я.

— Как — почему? — удивленно переспросила она, но тем не менее замолчала, потому что сказать ей было нечего. Потому что она не могла сказать, что ей плохо и что она нуждается в моей защите. Она только что вслух произнесла, что ей — хорошо.

Больше всего я боялся, что она начнет плакать. Но она не стала. Она только цинично произнесла:

— Кошмар. Отца убили, муж пропал, а тут еще и любовник бросает... Утопиться, что ль?

Слова, конечно, ужасные по своей сути, но ей, видимо, они были необходимы. Поэтому я молчал, ничего не отвечал, но продолжал одеваться.

— Ты больше не придешь? — спросила она, проводив меня до двери.

— Нет, — ответил я, стараясь не встречаться с ней глазами.

Она шумно вздохнула и сказала:

— Ты только не переживай, ладно?

Прежде чем выйти, я долго смотрел на нее.

— Прости, — попросил я.

— Спокойной ночи, — пожелала она мне.

— Спокойной ночи, Таня.

Дверь за мной закрылась. Я мог голову дать на отсечение, что, пока я спускался по лестнице, она стояла за дверью, прижавшись к ней спиной, прислушивалась к моим шагам, плакала и не замечала своих лез.

2

Разумеется, я не пошел домой. Поймав такси, я приехал в контору. Поздоровался с дежурным милиционером, которого не удивил мой приход в столь позднее, или слишком раннее, время, поднялся в свой кабинет, лег, не раздеваясь, на диван и впервые за несколько дней заснул спокойно, крепко, без сновидений.

Рано утром меня разбудила Лиля Федотова.

С трудом вспоминая, где нахожусь, я осоловелыми глазами уставился на свою соблазнительную помощницу.

— Лиля? — Я медленно приходил в себя. — А где Ирина?

Ее глаза расширились до такой степени, что уже в следующую секунду я вспомнил, где ночевал.

— Александр Борисович! — Она с интересом смотрела на меня. — Вы что — девочек по ночам в кабинет приводите?

Я не стал напоминать ей, что Ирина — моя жена. Облажался так облажался.

— Ну? — спросил я у нее, вместо того чтобы объяснить, что думал, будто нахожусь у себя дома. — Что нового? Что у нас плохого, как говорилось в старом мультфильме?

Она внимательно в меня вглядывалась.

— Да немало, — протянула она, не сводя с меня чуть сочувственного взгляда. — Мятые рубашка и брюки. Помятое лицо. Щетина недельной давности.

— Трехдневной, — буркнул я.

— Все равно, — пожала она плечами. — В ресторан с вами я бы не пошла.

— Я бы тоже, — не слишком вразумительно ответил я, и в это время, на мое счастье, зазвонил телефон, что избавило меня от необходимости объяснять смысл своих последних слов.

Я подскочил к телефону с такой прытью, словно знал, что звонят по очень важному делу.

Так, в сущности, и оказалось.

— Турецкий слушает.

— Александр Борисович? — Голос незнакомого мне мужчины звучал уверенно.

— Да! — Как будто в этом богоугодном заведении работают два Турецких!

— У дежурного в приемной следственной части лежит конверт на ваше имя, — сообщил голос.

— Кто это говорит? — быстро спросил я.

— Не теряйте времени, Александр Борисович, — посоветовал незнакомец. — Зайдите в приемную и заберите конверт. Не пожалеете.

— Кто говорит? — не унимался я.

— Не будьте упрямым ослом и не талдычьте одно и то же, — сказал этот наглец. — В конверте информация, которая может вас заинтересовать. До свидания.

И разумеется, подлец повесил трубку.

Через несколько минут я держал в руках небольшой конверт, на котором было написано: «А. Б. Турецкому». И все.

Внутри находился маленький клочок бумаги. На нем было написано: «522-75-52».

— Что там такое? — полюбопытствовала Лиля.

Я молча показал ей загадочный номер телефона. Она, естественно, спросила:

— Еще одна поклонница? — А глаза такие добрые-добрые, ну, вы знаете тот анекдот.

Я сел за стол и решительно пододвинул к себе телефон. Сейчас мы узнаем, что это за поклонницы досаждают мне по утрам. Щас, понимаешь, я с ними разберусь.

Набрав номер, указанный в записке, я насчитал

шесть длинных гудков, прежде чем на противоположном конце провода что-то зашевелилось и заговорил автоответчик голосом уверенного в себе педераста:

— Здравствуйте, Александр Борисович. Мы хотим передать вам информацию об известном вам офицере ФСБ Владимире Аничкине. Информация бесплатная, но опасная. Во избежание осложнений прошу вас быть сегодня в четырнадцать ноль-ноль около главного входа в парк Горького. К вам подойдут.

И это опять было все.

Я посмотрел на Лилю. Она улыбалась мне с издевкой, как недоверчивый следователь улыбается запирающемуся преступнику: колись, мол, родимый, рассказывай все, что знаешь.

Я тоже улыбнулся ей.

— Вы угадали, — сказал я ей. — Меня только что пригласили на вечеринку, которая, как они обещают, закончится групповым сексом. Не хотите составить мне компанию?

— В следующий раз. — Она даже изменилась в лице.

Я кивнул.

— Я так и думал, — проговорил я, набирая номер на аппарате внутренней связи. — Придется пригласить Меркулова.

— Я что-то подозревала в этом роде касательно вас, — сообщила она мне. — Но что касается Меркулова — это для меня удар.

— На свете много есть такого, друг Федотова, — пробормотал я, — что и не снилось нашим мудрецам.

Наконец на том конце провода трубку взяла секретарша Кости:

— Приемная Меркулова.

— Турецкий, — сказал я. — Соедините меня с Меркуловым, пожалуйста.

— А Константина Дмитриевича нет, — сообщила она. — И до обеда, очевидно, не будет.

— Это точно?

— Так он сказал, во всяком случае, — ответила секретарша и повесила трубку.

Я посмотрел на Лилю. Сказать, что ли? Но уже в следующее мгновение решил, что не стоит. Не то чтобы я не доверял ей, но просто решил ничего пока не рассказывать. Помочь она мне вряд ли чем сможет, а лишние знания ей абсолютно сейчас ни к чему. Тот самый случай, когда большие знания рождают большие печали.

Придется действовать на свой страх и риск. А впрочем, что я хотел от Меркулова? Благословения? Чем он сейчас может мне помочь? Общаться же со своим непосредственным шефом, начальником следственной части, мне не хотелось. Я ему не доверял. А о результатах операции доложу Косте по окончании дела, решил я.

3

После ночного разговора в кабинете генерала Петрова у Аничкина голова была будто стеклянная. Странные разговоры, непонятные поручения — такое впечатление, что ему недоговорили самого важного, не раскрыли истинной цели этой операции. Хотя внешне все было абсолютно гладко: ФСБ пытается запутать дудаевцев и обмануть — сбыть им негодное оружие.

И все-таки что-то здесь было не так. Зачем, например, в операцию вмешивается МВД? И при чем тут администрация Президента? Секретные операции такого рода проходят в обход чиновничьих структур, о них докладывают только лично Президенту... Зачем надо было вызывать Аничкина по экстренной связи? Почему, в конце концов, совещание проходило ночью и в такой, мягко говоря, неформальной обстановке?

От этих бесконечных «почему?» и «зачем?» у Аничкина с утра разболелась голова. Не помогла ни лошадиная доза анальгина, ни расхваливаемый по телевизору «Солфадеин». Каждый шаг отдавался в голове колокольным гулом, и поэтому процедура встречи грузов на военном аэродроме рядом с Быковом, поездка на склад в Раменках, «Пульсар», потом Лубянка — все прошло как в тумане. И, только спрятав муляжи «Самумов» в свой личный сейф, Володя потихоньку стал приходить в себя. Все-таки правильно говорят, что все болезни от нервов.

Аничкин нажал пару кнопок на пульте селектора.

Через минуту донесся голос Петрова:

— Петров слушает.

— Это я, Аничкин. Все в порядке, Григорий Иванович.

— Хорошо. Ты не забыл о своих планах на вечер?

Ха, о таком захочешь — не забудешь!

— Нет, Григорий Иванович.

— Добро. Как только вернешься, позвони.

— А если поздно?

— Не важно. Звони в любое время.

Аничкин побарабанил пальцами по столу. Потом включил телевизор и посмотрел «Новости». Заварил кофе, выкурил пару сигарет. До десяти оставалось еще целых шесть часов. О чем говорить с чеченцем, он представлял себе довольно смутно. Хотя, судя по словам Малькова, Мажидов был прекрасно информирован и сам будет знать, что именно ему надо. Ну и ладно. В конце концов, Володя ведь не напрашивался. Они сами ему поручили.

Сегодня утром, получая «Самумы» в НИИ «Пульсар», он заметил странную вещь. Люди, которых он знал по нескольку лет, например Соколов, директор института, едва завидев его серебристую карточку, сразу становились какими-то сухими, официальными и даже немного испуганными. Соколов так вообще попытался называть его «товарищ полковник», хотя они давным-давно перешли на «ты».

Создавалось такое впечатление, что всем им известно что-то, продолжающее оставаться тайной для Аничкина, хотя именно он был обладателем личного идентификатора. Ну не глупо ли?

Аничкин даже сделал попытку разузнать хоть что-нибудь у Соколова. Но тот, только услышав словосочетание «Стратегическое управление», отшатнулся от Аничкина как от чумного.

Несомненно, это самое управление было каким-то новым формированием, которое, выполняя задачи ФСБ, одновременно затрагивало и интересы других ведомств. Но служба безопасности никогда не была связана, например, с Советом Министров. Почему же фонды, судя по записке Петрова, отпускались именно оттуда? И потом, почему если в Раменках и «Пульсаре» имели хоть какое-то представление о Стратегическом управлении, то на Лубянке даже Ахмет Ахметович Абушахмин ничего не знал? Все это было более чем странно.

В итоге Аничкин пришел к выводу, что сам никогда в жизни не догадается, не стоит даже ломать голову. Это означало только одно: нужно было у кого-то спросить. А у кого спрашивать, как не у своего непосредственного начальника?

Он снова набрал на селекторе номер Петрова.

— Петров слушает.

— Григорий Иванович, это Аничкин. Тут у меня вопросик один к вам возник. Можно зайти?

— Давай, только недолго.

— Выхожу прямо сейчас.

Через три минуты он вошел в кабинет Петрова. Тот молча указал Аничкину на стул и приготовился слушать.

— Григорий Иванович, тут до меня дошли слухи, что у нас, вот в этих самых стенах, существует какая-то тайная организация.

— Что за бред? — нахмурился Петров.

— Ну, не знаю. Слухи ходят...

— Какая организация?

— Говорят, что она называется Стратегическое управление.

Петров заметно вздрогнул. Руки его самопроизвольно схватили лежащий на столе химический карандаш и застучали его незаточенным концом по столу.

— Та-ак... Это... каким образом?.. Почему?.. — Он никак не мог отыскать нужных слов.

«Ты только посмотри, опять точно такая же реакция», — подумал Аничкин.

Минуту спустя Петров наконец взял себя в руки и даже улыбнулся:

— Да, разведка у нас хорошо работает. Государственные тайны становятся известны буквально через пару часов. Одно слово — профессионалы.

И он вымученно захихикал.

— И у меня такое ощущение, что об этой... организации, что ли... известно абсолютно всем. Ну, пожалуй, кроме меня.

Петров покачал головой.

— Вот тут мы, конечно, промашку допустили. Все должно быть наоборот: о Стратегическом управлении никому не следует знать. А вот ты-то как раз, Володя, и должен быть информирован.

Он поставил карандаш в стаканчик и машинально перебрал несколько папок, во множестве лежащих у него на столе.

— Да-а, непорядок, непорядок...

Аничкин терпеливо ждал, когда Петров наконец приступит к объяснениям. Торопиться ему было некуда — до десяти оставалось уйма времени.

— Странно получается. Ты, Володя, — член Стратегического управления, а даже не знаешь, что это такое.

— Я? — удивился Аничкин.

Петров кивнул:

— Вчера вечером ты присутствовал на совещании этого управления.

«Я опять оказался прав», — подумал Аничкин.

— Ты, наверное, заметил, что здесь присутствовали люди и из МВД, и даже из администрации Президента?

— Да, — ответил Аничкин, усмехнувшись про себя, — заметил.

— Так вот, — Петров сделал многозначительное лицо, — все эти слухи, о которых ты говоришь, — ерунда. Кто-то случайно услышал название — ну и давай болтать направо и налево. Как говорится, слышал звон, да не знает, где он. А об истинных задачах Стратегического управления известно только некоторым. Очень немногим. Иначе никакого смысла не будет...

Он помассировал переносицу и продолжал:

— Стратегическое управление — это межведомственная структура, которая занимается выяснением каналов утечки информации из ФСБ, МВД, администрации Президента...

— ...Совмина, — подхватил Аничкин.

Петров так и замер с открытым ртом.

— Да, и Совмина, точнее, кабинета министров, — проговорил он, быстро взяв себя в руки.

«Старик что-то слишком нервничает». Аничкин внимательно наблюдал за руками Петрова, которые бесцельно шарили по столу.

— Вот, — сказал генерал, — теперь тебе понятно?

— В общих чертах. А почему же вчера мне не сказали ничего об этом?

Генерал усиленно прятал глаза.

— Почему не сказали? Да просто-напросто забыли. Не придали этому значения.

Аничкин понимающе улыбнулся:

— Значит, задание, которое я сегодня должен буду выполнить, запланировано Стратегическим управлением?

— Именно.

— Ну тогда мне все ясно. Разрешите идти?

— Иди, Володя, иди, — с явным облегчением произнес Петров.

Итак, все сомнения Аничкина разрешились, и он мог со спокойной душой отправляться на встречу с чеченцем. Как бишь его фамилия? Мажидов?

Однако времени еще оставалось очень много. До гостиницы «Москва» от Лубянки езды — минут пять, так что торопиться было некуда.

А все-таки интересно, откуда чеченцам стало известно о «Самуме»? Неужели действительно кто-то из отдела, все подробно разнюхав, продал им эту сверхсекретную информацию. Хоть убейте, а Володе это казалось очень маловероятным. Ведь только-только были изготовлены опытные образцы. Даже испытания на полигоне еще не закончены. А дудаевцы уже ищут пути его приобретения? В это поверить было трудно.

Кстати, неплохо было бы поподробнее разглядеть этот пресловутый «Самум». Все-таки через каких-нибудь два часа придется обстоятельно рассказывать о нем этому Мажидову.

Аничкин подошел к своему сейфу и набрал сложную и только ему одному известную цифровую комбинацию. Кроме цифрового кода, в замке было маленькое окошко, к которому нужно было приставить большой палец правой руки. Только если это был палец Аничкина или Петрова, сейф открывался. С тех пор как в его кабинете установили этот сейф, Аничкин стал побаиваться за свои пальцы. Кто знает, что может прийти в голову злоумышленникам, которые захотят влезть в него?

Два черных пластмассовых чемоданчика стояли на полке. Это были обычные «дипломаты» фирмы «Самсонайт», которые можно свободно купить, например, в ГУМе. Кстати, говорят, что знаменитый ядерный чемоданчик, с помощью которого Президент может привести в состояние боевой готовности все стратегические ракеты страны, смонтирован именно в таком кейсе.

Володя достал один из них и положил его на свой письменный стол. Надо сказать, чемодан был довольно тяжел — килограммов под тридцать. Тех, кто помнит из курса средней школы, какова критическая масса радиоактивных элементов, приводящая к их распаду, это удивлять не должно.

«Интересно, — подумал Аничкин, — а Мажидов знает, что она составляет двадцать четыре килограмма?»

Щелкнув замочками, Володя открыл чемоданчик. Ничего особенного. Обычная приборная панель, выкрашенная в защитный светло-коричневый цвет. Ряды кнопок, в углу желтая табличка: «Осторожно, радиация». Таймер, клавиши для набора кодов. Несколько лампочек, среди которых выделялась одна — большая и красная, под которой большими буквами было написано: «Распад». Аничкин хмыкнул и подумал:

«Конструкторы, наверное, надеются, что кто-то будет до последнего момента сидеть возле адской машины и следить за показаниями приборов. А как только загорится эта лампочка, сломя голову бросится прочь».

Если бы Аничкин не был уверен, что перед ним всего-навсего имитация «Самума», он ни за что бы не притронулся к нему. Но, с другой стороны, и у дудаевцев может возникнуть подозрение, что им пытаются всучить муляж.

Очевидно, они первым делом измерят уровень радиации чемоданчика. Это, пожалуй, единственный способ доказать подлинность устройства. Не заглядывать же, в самом деле, внутрь! А позаботились ли те, кто изготовлял копию, о том, чтобы от нее исходил бы небольшой радиоактивный фон?

«Нужно где-нибудь достать счетчик Гейгера».

Аничкин знал единственного человека, который мог бы измерить уровень радиации. Это был, конечно, Ахмет Ахметович Абушахмин.

Еле-еле дотащив кейс до лаборатории, Аничкин поставил его на стол перед старым татарином.

— Ага, — обрадовался тот, — ядерный чемоданчик приволок?

У Аничкина сразу же опустились руки. Ну где это видано, чтобы о сверхсекретном проекте знали буквально все. Без исключения.

— Ахмет Ахметович, скажите мне, пожалуйста, только без шуток, откуда вы знаете о «Самуме».

— О каком таком «Самуме»? — хитро спросил Абушахмин.

— Ну... — открыл было рот для объяснений Володя, но тут ему в голову пришла мысль, что он может выдать важную государственную тайну, и рот пришлось закрыть. — А с чего же вы взяли, что это именно ядерный чемоданчик?

— Э-э, — отмахнулся Ахмет Ахметович, — вчера по телевизору передачу смотрел. Представляешь, показывали человека, который сконструировал ядерный чемоданчик для Брежнева. Он потом и фотографии показывал. Очень на твой смахивает.

— Ну, я вижу, от вашего всевидящего ока никуда не скроешься, Ахмет Ахметович. Поэтому к вам и пришел с просьбой — измерить радиоактивный фон этого чемоданчика.

Абушахмин покопался в столе и достал оттуда маленький плоский приборчик с экраном на жидких кристаллах.

— Сейчас поглядим...

Он нажал несколько кнопок и положил прибор на чемоданчик.

Аничкин никогда не видел, чтобы у человека, в полном соответствии с известным идиоматическим выражением, глаза «вылезли на лоб». Однако именно это произошло с Ахметом Ахметовичем, когда его прибор, видимо исчерпав свои возможности, жалобно запищал.

— Однако... — покачал головой Абушахмин, — это, пожалуй, еще почище брежневского чемоданчика.

— А что такое?

Ахмет Ахметович достал из кармана носовой платок и промокнул выступивший на лбу пот:

— От твоего чемодана фон посильнее, чем от стратегической ракеты с ядерными боеголовками. Такое ощущение, что он просто набит плутонием. Ты знаешь, если мы будем долго находиться возле него, можем получить сильную дозу облучения. Такие вещи нужно держать в специальных хранилищах.

— А почему вы думаете, что там именно плутоний?

Абушахмин улыбнулся и указал на прибор:

— Эти японцы, Володя, после Хиросимы просто одержимы изготовлением счетчиков радиации. И постоянно их совершенствуют. А этот даже показывает предполагаемый состав радиоактивного вещества. Видишь, вот тут высвечивается надпись: «Высокообогащенный плутоний». Но уровень... Ты знаешь, у меня такое ощущение, что в твоем чемодане содержится количество плутония, достаточное, чтобы сделать атомную бомбу. А может, там действительно что-то типа этого.

— Ну вот видите, Ахмет Ахметович, раз вы поверили, значит, и другие поверят. На самом деле там нет никакого плутония.

Абушахмин рассмеялся:

— Ты хочешь, чтобы я отказался верить собственным глазам? Такой уровень радиации может исходить только от очень большого количества плутония. Могу измерить другим способом. Чтобы было нагляднее.

Он притащил из соседней комнаты пачку рентгеновских пластинок, вытащил одну и, не вынимая ее из черного пакета, положил на собственную руку, которую в свою очередь приставил к чемодану. Подержав несколько секунд, он удалился в фотолабораторию и через несколько минут предъявил проявленную пластинку Аничкину.

Впечатление действительно было поразительным. Кости ладони Абушахмина были видны гораздо четче, чем на рентгеновском снимке.

— То есть вы хотите сказать...

Ахмет Ахметович согласно кивнул:

— Я не знаю, где ты взял этот чемодан и зачем он тебе нужен. Но я могу поклясться, что в нем столько плутония, что будет достаточно для настоящей атомной бомбы. А может быть, кстати, это она и есть? Слышал я краем уха, что ведутся разработки подобных устройств. Надо сказать, они очень опасны именно тем, что из-за необходимости сделать их компактными пренебрегают элементарными нормами безопасности. В любом случае чем скорее ты унесешь отсюда свой чемодан, тем лучше. Я, знаешь ли, отношусь к своему здоровью бережно. Что и тебе советую.

Все сказанное и показанное Абушахминым произвело очень большое впечатление на Аничкина. Вряд ли Ахмет Ахметович ошибался, и кроме того, изготовить муляж, который излучал бы столько же радиации, сколько настоящий «Самум», было невозможно. А это значило только одно — в руках Аничкина была доподлинная миниатюрная атомная бомба. Даже две. И по чьему-то дьявольскому замыслу их предстояло передать в руки дудаевцев.

Возвратившись в свой кабинет, Аничкин немедленно запер чемоданчик обратно в сейф, сел за стол и глубоко задумался.

Глава 10

НЕПОНЯТНО ЧТО!

1

Я не стал задерживаться в конторе. В первую очередь мне нужно было переодеться и побриться. Что я и сделал, заехав домой и стойко выдержав напор жены, не слишком, правда, сильный.

— И где же ты пропадал всю ночь? — произнесла она банальнейшую фразу.

По дороге я долго обдумывал различные варианты ответа и в конце концов пришел к выводу, что говорить надо только правду. Так больше шансов, что тебе не поверят и, глядишь, туча развеется.

Я ответил:

— У любовницы.

Она не удивилась:

— И кто она?

— Как — кто? — сурово посмотрел я на нее и зарычал: — Да кто угодно! Хоть Таня Зеркалова!

— Дурак! — сказала Ирина.

Я с облегчением вздохнул, и, надеюсь, она этого не заметила.

— Слушай, позвони мне на работу, дорогая, и спроси Лилю Федотову, она работает в моей бригаде, где сегодня она меня обнаружила, когда пришла на работу. В кабинете на диване! Она меня разбудила, понятно тебе?!

Побольше эмоций, Турецкий, побольше оскорбленного самолюбия, и все будет нормально. Тебе поверят, в тебе трагик умер.

— Кто бы знал, как мне надоели и ты, и твоя работа, — сообщила мне Ирина и скрылась на кухне.

Что ж, могло быть и хуже.

Я побрился, надел рубашку, сменил брюки и вышел из квартиры.

Хлопать дверью я не стал, впрочем, и не следовало...

К главному входу в парк Горького я подошел в четырнадцать часов ноль-ноль минут плюс-минус пять секунд. Зыркать по сторонам я не стал. Сказали, что сами подойдут, так что не стоит психовать раньше времени.

Через десять минут я начал подозревать, что надо мной глупо подшутили, а еще через пять минут я был в этом уже уверен.

Я собирался уходить, когда ко мне вдруг подошли двое парней и попросили огоньку. Я внимательно на них посмотрел и на всякий случай ответил:

— Не курю.

Один из них тут же отправился дальше, а второй замешкался, уронив сигарету. Нагнувшись, он поднял ее и, выпрямившись, быстро проговорил:

— Аттракцион «Колесо обозрения», — и кинулся догонять товарища.

Не заботясь более о конспирации, я озадаченно уставился ему в спину. Что это значит? Он что же, знак мне такой дал? Или это просто псих, который сам с собой разговаривает?

А чего я, собственно, теряю? Почему бы мне не прошвырнуться до этого аттракциона и не поглазеть на колесо обозрения? Когда я еще вырвусь, когда еще буду гулять в этом парке?

И я направился в сторону искомого аттракциона.

Странно все это. Непрофессионально. Если надо было что-то сообщить, необязательно подходить вдвоем. Один вполне бы справился. А если это конспирация, то я... Нет, эти парни явно не гебисты. Но почему нет? Вдруг они нарочно так топорно работают, дорогой ты наш профессионал Турецкий, чтобы посеять в тебе семена сомнения? Ладно, говорил я себе, допустим и это, но зачем? Что им это может дать? Нет, я ничего не понимал.

Я вдруг остро ощутил, что мне до тошноты надоело это дело. Черт знает что! Какие-то игры, какое-то Стратегическое, чтоб оно провалилось, управление, какие-то прятки с офицерами-гебистами, мужьями наших любовниц, какие-то невразумительные ребята с уголовными подходами типа «дай закурить», какие-то, понимаешь, аттракционы. Разгар рабочего дня, а я тут, видишь ли, меж аттракционов прохаживаюсь.

Ладно, успокойся, одернул я себя. Вдруг они этого от тебя и добиваются: чтоб ты психовать стал? Соберись, Турецкий!

Я набрал в грудь как можно больше воздуха и резкими толчками выдохнул его из себя. И почти сразу почувствовал себя уверенней. Ну вот, так-то лучше.

До аттракциона «Колесо обозрения» оставалось несколько метров, когда я увидел мужчину, который в упор смотрел на меня, не сводя глаз.

Я понял, что пришел туда, куда надо.

2

Мужчина поймал мой взгляд, убедился, что я тоже, как и он, в упор его разглядываю, кивнул едва заметно и, повернувшись, зашагал по дорожке мимо других аттракционов, не заботясь о том, следую я за ним или нет.

Я двинулся следом: что я теряю опять же? Если все это не то, о чем я думаю, а только потрясающее совпадение, можно всегда успеть принять вид праздношатающегося гуляки. Но я был уверен, что делать это не придется.

Мужчина шел уверенно, хотя и не так быстро, как человек, который спешит поделиться чем-то очень важным. Впрочем, спешить в таких случаях не рекомендуется.

Шаг, повторю, у него был уверенный, да и по всему его виду было ясно, что он знает, куда идет.

Я шел за ним, гадая, куда же он может меня привести.

Почему — парк Горького? Если хотелось толпы, которая всегда здесь присутствует, то можно было придумать и чего получше. А если, наоборот, полной тишины и покоя, чего, как ни странно, здесь тоже хватает, то опять же можно было найти много других подходящих мест. Странно.

Ничего странного, понял вдруг я. Им хотелось и того, и другого. И толпы, и ее отсутствия. Чтобы из одного состояния плавно перейти в другое.

Только вот зачем? Чтобы сделать — что? Убить? Вряд ли им известно то, что знаю я. Хотя зарекаться бы не следовало. Но все равно тут явно другое. Нет, Турецкий, за свою шкуру ты можешь быть спокоен. Перестань трястись, как осиновый лист. Подумай: именно этот парк, именно этот переход из толпы в тихое место идеально подходит для передачи важной информации, если информатор с тобой незнаком и если никто за вами не следит. А за вами вряд ли кто следит. Ты бы сам почувствовал слежку. Значит, кто-то хочет передать в твои руки информацию. Видишь, как просто? А ты боялся.

Место уже действительно было пустынное. Я и не подозревал, что в парке Горького есть такие Богом забытые места. И заросли. Куда это меня привели?

Мужчина опустился на поваленное дерево, которое я сразу и не заметил. Не в первый раз этот мужичонка на этом месте сидит, могу дать голову на отсечение. Я в нерешительности остановился в трех шагах от него, и он поманил меня пальчиком, как маленького.

Ну что ж, надо подойти. Что я и сделал.

С полминуты он молчал. Я даже начал беспокоиться, правильно ли поступил, идя за ним. Может, это псих? Или, чего доброго, голубой. Как навалится сейчас, как начнет соблазнять...

Но началось все вполне прилично.

— Вам нужен полковник Аничкин, не так ли? — спросил меня мужичонка, доставая из кармана сигареты.

— Так, — согласился я.

— Могу я поинтересоваться, зачем он вам нужен?

Странный вопрос. И глупый. Беспомощный какой-то. Неужели он думает, что я отвечу ему со всей откровенностью? Дурак, ей-богу.

— Вы что-нибудь слышали о тайне следствия? — спросил я его вместо ответа.

— Это не совсем корректная аналогия, — возразил мне собеседник. — Здесь несколько иной случай, согласитесь.

Два высших образования у человека, не иначе. Ишь как выражается. Прямо кружева плетет, а не разговаривает.

Я пожал плечами.

— Аналогия как аналогия, хотя я и не пойму, при чем тут какие-то аналогии... — Я и вправду не понимал. — А тайна следствия есть тайна следствия.

Разговор явно не получался.

— И все-таки, — повторил он, — зачем вам нужен Владимир Аничкин?

Внезапно я понял: он знает, что я ничего не собираюсь ему говорить на этот счет. Он просто

212

хочет посмотреть и определить для себя, с какой горячностью я стану отказываться что-либо сообщать. Есть такие люди, которым не надо ничего говорить. В общении с тобой они по известным только им признакам, а также благодаря невероятной интуиции могут выяснить, что и сколько знает их собеседник. Грубо говоря, он прощупывал почву, то есть пытался понять, как много мне известно. Чего это они так всполошились, подумал я.

Я понял, что нужно попытаться дать какой-нибудь ответ:

— Вы прекрасно играете со мной в шпионы. Все гораздо проще. Моя любовница попросила меня найти ее мужа, который почему-то пропал. Его руководство со мной играет в прятки. Меня это, скажем так, задевает. К тому же я дал слово женщине. Ну, что найду ее мужа. Вот и все.

Полагаю, они уже в курсе наших с Таней отношений. А если не известно, что ж, всегда можно как-то выкрутиться.

Он немного помолчал, а когда снова открыл рот, голос его изменился почти неуловимо. Почти, потому что моя интуиция тоже не на помойке найдена и кое в чем я разбираюсь. Так или иначе, но я внутренне напрягся, когда он сказал чуть изменившимся голосом:

— Я вам не верю.

Так и есть. Словно из воздуха материализовались давешние парни, которые около входа просили у меня закурить. Это был сигнал — его слова «я вам не верю», ежу понятно.

— Ну вот, здрасьте, — недовольно произнес я. — Что такое? Опять закурить? Я же сказал вам —

не курю. Впрочем, можете попросить у моего друга, — несколько самонадеянно показал я на своего визави. Тот даже поперхнулся от моего нахальства и, поперхнувшись дымом, закашлялся.

Это была его единственная ошибка за весь разговор, но и ее оказалось достаточно.

Видит Бог, я не хотел, чтоб он закашлялся. То есть, разумеется, я, может быть, и хотел, но вовсе не рассчитывал, что моя наглость с обязательной очевидностью будет иметь столь благоприятные для меня последствия.

Итак, он закашлялся и на какую-то долю секунды потерял над собой контроль, а когда это мгновение прошло, к виску его был приставлен пистолет — мой. Второй рукой я сжал его горло, что, боюсь, в его положении кашляющего человека было не слишком приятно.

Парни не успели достать свое оружие.

— Тихо, — предупредил я их. — Или я прострелю ему башку. Руки в замок прямо перед собой, чтоб я видел. Быстро, ребята, это в ваших интересах.

Парни зыркнули на меня недобрыми, прямо скажем, очами и, сцепив пальцы рук в замок, вытянули их вперед. Все было как нельзя лучше.

— Не надо предпринимать ничего лишнего, — попросил я их. — У меня, как вы понимаете, есть разрешение на ношение оружия. Пристрелю, и меня даже не арестуют, это я вам как следователь Генпрокуратуры говорю.

Мужичонка под моей рукой хрипел и кашлял. Я сжалился над ним и чуть ослабил хватку. Он стал глотать воздух, разевая рот как рыба. Парни смотрели на него немного испуганно. Их можно было понять.

Я зашел мужику за спину и уперся стволом пистолета в его лопатку так, чтобы этого нельзя было заметить со стороны. Если кто-то и увидел бы нас сейчас, то подумал бы, что стоят обычные мужики и соображают на четверых. Знакомая, простая и ясная картина.

— Короче, — проговорил я. — Говорите быстро и не раздумывая. По какому поводу собрались? Что у нас сегодня? Ликвидация Турецкого? Быстро!

Произнося последнее слово, я ткнул пистолетом в спину мужичонки.

— Нет, — быстро ответил тот. — Какого черта? Кто станет убирать работника прокуратуры? Вы что, с ума сошли?

— К сожалению, — сказал я ему, — звание сотрудника прокуратуры — не гарантия от покушений. Кто вы такие?

— Послушайте, Турецкий, — говорил пока только тот, кому я упирался стволом пистолета в спину. — Не валяйте дурака. Мы тоже работаем на вполне конкретные органы, и вам это хорошо известно. И перестаньте тыкать в меня этой штукой, без пули дырку сделаете.

— Обязательно сделаю, — пообещал я ему, — если, в свою очередь, вы сами не перестанете валять дурака. Кто вас послал ко мне?

— Ответа не будет, Турецкий, это вы тоже хорошо знаете. Так что можете стрелять!

Ну прямо Шекспир какой-то!

— Зачем вы вызвали меня на встречу, если ничего сообщать не собирались и если, как вы утверждаете, не собирались меня убивать? — спросил я, хотя мог и не спрашивать. Я уже знал ответ.

— Черт с вами! — выругался мужичонка. — Мы собирались вас только немного испугать. Чтобы вы кое-что нам рассказали.

Да, так я и думал, что-нибудь в этом роде. Они хотели не дать мне информацию, а получить ее.

— А какого рода информацию вы хотели получить от меня?

— Вы — болван, Турецкий, — немного устало сказал мне человек, которого я держал под дулом пистолета, чем вызвал мое безотчетное уважение. — Вы больше ничего не услышите ни от меня, ни от моих товарищей. Так что или стреляйте, или перестаньте, повторяю, валять дурака. Считайте, что не было ничего: ни разговора, ни встречи. Тем более что все и так закончилось ничем. И для вас, и для нас.

Он был прав. Не буду я в него стрелять — хлопот потом не оберешься. Но кое в чем он ошибался, причем ошибался по-крупному.

Я отпустил его и водрузил пистолет на обычное место. Вообще-то я не ношу постоянно с собой оружия, но не взять его с собой сегодня было бы глупо.

— Итак, господа, — смотрел я на своих противников, улыбаясь им как можно приветливее, — подведем некоторые итоги. Вы можете расцепить руки, ребята, — разрешил я парням.

Те послушно опустили их чуть ли не по швам, все время глазея на меня, как на человека, который на их глазах только что совершил чудо — разбросал роту спецназовцев, например.

216

— Что мы имеем? — продолжил я. — Мы имеем две конторы, работающие друг против друга, вместо того чтобы объединить свои силы, что было бы логичней. Не так ли?

— Объединить? — быстро переспросил меня мужичонка. — Против кого?

«Стоп себе, не дурак ли я?» — так любил приговаривать мой друг Толя Ивочкин в годы нашей юности, когда начинал проигрывать мне в шахматы.

Хитер мужик, хитер.

— Мало ли? — индифферентно отозвался я. — Вот вы — кого ищете? — наивно спросил я их.

Они не ответили.

— Вот, — заключил я. — Не хотите говорить. А могли бы.

Фу-у... Ну и разговорчик.

— Кстати, — вспомнил я. — Ну так что там насчет Аничкина? Вы, кажется, хотели поделиться со мной какой-то информацией. Или я что-то путаю?

Мужичонка как-то по-особому посмотрел на обоих парней, и те дематериализовались в пространстве. Только что были тут, с нами, и вдруг буквально на глазах испарились.

— Вот что, Турецкий, — сказал он мне. — Вы, кажется, человек умный.

— Спасибо.

— Не за что, — кивнул он. — Так вот, умный вы наш Турецкий. Могу дать вам совет, причем от себя лично, а не от кого-то из нашей «конторы». Держитесь от этого дела подальше. Вы поняли меня?

— Не совсем, — признался я. — От какого конкретного дела вы советуете мне держаться подальше? Что вы вообще знаете о наших делах?

Он помотал головой, как раздраженный ишак. Или осел, если кому не нравятся ишаки.

— Я говорю об Аничкине. Только о нем. И больше я вам ничего не скажу. Держитесь от него и от этой истории подальше. Это сэкономит вам массу времени и нервов.

— Вы всегда заботитесь о близких с таким трогательным вниманием? — спросил я у него. — С чего это вдруг такое внимание?

Он посмотрел на меня как-то по-новому, с какой-то заинтересованностью, что ли.

— Вы мне нравитесь, Александр Борисович, — просто сказал он. — Поверьте, я и так говорю много лишнего. Но... Аничкин вам не по зубам. До свидания.

И, повернувшись ко мне спиной, он пошел по той же дороге, по которой привел меня сюда. Я напряженно смотрел ему вслед, пытаясь поймать какую-то мысль, настойчиво бьющуюся в мой мозг, но почему-то все время отскакивающую от него. Наверное, мне мешал его вид. Уж слишком непохож был этот праздный гуляка на человека, который только что давал мне советы не усложнять себе жизнь.

Я попытался успокоиться и пошел за ним. Не с целью догнать его, просто надо же было мне выйти отсюда, а другой дороги я не знал. Я шел по тропинке и, расслабившись, пытался понять, что же все-таки меня в нем зацепило.

То, что Аничкин попал в передрягу, ясно как

день. Причем ситуация, судя по всему, была там наисерьезнейшая, тоже более чем очевидно. Ведь не случайно меня пытались запугать, или, как в таких случаях говорят, предупредить.

Стоп!

Вот именно, Турецкий, — предупредить.

Мысль, которая до этого мгновения была неосязаемой и бесплотной, приобрела плоть и кровь. Меня предупреждали — это же понятно!

Что, в сущности, произошло в последние полчаса? Глупость какая-то, иначе и не назовешь. Сработали эти ребята на редкость бездарно и непрофессионально, словно они вовсе не из компетентных органов, а из заштатного частного агентства. Да что там, частные агентства работают лучше и толковей, чем эти недоумки.

Я как-то видел показательные выступления одного фигуриста, не помню его фамилии, да теперь и не важно. Фигурист тот изображал из себя человека, который не может стоять на коньках. Он так размахивал руками, ногами, всеми частями вихляющегося во все стороны тела, что казалось: вот-вот грохнется на лед. Весь зал затаив дыхание ждал, когда он упадет и разобьет себе нос. Но он не упал. Это была феерия, это было высочайшее мастерство: он катался на коньках, как Бог, этот фигурист. И в этом и заключался его профессионализм. Он сумел убедить публику в том, что не умеет стоять на коньках.

Не верю я в некомпетентность компетентных органов — вот что я хочу сказать. Меня только что хорошенечко надули, разыграв самый настоящий спектакль, где каждый из троих назубок знал свою роль. Причем исполнитель главной роли, то есть я, даже не подозревал, что участвует в откровенном лицедействе.

Я остановился — у меня вдруг резко заболела голова. Что же, черт возьми, происходит?!

Если я прав в своих рассуждениях, то тогда один небольшой, но весьма существенный вопрос: зачем?

Зачем им вся эта комедия? Запугать? Глупо, бездарно, просто идиотизм. Предупредить? О чем? Об Аничкине? Откровенно плохо. Но зачем тогда, зачем?!

Спокойно, Турецкий, спокойно. Подумай, что ты имеешь в результате того, что произошло. Итак: ты знаешь, что Аничкин попал в сложную ситуацию, причем не просто попал. Опасность грозит и тому, кто соприкоснется с тайной Владимира Аничкина. Правильно? Правильно. Пойдем дальше.

Кто-то разыгрывает комедию, причем изначально плохо, как бы не уважая тебя. Но этот человек сказал, что тебя уважает, и, хотя таким словам в подобных ситуациях грош цена, говорил он так, что не верить ему невозможно. И что? А то, что человек, который тебя уважает, делает вид, что не уважает. Это говорит о чем-нибудь? Говорит. Они сделали все, чтобы ты их раскусил. Но опять же — зачем?

Глупый ты человек, Турецкий, а еще следователь со стажем. Если они играют так, чтобы ты их раскусил, если они уверены, что ты поймешь их игру, это значит, что тебе дают знак. Какой? Очень простой. Ты можешь думать все, что угодно, но раз они так топорно работают и не скрывают этого, означать сие может только одно: в компетентных органах работают люди, которые догадываются о многом, но которые не могут в силу разных причин открыто встать на твою сторону. И стать твоими союзниками. Однако то, что они сочувствуют тебе, — это ясно. И на свой страх и риск они разрабатывают замысловатую комбинацию и разыгрывают ее перед тобой, надеясь, что ты тоже не лыком шит.

Нет, все получается слишком сложно, засомневался вдруг я. Почему бы просто не подойти и не сказать: мол, знаем мы, Турецкий, о твоих проблемах, рассчитывай на нас, мы патриоты, и всякое такое.

Щас! Подойдут они, скажут. Разбежался, Александр Борисович, размечтался. Ты даже не знаешь, чем они дышат в этих своих органах. И как далеко вообще запустило свои щупальца это Стратегическое управление. Если оно существует, конечно. А из какой «конторы» они сами? Из ФСБ, из Страт-управления или еще откуда-то?

Голова разболелась невыносимо. Выпить, что ли? Ладно, Турецкий, что за порочные мысли в самый разгар рабочего дня?

И все равно: что же им от меня было надо?

3

Было что-то около часа ночи.

Володя Аничкин не торопясь ехал домой. Тверская улица необычно опустела. На всем ее протяжении от Моховой до площади Маяковского он заметил лишь пару подгулявших компаний, припозднившуюся проститутку на обочине, уперевшую руки в бока, да старуху бомжиху, сидящую на тротуаре и перебирающую свои старые, чем-то туго набитые полиэтиленовые пакеты.

«Интересно, что бомжи носят в этих пакетах? — почему-то подумал Аничкин. — Неужели весь свой гардероб?»

Несколько минут он сосредоточенно размышлял над этим вопросом:

«Хорошо еще, что не высокообогащенный плутоний. А впрочем, кто может это гарантировать?»

Володя тряхнул головой и вернулся к прежним своим мыслям.

Когда он окончательно понял, что в сейфе его кабинета хранятся самые настоящие ядерные чемоданчики, а никакая не имитация, как он думал до сей поры и в чем его пытались убедить вчера вечером, то сразу же попытался связаться с генералом Петровым. Однако с работы тот уже ушел, а дома у него телефон не отвечал. Была пятница, и, весьма возможно, он, как тысячи других москвичей, после работы отправился на свою дачу.

«Нет, я до него все-таки доберусь», — упрямо сказал себе Аничкин и стал звонить всем своим знакомым подряд, чтобы выяснить телефон дачи Петрова. Но и там никто не брал трубку.

Аничкин не знал, что ему делать дальше. Часы показывали начало десятого, и скоро пора было идти на встречу с Мажидовым. Но если «Самумы» оказались настоящими, то и все остальное может быть не бракованным, как утверждал Мальков, а тоже вполне пригодным к употреблению. Тогда получится, что он, Аничкин, снабжает оружием дудаевцев. И самое главное — делает это по поручению довольно странного, почти подпольного органа, в легитимности которого он был совершенно не уверен...

Да, совершенно не уверен. Эта мысль только что пришла ему в голову. Аничкин еще не видел ни одной бумаги, на которой бы стояла печать Стратегического управления. Это название он лишь услышал, да и то при довольно подозрительных обстоятельствах. Пластиковая карточка не в счет: изготовить ее при доступе к специальной аппаратуре Главного управления контрразведки не составляло никакого труда. А члены Стратегического управления безусловно имели доступ к самым важнейшим секретам ФСБ.

Какие же выводы следовали из всего этого?

Надо сказать, довольно неутешительные. Возможно, хотя и маловероятно, произошла ошибка. Но какая, к черту, может быть ошибка, когда речь идет об атомной бомбе?! Если же Петров или кто-нибудь другой из Стратегического управления знал, что из «Пульсара» должны доставить настоящие «Самумы», а не их имитацию, то это больше похоже на какой-то заговор.

Оставалось сопоставить явное нежелание генерала Петрова сообщать все подробности, касающиеся Стратегического управления, и довольно странную атмосферу вчерашнего совещания.

И тут Аничкин вспомнил фразу, которую он случайно услышал, когда подходил к кабинету Петрова.

Вообще-то у Аничкина была профессиональная память на фразы, произнесенные в непосредственной близости от него. Все-таки многолетняя практика в качестве осведомителя КГБ не прошла даром. И теперь он мог с точностью до запятой воспроизвести услышанные вчера слова:

«...Времени осталось мало, и пора подключать черных...»

Вряд ли собравшиеся говорили тогда на какие-то посторонние темы. Конечно, нельзя утверждать наверняка, но, скорее всего, эта фраза имела отношение к цели совещания. Аничкину поручили войти в контакт с чеченцами, которых генералы вполне могли называть «черными». Значит, их к чему-то надо было «подключить». Слово-то какое необычное. Оно никак не сочеталось с целью операции. «Подключать» — это значит вводить в курс дела с тем, чтобы потом работать сообща. По отношению к противнику это слово не употребляют. Значит?.. Мажидов для присутствующих в какой-то степени не противник?

Аничкин даже поежился от такого бредового вывода. Нет, это уже слишком. Такие размышления к добру не приведут. К тому же пора было бежать на встречу с Мажидовым.

На приборной доске зажглась красная лампочка. Бензин на исходе. «До дома хватить должно», — решил Аничкин и чуть сбавил обороты двигателя.

Встреча с Мажидовым прошла довольно вяло и неинтересно. Как и предполагал Володя, бывший заместитель Дудаева прекрасно знал способы и пути получения оружия, было видно, что он далеко не в первый раз делает это через сотрудников ФСБ.

Мажидова интересовали лишь две вещи — цены на детонаторы и «Самум». С первым разобрались быстро — Володя назвал цену значительно ниже рыночной, которую ему сообщили в информационно-аналитическом отделе, и чеченец, посовещавшись со своим сидевшим рядом с ним за столиком спутником, который был очень похож на него (Аничкин сразу подумал, что это его брат), согласился. Но как поступить с «Самумами»? Володя не мог дать Мажидову каких-то определенных обязательств, пытался всячески оттянуть решение этого вопроса, отложить его хотя бы до завтра.

Но чеченец вел себя очень спокойно. У Аничкина даже создалось такое ощущение, что все вопросы были улажены раньше, до этой встречи. Мажидов довольно рассеянно реагировал на его слова, кивал и ковырял вилкой в своем бифштексе.

В конце концов, ни до чего конкретного не договорившись, они расстались. Было условлено только встретиться завтра в семь вечера здесь же, в ресторане гостиницы «Москва».

Аничкин вошел в свою квартиру и решил еще раз позвонить Петрову — тот же сам просил доложить ему об итогах встречи.

— Да, — раздался в трубке заспанный голос.

— Товарищ генерал, это Аничкин.

— А-а, хорошо, что позвонил. Ну как?

— Встреча прошла нормально. Он обо всем был уже информирован, так что особых затруднений не возникло.

— Особых?

— Да... Тут открылись новые факты...

— Какие?

— Я не могу об этом говорить по телефону.

Петров помолчал:

— Ну хотя бы намекни.

Хм, попробуй-ка сообщить сведения, составляющие государственную тайну, да еще так, чтобы никто не догадался.

— Короче, товарищ генерал, чемоданчики настоящие.

— Что значит — настоящие? А какие они должны быть, по твоему мнению?

Вот те раз!

— Вы меня, видимо, не так поняли, — опять попробовал объяснить Аничкин, — чемоданчики, доставленные из «Пульсара», — самые настоящие.

В трубке раздавалось только недовольное сопение генерала.

— Понимаете?

— Ты вот что, Аничкин, — наконец произнес Петров, — на ночь глядя мне голову не морочь. Завтра на работе поговорим.

— А если завтра будет уже поздно? — сказал Аничкин, слушая короткие гудки отбоя.

«Впрочем, почему поздно? Ядерные чемоданчики надежно заперты и сейфе, который никто, кроме меня и генерала Петрова, открыть не может. Кроме того, сейф находится в самом охраняемом здании Москвы. Что с ними может приключиться?»

И все-таки Аничкин провел беспокойную ночь. Ну посудите сами, как бы вы спали, зная, что у вас на работе в сейфе лежат две атомные бомбы?

Только под утро ему удалось вздремнуть часика два. В семь часов Володя был уже на ногах. А в половине восьмого уже гнал по направлению к Лубянке.

Поднявшись в свой кабинет, Аничкин первым делом бросился к сейфу. Ключ, комбинация цифр, большой палец в маленьком окошке.

Опасения Володи были не напрасны — сейф оказался пуст.

Последние сомнения у Аничкина отпали. Несомненно, чемоданчики забрал Петров — больше никто просто физически не смог бы открыть сейф, так как датчик, фиксирующий расположение и рисунок капиллярных линий, был настроен только на двух человек.

Но зачем это ему понадобилось?

Володя набрал номер кабинета Петрова. В ответ из селектора донеслись только длинные гудки.

Единственной причиной, почему Петров забрал «Самумы» из сейфа, мог быть вчерашний телефонный разговор с Аничкиным. Следовательно, в его планы не входило, чтобы Володя узнал о том, что чемоданчики являются настоящими миниатюрными атомными бомбами.

Аничкин должен был передать чеченцам ядерное оружие, при этом даже и не догадываясь, что оружие — настоящее. Значит, Стратегическое управление действительно является бандой заговорщиков. Что-то вроде ГКЧП. Володя вновь вспомнил фразу, услышанную им из-за двери кабинета Петрова: «Времени осталось мало...» Что они имели в виду? На этот вопрос ответить было, пожалуй, легче всего. Через две недели должны были состояться выборы в Думу, и каким-то политическим силам, несомненно, выгодно обострить ситуацию в Чечне.

«А между тем, — подумал Аничкин, — «Самумы», возможно, уже в руках Мажидова. И об этом, пожалуй, знаю только я один».

Нужно было что-то срочно предпринимать. «Самумы» не должны покинуть пределов Москвы.

Глава 11

СНОВА УБИЙСТВО

1

Сюрпризы дня не закончились на встрече в парке Горького. Я понимаю, что убийство трудно назвать сюрпризом, но что поделать, в формулировках сегодня я явно не силен.

Первое, что я услышал, когда вошел в свой кабинет, был чуть ли не гневный голос Лили Федотовой:

— Где вы пропадаете?!

Хороша у меня помощница. Грубит как бандерша, а тут еще и башка раскалывается, будто по ней поленом били.

— Лиля! — вздохнул я. — Меня с этим вопросом жена достает, а тут еще вы. Ну неужели даже на работе никуда нельзя деться от этих дурацких женских вопросов?

Она сочувственно, как мне показалось, приумолкла и некоторое время молчала, как бы боясь потревожить своего не слишком счастливого в семейной жизни шефа.

— Ну, что случилось? — спросил я ее. — Чем вас встревожило мое отсутствие?

— Не меня, — проговорила она после паузы. — Меркулова. Он уже раза четыре звонил. Сказал, чтобы вы пришли к нему, как только явитесь. Тотчас.

— Ага, — сказал я.

А что у него стряслось, интересно? Не удивлюсь, если он уже в курсе моих парковых похождений. Хотя... вряд ли. Почему-то я был уверен: что-то действительно даже не случилось — стряслось.

Неужели генерального сняли? Или еще какие-нибудь интриги в этом роде?

Обо всем этом я думал, пока добирался от своего кабинета до меркуловского.

— Вызывали? — приоткрыв дверь, спросил я у Кости.

Тот поднял голову от бумаг, наваленных на столе, и зарычал почти так же, как Лиля Федотова:

— Где вы пропадаете, Турецкий?!

Я давно заметил, что, когда Костя называет меня на «вы» и по фамилии, это может означать только одно: что он разъярен на весь мир вообще и на меня в частности. В таких случаях я обычно поступаю двояко: или вытягиваюсь во фрунт и терпеливо выслушиваю все его громы и молнии в мой адрес, или сбиваю с него спесь, щелкнув по носу. В зависимости, так сказать, от моего настроения.

Сегодня у меня не было особой охоты выслушивать его нравоучения.

— Да вот, пригласили, — развязно ответил я

своему начальнику, — по парку прошвырнуться, развеяться от трудов праведных. А то все кабинет, кабинет, никакого продыху. Вам, Константин Дмитриевич, тоже не мешало бы немного на воздухе побывать. Что-то вы совсем с лица спали.

Он внимательней ко мне пригляделся и вдруг враз успокоился.

— Что у тебя? — спросил он уже другим тоном.

Я покачал головой.

— Это успеется, — ответил я. — Ничего срочного. А вот что у тебя?

Сейчас скажет, что генерального сняли, что его увольняют и что вообще пора сухари сушить.

Но он это не сказал. Он сказал другое.

— Убийство. Ночью убили Маргариту Бероеву.

Я вздрогнул:

— Как ты сказал?

— Ты не ослышался, — кивнул он. — Именно Бероеву, ту, что отдала вам с Грязновым папку.

— Грязнов в курсе?

— Он и сообщил мне об этом.

— Ну да, — кивнул я. — Конечно.

— Что ты думаешь предпринять? — мрачно смотрел на меня Костя.

— А что мне предпринимать? — Я пожал плечами. — Поминки справлю — ты это, что ли, хочешь от меня услышать?

Костя покачал головой.

— Не смешно, — сказал он. — Грязнов мечтает с тобой встретиться.

— Он что, меня подозревает? — испугался я.

— Саша, — тихо проговорил Костя. — Ты, конечно, человек неплохой и даже не совсем вроде пропащий, но иногда твои шуточки не к месту.

— Понял.

Костя пристально в меня вгляделся.

— Понял? — переспросил он.

— Так точно! — сказал я. — Разрешите идти?

Мне все вдруг смертельно надоело. Ну почему так? Происходят ужасные вещи, людей убивают толпами, а ты чего-то пыжишься, пытаешься разгадать, зачем и почему, и тебя все время мордой в дерьмо. Надоело.

— Не обижайся, — сказал вдруг Костя.

— Да ладно! — махнул я рукой.

— А ты действительно ничего не хочешь мне рассказать? — спросил он, внимательно в меня вглядываясь.

Разумеется, он понял, что со мной что-то приключилось. И я рассказал ему свою эпопею в парке Горького в лицах. Он слушал серьезно, ни разу не перебив, он вообще умеет слушать, я неоднократно это уже отмечал.

Я рассказал ему все и выжидательно на него уставился, пытаясь предугадать, что он ответит.

— Какая-то несусветная чушь, — задумчиво проговорил он. — Ну и что ты думаешь по этому поводу?

Ответ был готов. Я выложил все, о чем передумал на той дорожке из парка, о всех своих ощущениях. Теперь я уже был не так уверен в правильности своих умозаключений, как тогда, когда шел в контору после этого странного приключения. Мне казалось, что то, о чем я говорю, — такой же бред, как и то, что со мной случилось, если не хуже. К концу своего рассказа мне стало просто стыдно за ту ахинею, которую я нес.

Но Меркулов считал иначе.

— Ну что ж, — сказал он. — По-моему, ты прав. Именно для этого они и разыграли перед тобой эту пьесу. Я тоже склонен думать, что все это было проделано специально для тебя. Чтобы ты знал, что есть люди, которые могут тебе пригодиться. Хоть это и выглядит фантастически глупо.

— Ну, не знаю, — вздохнул я. — Может быть, ты и прав, как всегда.

Он с удивлением на меня посмотрел.

— Я? — протянул он. — Но ведь это — твоя точка зрения. Что ж ты на меня всю ответственность сваливаешь?

— Так ты начальство. Тебе и ответственность держать.

Он кивнул:

— Очень хорошо. Раз я еще твое начальство, слушай приказ: дуй к Грязнову и, пока не найдешь такого, о чем сможешь мне толком рассказать, в этот кабинет не возвращайся.

Я только усмехнулся:

— Мне-то что? Могу и не возвращаться. Только ведь сами позовете, гражданин начальник.

— И позову! — сурово произнес Меркулов.

2

Грязнов не был оригинальным. Впрочем, он никогда не был оригинальным.

— Где ты пропадаешь? — встретил он меня вопросом, который за полдня успел мне до чертиков надоесть.

— Только не надо мне вот этого, — поднял я руку. — Ты мне никто. Не помощница, не начальник, не жена и даже не любовница.

— В каком смысле? — удивился Грязнов.

— В прямом, сладкий мой. Ну? Что тут у тебя?

— Убийство, — ответил он.

— Это понятно. Конкретнее, если можно.

— Бероева.

— Ну?

— Что — ну? Бероеву убили.

Я потихоньку начал психовать:

— Слава! Благодари Бога, что я не твое начальство.

Он истово перекрестился:

— Спасибо, Господи!

— Не поможет. — Я смотрел на него в упор. — Ты можешь нормально обо всем рассказать? Я же, как тебе известно, не был на месте преступления.

— Не факт, — пробормотал он.

— Что ты хочешь этим сказать?

— Алиби у тебя нет, — заявил он со всем присущим ему нахальством. — Ты ночевал в конторе. Когда тебя разбудила Лиля Федотова, у тебя был вид убийцы.

Он мне надоел.

— Слава, — ласково произнес я, — ты почти прав. У меня порою не только вид, у меня и мысли убийцы. Если ты немедленно не прекратишь издевательство над ответсотрудником Генпрокуратуры, я порешу тебя прямо здесь и скажу, что так и было. Ты понял меня?

Он поспешно кивнул:

— Понял.

И перешел к делу.

У Маргариты Семеновны была приходящая прислуга — по мне, так было бы странно, если б у нее ее не было. Так вот, прислуга эта, пожилая женщина Прасковья Модестовна, которую Бероева называла, естественно, Парашей, приходила два раза в неделю, и сегодня был как раз такой день: она наводила в квартире Маргариты Семеновны порядок.

Ключ она имела свой, что в принципе было довольно-таки странно: когда держишь дома столько ценностей, куда я включаю и нашу папку, это, по меньшей мере, неосмотрительно. Ну, да кто поймет их, этих женщин.

Короче. Открывает она дверь и начинает убираться. Вымыла все на кухне, прихожую, гостиную. Пришел черед спальни. А дверь в эту последнюю комнату закрыта. Что такое? Никогда не закрывалась, а тут не открывается. Появись на ней какой замок неожиданный, понятно было бы. А тут — ничего. Ни замка, ни защелки.

Толкнула Прасковья Модестовна эту дверь клятую, а она поддается, но с трудом. Открывается, но самую малость. Что ж такое?! И ничего худого поначалу не подумала Прасковья Модестовна. Раз дверь не открывается, надо ее открыть. Полы-то мыть нужно. Русская женщина, что ни говори, не только в горящую избу войдет, она и в комнату с покойником запросто ворвется, если перед ней дверь закрыта. Полы, вишь ты, мыть надо.

Правда, Прасковья Модестовна в спальню ту не ворвалась, а протиснулась, если уж быть верным правде, но от этого она, то есть правда, не перестает быть истиной. Женщина навалилась на дверь всем своим мощным, по рассказам Грязнова, телом и образовала-таки небольшую щель. Как она умудрилась в это узкое пространство протиснуться, одному Богу известно. Хотя, конечно, женское любопытство и не на такие подвиги способно.

Как бы там ни было, проникла в спальню Прасковья Модестовна, о чем уже в следующее мгновение пожалела так, как только могла. Но быстро взяла себя в руки. Я же говорю — русская женщина!

Проорав во все горло минуты три-четыре, она наконец заставила, что называется, успокоить самое себя и оглядеться.

Ее хозяйка, Маргарита Семеновна Бероева, лежала у самой двери с перерезанным от уха до уха горлом. Кровь текла в противоположную от двери сторону, именно поэтому Прасковья Модестовна до последнего пребывала в неведении относительно судьбы своей хозяйки. Но крови было много, и зрелище оказалось омерзительным. Прасковья Модестовна замолчала, и, поскольку уже не могла зажмурить вытаращенные от ужаса глаза, ей пришлось отвернуться от трупа, чтобы не видеть того, что находилось на полу. И увидела телефон. Тут она обернулась на труп последний раз, но только для того, чтобы убедиться, что ничто и ничего ее не заставит прикоснуться к мертвому телу Маргариты Семеновны. Тогда она шумно вздохнула, перекрестилась и обрела спокойствие. Подошла к телефону и вызвала милицию. Та примчалась через двенадцать минут. Возглавлял оперативно-следственную бригаду замначальника МУРа Вячеслав Грязнов.

Вот, собственно, и все.

Впрочем, не совсем.

— Она была убита точно таким же способом, как и ее любовник, — сказал я. — Так?

— Точно, — кивнул Грязнов.

— Что-нибудь пропало?

— Все, что у нее могли унести, уже унесли, — напомнил мне Грязнов. — Забыл?

— Ее пытали? Допрашивали?

Грязнов покачал головой:

— Ты хочешь знать, расспрашивали ли ее по поводу папки, которую она нам дала?

— Именно.

— Вряд ли, — снова покачал он головой. — Я, конечно, не могу утверждать с полной убежденностью. Вскрытие покажет, может, ее как-то очень изощренно пытали. Но, судя по первому, поверхностному осмотру тела, к ней никто не притрагивался. Вообще.

— Понятно, — сказал я. — Пришли, чиркнули ножом по горлу и, не говоря ни слова, удалились, так тебя надо понимать?

— А почему нет? — пожал плечами Грязнов. — Может быть, мстил кто-то за пропавшую папку.

— И никаких следов?

— Абсолютно. Если и были, то прислуга эта, Прасковья Модестовна, очень хорошо постаралась.

Вылизала квартиру так, что не только следов — пылинки не обнаружишь.

— Черт!

— Да я и сомневаюсь, что убийца или убийцы оставили хоть какие-то следы. Во всяком случае, в спальне мы тоже ничего не нашли.

— Так-таки и ничего?

— Ты сомневаешься? — удивился Грязнов.

— Всегда что-то, да остается, — почти философски заметил я. — Микрочастицы, к примеру, на одежде, ковре, мало ли где! Нужно просто уметь искать.

Он разозлился:

— Перестань умничать!

— Все! — поднял я руки. — Сдаюсь. Если уж вы ничего не нашли, то мне там вообще делать было бы нечего. Беру свои слова обратно.

Он стал успокаиваться, но дышал пока тяжело. Поэтому я выдержал приличную паузу, прежде чем спросил:

— Может быть, что-то было все-таки? А?

— Было, — неожиданно ответил мне Слава спокойным голосом.

— Ага! — сказал я.

— Ага, — согласился он.

— И что же это было?

— Записка.

— Записка?!

— Записка, — повторил он так же безразлично.

Пришла моя очередь злиться:

— Ну? И что же ты молчишь?

Он словно не замечал моего состояния.

— Интересная такая записка, — задумчиво приговаривал он, будто меня тут и не было.

Мне пришлось взять себя в руки, совсем как Прасковья Модестовна утром.

— И что в ней такого интересного? — спросил я, стараясь, чтоб мой голос звучал небрежно.

Кажется, это мне удалось, потому что он соблаговолил ответить.

— Там было написано только одно слово: «Сука».

Я чуть не плюнул прямо на сияющий паркет.

— И что в этом такого замечательного?

— Да вот, понимаешь, — все тянул он кота за хвост. — Написано это слово как-то странно.

— Это как? — саркастически спросил я его. — Через букву «о», что ли?

Он посмотрел на меня, и впервые его глаза приняли осмысленное выражение — впервые за последние десять минут.

— Первые две буквы этого слова, — сообщил он, — были написаны как аббревиатура. Заглавными буквами.

— То есть как это? — сказал я и осекся.

Потому что сам уже понял.

— Покажи записку! — потребовал я.

Он ее тут же мне протянул, словно давно приготовил и только ждал, когда я пожелаю на нее взглянуть.

Так и есть. На клочке было написано буквально следующее: «СУ-ка!»

Я поднял глаза на Грязнова и, шумно вздохнув, покачал головой:

— Это уже хулиганство.

Мы приехали к Меркулову, но Кости, как обычно, не было. Я пригласил Грязнова в свой кабинет. Лиля испарилась куда-то, но сейчас это было только к лучшему.

Да, это уже вызов — так прозрачно намекать на то, что убийство Бероевой напрямую связано со Стратегическим управлением: две первые буквы этого собачьего слова, выделенные как заглавные, указывают на прямую связь.

— Как ты думаешь, чего они добивались?

Грязнов сразу понял, что я имею в виду.

— Трудно сказать, — признался он. — Я не склонен думать, что это бравада. Они ничего не делают просто так. У них все функционально. То есть все имеет свой смысл.

— Вот я и спрашиваю тебя, — повторил я терпеливо, — чего, по-твоему, они добивались?

— А ты как думаешь?

— Я тебя спросил.

— Ну хорошо, — кивнул он. — Что, если они прощупывали почву?

Опять! И здесь почву прощупывают.

— В каком смысле? — спросил я, хотя и знал приблизительный ответ.

Так и оказалось: он сказал то, о чем думал я.

— Они хотят знать, что нам известно о Стратегическом управлении.

— Откуда они могут узнать о нашей реакции? — поинтересовался я. — Как они узнают о том, что мы предприняли в связи с этой аббревиатурой — СУ?

— По нашим следующим шагам, — просто ответил он.

В этом была какая-то логика, но все равно меня не все здесь устраивало.

— Шаги могут быть самыми разнообразными, — не сдавался я. — Подтекст у них может быть какой угодно — не мне тебя учить.

— Они ничего не теряют, — предположил Грязнов. — Если нам ничего не известно об этом долбаном управлении, эти буквы ничего нам не дадут. А если знаем, то вряд ли насторожимся, зато выдать себя можем. Но мы даже не догадываемся, в какую сторону идти, чтобы получить по башке.

— Не понял, — устало произнес я.

Он только вздохнул: что, мол, с тебя взять.

— Я, пожалуй, не буду ждать Меркулова, — сказал он, посмотрев на свои часы. — Дел, как ты понимаешь, невпроворот. Доложишь ему все сам, поговоришь, потом поделишься со мной впечатлениями. И указаниями, конечно. Договорились?

— Будь здоров, — пожелал я ему вместо ответа.

Он кивнул, будто ничего другого от меня и не ожидал, и, еще раз посмотрев на часы, вышел из кабинета.

Кажется, я становлюсь нервным. Возможно, это проистекало от ощущения, будто я попал на неизвестную планету. Вокруг происходят непонятные страшные вещи, а я даже предположить не могу, что бы они означали.

Ладно, давай порассуждаем, Турецкий. Итак, кто-то убивает людей. Смирнов, Киселев, Воробьев. Теперь вот Бероева. При этом отовсюду ты получаешь косвенные доказательства того, что в стране действует мощная группировка, цель которой, чего греха таить, — захват власти. Очень хорошо.

Пойдем дальше.

И куда же мы пойдем, Турецкий? Куда это — дальше? Что еще тебе известно такое, чтоб ты мог *дальше* спокойно рассуждать?

Как говорят молодые, полный абзац. Больше тебе ничего не известно, хоть тресни.

Давай-ка порассуждай на тему, что ты имеешь и чего не имеешь. Был такой роман у Хемингуэя — «Иметь и не иметь». Вот и рассуждай.

Итак: что ты имеешь? Несколько убийств. А что ты *не* имеешь? Вот именно — убийц. Ладно, в начале дела это бывает, тебе не привыкать. Думай, Турецкий, думай. Что ты имеешь еще? Стратегическое управление. Хотя, и это правильно, скорее оно тебя имеет как хочет, а не ты его. Но, допустим, имеешь. И что это тебе дает? Головную боль.

Какая-то несусветная чушь. Есть управление, есть его противники, а уцепиться не за что. Они еще и хулиганят. Матерятся на трупах в письменном виде. Причем фирменно матерятся, чтоб не перепутал никто, понимаешь. Сволочи самодовольные!

Спокойней, Турецкий, спокойней. Не надо нервничать, не надо врагам давать повод для торжества. Ты в тупике, и ты не знаешь, с чего начать.

Говорят, что восточные мудрецы в таких случаях утверждали: надо двигаться. Они брали ребенка и помещали его в темную комнату, в которой ничего не было видно, и сообщали тому только одну вещь: выход есть. И все. Тому оставалось одно из двух: или подыхать в этой комнате от голода и отчаяния, или искать выход. Но, чтобы искать, нужно начать двигаться. И труден здесь только первый шаг. Об этом, кстати, и Алла Борисовна что-то поет. Итак, нужно двигаться, и тогда рано или поздно выход найдется.

Но разве не бывает ситуаций, из которых нет вообще никакого выхода? В том-то и дело, что не бывает. И быть не может. Просто мы и представить себе порой не можем, в какой стороне от нас находится выход. Но он есть всегда.

Что это означает в твоем положении, Турецкий? Надо начинать двигаться. Не дергаться в каких-то невразумительных конвульсиях, а именно двигаться. Не беда, что это слово так часто повторяется в твоих мыслях. Ничего страшного не будет, если оно станет твоей навязчивой идеей, идефикс.

Ничего страшного.

Смысл жизни, утверждают многие мудрецы и философы, — в движении. Вот и двигайся, любезный.

В какую сторону? А подумай. Иногда самый короткий путь — обходной. Не думай пока об убийцах и убийствах, хотя и не забывай. Выбери другой путь.

Впрочем, тут и выбирать-то особенно не приходится. Тем более что ты давно для себя уяснил: есть пока единственная для тебя возможность хоть как-то выйти на таинственное Стратегическое управление.

Путь этот — дорога к Владимиру Аничкину.

Найди его, Турецкий.

Глава 12

АНИЧКИН ДЕЙСТВУЕТ

1

Несмотря на ранний час, в холле гостиницы «Москва» было довольно людно. Работали все без исключения киоски и лотки, торгующие всякой всячиной, маленькие кафе и даже ресторан, в котором вчера вечером Аничкин встречался с Мажидовым. На диванчиках в огромном холле сидела большая группа толстых розовощеких подростков в одинаковых майках с какой-то яркой эмблемой на груди — видимо, делегация американских школьников.

«Кстати, — вдруг пришла в голову Аничкину мысль, — для того чтобы заставить правительство пойти на любые уступки, Мажидову даже не нужно везти «Самумы» в Чечню. Места лучше этой гостиницы не придумаешь. Через дорогу — Государственная Дума, до Кремля рукой подать, да и ФСБ недалеко. Это вам не Буденновск, тут власти сразу зашевелятся. Если хотя бы один чемоданчик взорвется, от центра Москвы не останется и следа...»

На лбу у Аничкина выступил холодный пот. Никто: ни эти американцы, ни служащие гостиницы, ни депутаты, скорее всего сейчас лениво подтягивающиеся на утреннее заседание, даже и не подозревал о страшной опасности, нависшей над ними.

И именно он, Аничкин, был единственным, кто мог воспрепятствовать трагедии.

Надо сказать, сделать это было непросто. Мажидова сопровождали несколько телохранителей из охранного бюро. Кроме того, наверняка он приехал в Москву не один.

Аничкин зашел в туалет, закрылся в кабинке и вытащил из небольшой, висящей под мышкой кобуры свой верный «ПМ». До сей поры ему приходилось применять его только в гебешном тире, где раз в полгода каждый сотрудник ФСБ, имеющий право ношения личного оружия, обязан был пройти стрелковую подготовку. Надо сказать, Володя всегда показывал неплохие результаты.

Он осмотрел пистолет, вынул из кармана небольшой металлический цилиндр и привинтил его к стволу. Вообще-то глушитель к табельному оружию положен не был, но по большой просьбе Аничкина его специально изготовил для него Ахмет Ахметович Абушахмин.

Проверив обойму, Аничкин вышел из туалета и направился к лифту. Мажидов жил где-то на десятом этаже. Номер комнаты Володя не знал, но светиться у стойки регистрации ему не хотелось.

«Там разберемся».

В коридоре десятого этажа было пустынно. Даже горничной не оказалось на месте. Это было большой удачей. Аничкин зашел за деревянную перегородку и, порывшись в бумагах, обнаружил список постояльцев.

Вот он. Фамилия «Мажидов» стояла напротив номера 1023.

Неужели ни один из телохранителей не дежурит в коридоре? Аничкин дошел до другого конца, уперевшись в большое окно, у которого стояли два больших горшка с фикусами. Потом вернулся обратно и попал в небольшой закуток, из которого вела дверь на черную лестницу.

Никого.

А может, Мажидова вообще нет в гостинице?

Аничкин еще раз прошел мимо двери с табличкой «1023». Нет, там явно кто-то был. Аничкину даже показалось, что он услышал негромкий разговор. Тем не менее он вернулся к столу горничной и заглянул в ящик, где хранились ключи. Ячейка номера Мажидова была пуста.

Что делать дальше? Постучать в дверь и постараться проникнуть в номер? Судя по голосам, хозяин там не один, и поэтому риск был довольно высок. Ждать в коридоре? Но в любую минуту к Мажидову могла прийти охрана, и тогда шансы на успех существенно снижались. Может быть, вызвать наряд милиции? А что, пожалуй, еще три-четыре человека — и можно было бы запросто взять номер Мажидова штурмом.

Аничкин снял трубку телефона горничной и, придерживая ее плечом, попытался отыскать в списке номер телефона комнаты милиции гостиницы.

Внезапно, не издав ни малейшего шума, раскрылись дверцы лифта, и в холл вошел... Кто бы вы думали?

Толя Зеркалов собственной персоной.

Володя не видел своего старого друга уже лет шесть. После развода с Таней они несколько раз встречались у общих знакомых, но общаться ближе ни тот ни другой особого желания не выказывали. Поэтому, когда Толя окончательно пропал, Аничкин не обратил на это никакого внимания.

— Здорово!

— Привет, Володя. — Похоже, Толя был не меньше Аничкина удивлен неожиданной встречей.

— Какими судьбами?

— Да вот, — замялся Толя, — пришел...

Он явно не хотел говорить о своей цели.

— Ну а ты что тут делаешь? — решил он взять инициативу в свои руки.

— Видишь, — Аничкин потряс трубкой, которую до сих пор держал в руке, — по телефону звоню.

— А-а, — протянул Толя, — ну... а как Таня?

— Хорошо.

— А на работе как?

— Тоже хорошо? А у тебя?

— Замечательно.

— Ты где сейчас?

— Все там же, — уклончиво ответил Толя.

Может быть, встреться ему Зеркалов в другое время и при иных обстоятельствах, можно было и поболтать и вспомнить институтские годы. Но сейчас... Было совершенно не до него. Похоже, Толя считал точно так же.

— А все-таки, — спросил он, — что ты тут делаешь?

— Преступника выслеживаю, — Аничкин сделал зверское лицо.

Зеркалов вымученно захихикал.

— Ну, я пойду. У меня тут дельце одно есть.

— Иди.

Толя прошел по коридору и остановился у двери номера Мажидова!

В несколько прыжков Аничкин преодолел расстояние до него. Толя попытался его оттолкнуть, но было уже поздно. Дверь приоткрылась, и они оба ввалились в номер.

Мажидов, который открыл дверь, произнес краткое гортанное ругательство и кинулся к стулу, на спинке которого висела кобура.

Однако Аничкин оказался проворнее. Он выхватил пистолет и заорал:

— Всем на пол!

Мажидов упал ничком рядом со стулом.

— Володь, ты чего?.. — начал Толя.

— На пол!

Зеркалов свалился как подкошенный.

В номере воцарилась тишина. Аничкин ногой прикрыл дверь.

Однако здесь должен быть еще кто-то. Тот, с кем разговаривал Мажидов.

Володя аккуратно переступил через лежащего на пороге Зеркалова и вошел в комнату. Подойдя к стулу, он расстегнул кобуру Мажидова и достал оттуда пистолет.

— Кто-нибудь еще есть в номере? — Аничкин пнул чеченца носком ботинка.

— Да, там, — тот кивнул в сторону спальни, — билят один.

Аничкин, не опуская пистолета, заглянул в соседнюю комнату. Там в углу, стуча зубами от страха, сидела совсем юная девушка с размазанной по всему лицу тушью и губной помадой.

Володя закрыл дверь и снова пнул Мажидова.

— Где чемоданы?

Тот молчал.

— Пристрелю, сука!

И он подкрепил слова почти бесшумным выстрелом, который, однако, пробил ковер и поднял облачко пыли рядом с носом Мажидова.

Но тот только выругался по-своему. Да, выдержки ему было не занимать.

Внезапно Аничкин услышал громкий хлопок, и какая-то литография, висевшая на стене, моментально покрылась сеткой трещин.

Аничкин быстро обернулся. Зеркалов стоял на коленях и держал обеими руками пистолет. В следующую секунду из него вырвался огонь, и Володя почувствовал острую боль в левом предплечье.

Он среагировал профессионально, и через мгновение Толя лежал на ковре с дыркой посредине лба.

Эх, Толя, Толя, и кто тебя просил ввязываться в это дело!

Медлить было нельзя. В любую секунду сюда могли сбежаться на шум. И если «Самумы» находились здесь, их нужно было немедленно и незаметно вынести.

— Говори, где чемоданы!

Володя рывком перевернул Мажидова на спину и приставил пистолет к виску.

— Отвечай! Или застрелю, как его.

Тот мотнул головой назад, где в черной, медленно расползающейся луже крови лежал Толя Зеркалов.

— Пад кравать, — нехотя ответил Мажидов.

Держа чеченца под прицелом, Володя снова зашел в спальню и заглянул под широкую, покрытую смятым бельем кровать. Да, «Самумы» действительно были здесь. Они лежали один на другом, почти упираясь снизу в пружины матраса.

Аничкин с трудом выволок их оттуда и по одному вынес в коридор. Теперь нужно было связать Мажидова. Володя подошел к окну и оторвал бечевку от жалюзи.

— Лицом вниз! — скомандовал он Мажидову, а секунду спустя почувствовал сильнейший удар по голове.

Если бы чеченец лежал на спине, то тех долей секунды, которые Аничкин был без сознания, ему бы хватило, чтобы овладеть ситуацией. Но, к счастью, чеченец услышал лишь звон разбившегося зеркала и почувствовал, как ему на спину падают осколки.

Больше всего Аничкину было жаль эту бедную, видимо, совершенно случайно оказавшуюся здесь проститутку. Сидела бы в своем углу, а потом незаметно выскользнула. Он ее ни за что бы не тронул...

Кровь заливала глаза — она все-таки его здорово треснула этим идиотским зеркалом. Кроме того, левая рука почти не слушалась. Может быть, там даже была раздроблена кость.

Аничкин чувствовал, что еще несколько минут — и он потеряет сознание. И тогда... Нет, этого допустить было нельзя. Он *должен* был вытащить отсюда ядерные чемоданчики.

Мажидов не издал ни звука, когда Аничкин, приставив дуло пистолета к его затылку, нажал на курок.

Все. Теперь ему больше никто не помешает.

Аничкин отправился в ванную и, как мог, привел себя хоть в какой-то порядок. Затампонировав рану на голове куском туалетной бумаги, он натянул сверху валяющуюся на полу красную бейсболку. Потом наложил жгут на предплечье. Кровь вроде больше не сочилась.

Зато в комнате она покрывала уже почти весь пол. Мельком взглянув на три трупа, Аничкин подхватил чемоданчики и вышел в коридор.

Идти было трудно. Чемоданы в общей сложности весили килограммов шестьдесят. А левая рука почти полностью онемела, и Аничкин боялся, что вот-вот пальцы разожмутся и чемоданчик упадет на пол.

Горничная сидела на своем месте. По-видимому, выстрелов Зеркалова никто не услышал, потому что она, дежурно улыбнувшись, проводила Володю взглядом до лифта. Она, наверное, приняла его за иностранца. Ну кто еще мог к приличному серому костюму с галстуком добавить дурацкую бейсболку?

Аничкин улыбнулся ей в ответ, хотя это стоило ему немалого труда.

Лифт подошел почти сразу. Зайдя в него, Володя старался не смотреть на людей, которые ехали вместе с ним. Он чувствовал, что туалетная бумага под бейсболкой набухла и кровь вот-вот потечет по лбу.

Хорошо, что в гостиницах скоростные лифты! Спустя полминуты Аничкин уже выходил из подъезда.

Машина стояла тут же, рядом. Аккуратно положив чемоданчики плашмя на заднее сиденье, Володя включил зажигание и, медленно вырулив, повел машину по направлению к Лубянке.

Теперь главное было — опередить Петрова. В тот момент, когда он узнает, что «Самумы» снова в руках Аничкина, на него объявят охоту. Обвинение будет, скорее всего, в убийстве трех человек. Это больше чем достаточно, чтобы засадить его в Бутырку. Нет, скорее всего, он попадет в Лефортово. Все-таки он сотрудник службы безопасности.

Нужно было успеть предупредить о планах Главное управление контрразведки ФСБ и спрятать «Самумы» в надежном месте. Задачка не из простых. Володя понимал: когда он появится в Главном управлении контрразведки с чемоданчиками, его пять минут спустя арестуют.

Значит, их нужно было спрятать где-нибудь в другом месте. Тогда «Самумы» станут своеобразной гарантией свободы Аничкина. Пока, во всяком случае.

Миновав «Детский мир», Аничкин не выехал на круг, чтобы попасть к зданию ФСБ, а свернул направо, к Старой площади.

Красная лампочка на приборной панели давным-давно мигала, стремясь обратить внимание Аничкина на то, что в баке практически не осталось горючего. В конце концов мотор отказался работать, и машина встала прямо напротив здания администрации Президента.

«А может, взять чемоданчики и отнести их прямо туда — к Президенту, — Аничкин смотрел на бывшее здание ЦК КПСС, — пусть сами разбираются».

Но, вспомнив нахальную рожу Васильева, он отбросил эту мысль. Наверняка, кроме него, здесь обитает не один член антигосударственного Стратегического управления.

«А может, у них бензину попросить?»

— Опять нарушаете, товарищ полковник? — послышался из-за спины голос.

Володя обернулся. Перед ним стоял Щипачев — инспектор, который едва не арестовал его позавчерашней ночью. Тот широко улыбался и укоризненно качал головой:

— Улочка-то узенькая. Троллейбус ненароком сбить может. Вы бы проехали чуть дальше, к «России».

— Не могу, сержант, — ответил Володя, — бензин кончился.

Вдруг Щипачев нахмурился и дрожащим пальцем указал на лоб Аничкина:

— Ой, а что это у вас?

Аничкин вытащил носовой платок и стер стекающую струйку крови.

— Слушай, сержант, — серьезно сказал он, — мне нужно две вещи — бензин и аптечку.

— Ага, — Щипачев кинулся к своему «жигуленку» и мигом принес коричневую коробку с бинтами и медикаментами.

Пока Аничкин неловко делал себе перевязки, Щипачев налил в его бак бензина из запасной канистры.

— Полбака, — доложил он, закончив. — Надолго хватит.

Все-таки хороший парень этот Щипачев!

— Спасибо, сержант, — сказал Аничкин на прощание, — если бы не ты, могла случиться большая беда.

— Да ну, — махнул рукой Щипачев, — что мне, бензина жалко?

Аничкин посмотрел на себя в зеркало. С белой повязкой на голове он был похож на раненого комиссара. Бейсболка настолько пропиталась кровью, что ее оставалось только выбросить.

— Еще одна просьба. Одолжи мне свой картуз на время. А то я с этой повязкой чересчур подозрительно выгляжу.

— Пожалуйста, товарищ полковник. Вы только кокарду снимите...

Обогнув «Россию», Володя погнал машину по набережной. За Кремлем он свернул, выбрался на Новый Арбат и через пятнадцать минут добрался до Киевского вокзала.

Только сдав чемоданчики в камеру хранения, он немного успокоился. Теперь его голыми руками не возьмешь. Ему было чем защититься от Петрова.

2

Этот человек с самого начала не понравился Мусе Мажидову. Хоть Рустам и говорил, что разговор с ним нужен просто для прикрытия, на самом же деле все уже обговорено с более влиятельными людьми. И, несмотря на это, Муса чувствовал, что от него можно всякого ожидать. Слишком уж он юлил, говорил всякими недомолвками, пытался отложить решение вопроса. Муса мало что понимал в том, о чем договаривались его брат и этот русский, но сразу смекнул: тот задумал что-то нехорошее.

Поэтому, наскоро уладив все свои дела на базаре, он позвонил в гостиницу «Москва», где остановился Рустам. Сколько раз Муса предлагал брату жить в его квартире! Но Рустам не поддался уговорам. «Тебе лишние хлопоты ни к чему», — говорил он. И Муса в глубине души был с ним согласен.

Трубку никто не брал.

Муса набрал номер еще несколько раз подряд, но результат был тот же самый.

«Странно», — подумал он, ведь Рустам сказал вчера, что будет в номере.

Тогда Муса решил отправиться в гостиницу. Встреча у них была назначена только через два часа, в полдень, но он посчитал, что будет нелишним появиться там заранее.

Через полчаса Муса был в гостинице.

На его стук никто почему-то не открывал.

«Спит, наверное», — подумал он и постучал громче.

Потом нажал на ручку, и дверь неожиданно открылась сама.

Вначале Муса не понял, что здесь происходит, вернее, произошло. Рустам лежал на полу, уткнувшись лицом в темное пятно на ковре. Рядом в странных позах застыли еще два человека — мужчина и голая женщина. Женщину Муса видел впервые, а вот мужчина часто сопровождал Рустама, когда тот ездил получать боеприпасы и оружие со склада в Раменках.

Первым желанием Мусы, когда он понял, что их застрелили, было закричать. Ему даже пришлось зажать рот ладонью, чтобы не вырвалось ни звука.

Он быстро взял себя в руки. Все-таки в его жилах текла горская кровь. А горцы не боятся вида смерти.

Тем не менее Муса решил попробовать незаметно выбраться из номера. Судя по всему, он был первым, кто увидел трупы, и, значит, его в первую очередь могли обвинить в убийстве.

Муса осторожно вернулся к двери и, приоткрыв ее, выглянул наружу.

Вроде никого.

Он распахнул дверь пошире, но стоило ему переступить порог, как его оглушил страшный крик:

— На пол!

У Мусы заложило уши, и он свалился как подкошенный. Удары в пах, по голове и по почкам он уже почти не почувствовал, потому что потерял сознание гораздо раньше...

Он очнулся, когда в нос начали засовывать раскаленные стержни. Впрочем, открыв глаза, он увидел, что это всего лишь ватка, пропитанная нашатырным спиртом.

Муса по-прежнему находился в коридоре гостиницы «Россия». Он сидел на полу, прислоненный спиной к стене.

«Ну я и влип! — было первой мыслью, пришедшей ему в голову. — Теперь не отвертеться...»

— Ага, очнулся, — сказал белобрысый омоновец, заметив, что Муса открыл глаза.

Снова ткнув кусок ваты ему в нос, он добавил:

— На, сам держи.

Дверь в комнату Рустама была широко открыта, и из нее доносились разговоры, то и дело входили и выходили люди, вспыхивала фотовспышка. Видимо, за дело уже взялась следственная бригада.

— Давай его сюда! — послышалось из комнаты, и омоновец схватил Мусу за рукав:

— Слышь? Это тебя.

Идти было очень больно. Они явно не ограничились несколькими ударами. Тело ломило так, будто оно только что побывало под гусеницами танка. К тому же омоновец подталкивал его дулом автомата, тыкая в самые больные места.

В комнате находилось шесть человек. Эксперты снимали отпечатки пальцев с дверных ручек, стаканов, подоконника. Остальные сидели за столом и рассматривали содержимое чемодана Рустама и сумочки убитой. По комнате расхаживал следователь, который, завидев Мусу, жестом пригласил его сесть на диван, а сам опустился в кресло:

— Фамилия?

— Мажидов.

Следователь многозначительно переглянулся с приведшим его омоновцем.

— Кем приходишься покойному?

Муса повертел саднившей шеей и произнес:

— Прошу обращаться ко мне на «вы».

Следователь мерзко усмехнулся, встал и неожиданно ударил Мусу по носу.

— Ты смотри, этот педераст будет мне указывать, что делать.

Кое-как остановив хлынувшую из носа кровь, Муса, сам удивляясь неизвестно откуда взявшейся смелости, медленно проговорил:

— Кроме тебя, я здесь педерастов не вижу.

Надо сказать, следователь тоже был ошарашен выступлением Мусы и поэтому, остановив жестом омоновца, который хотел уже добавить Мусе, продолжил:

— Отвечай на вопросы! Кем приходишься покойному?

— Братом.

— Родным?

— Да.

— Прописка есть?

Муса молча достал свой паспорт и протянул его следователю.

Тот, внимательно изучив штамп, вполголоса заметил:

— Понаехали, сволочи, — и вернул паспорт Мусе. — Когда Мажидов приехал в Москву?

— Несколько дней назад.

— Цель его приезда в Москву?

Муса молчал. Пока следователь снова собирался задать ему тот же вопрос, он лихорадочно соображал:

«Кто мог убить Рустама? Конечно, тот вчерашний человек. Как его зовут? Аничкин, кажется. Сказать им об этом? Нет. Тот может рассказать обо всем, и тогда меня обвинят в торговле оружием...»

— Цель его приезда? — уже громче спросил следователь.

— Не знаю... Погостить приехал.

— Заместитель Дудаева приезжает в Москву погостить в самый разгар войны? Ты мне давай тут зубы не заговаривай! Отвечай!

«Рустам общался еще с каким-то генералом. Он еще говорил, что «это наш благодетель» и «единственный честный среди русских». Его фамилия, кажется, Петров. Генерал Петров из ФСБ».

— Я хочу поговорить с генералом Петровым из ФСБ.

Следователь засмеялся:

— А может быть, тебе сюда самого Коржакова доставить? Чего мелочиться?

Муса посмотрел ему прямо в глаза.

— Я хочу видеть генерала Петрова.

— Отвечай на вопросы!

— Я не буду отвечать, пока мне не дадут возможности поговорить с генералом Петровым.

Резиновая дубинка с огромной силой саданула ему по челюсти, лишив Мусу почти всех передних зубов. Если бы он сидел не на диване, а на стуле, то наверняка сейчас свалился бы на пол.

Следователь схватил его за волосы и, наклонившись, зло произнес:

— Сейчас мы тебя тут пришьем и за это только благодарность получим. Понял?! Отвечай, зачем приехал Мажидов!

— Позвоните генералу Петрову.

После нового удара, который нанес Мусе следователь, его руку пришлось поливать перекисью водорода и йодом, а потом перевязывать.

— Свинья чернозадая! Ну все, — он кивнул омоновцу, — забирай его. После я с ним разберусь.

Омоновец схватил Мусу за локоть и грубо поволок к двери.

— Давай, давай, шевелись!

— Я хочу поговорить с генералом Петровым! — кричал Муса, изо всех сил упираясь и цепляясь за стоящую на дороге мебель.

Вдруг он увидел, что все присутствующие повскакивали со своих мест и встали навытяжку, повернув головы к двери. Даже омоновец ослабил свою хватку, и Муса, освободив руку, сумел стереть кровь с глаз.

В дверях стоял невысокий пожилой человек в генеральской форме.

Муса вышел из гостиницы примерно через час. Генерал Петров, подробно допросив его и выяснив, откуда ему знакомо его имя и что он знает о связях с Рустамом, отпустил Мусу на все четыре стороны. Допрос происходил в отдельной комнате, так что их никто не слышал.

Спрашивал Петров и про Аничкина. И, увидев, как по лицу чеченца пробежала гримаса, генерал тонко улыбнулся...

На прощанье Петров вручил ему свою визитную карточку, наказав «звонить в случае чего».

Муса ехал и думал о том, что теперь именно ему придется мстить за смерть, вернее, за убийство брата. Причем сделать это он должен был как можно скорее, чтобы убийцу не успели арестовать.

Муса вздохнул. Он с гораздо большей охотой предоставил бы право вершить правосудие милиции. Но по чеченским законам он обязан был взяться за оружие и истребить врага. Тем более Муса не мог и оправдаться тем, что не знает убийцу.

С другой стороны, общение со следователем заставило его вспомнить и о том, что все-таки он родился не где-нибудь, а в стране, где обид не прощают. Его избили, унизили, растоптали. И хоть Мусе и удалось избежать гораздо худших последствий, которые могли бы наступить, не появись генерал Петров в гостиничном номере, душа его горела огнем.

Когда он пришел домой, жена ужаснулась, увидев разбитое лицо, и прошептала:

— Брат приехал.

У Мусы голова пошла кругом. Утром смерть Рустама, и вот теперь опять брат...

Это был Салман — один из братьев Мажидовых, который работал прокурором Кызылкалинской области Чечни. Муса и Салман обнялись, поцеловались. Они не виделись довольно давно, но Муса сразу почувствовал, что приехал брат не с радостными вестями.

— Неделю назад убили Ахмеда и Эльдара.

Муса немного помолчал, а потом, глядя в сторону, проговорил:

— Сегодня утром застрелили Рустама.

Салман вздрогнул:

— Да, опасная работа у него была. Но его смерть хоть чем-то оправдана. А Эльдар и Ахмед просто по улице шли. Проезжал БТР, очередь из пулемета — и все. И ищи ветра в поле. Многие сейчас так в Чечне погибают...

Салман скоро ушел: он прилетел всего на пол-

...ля в составе какой-то делегации. На прощанье ...казал Мусе:

— Я прокурор и поэтому не могу взять в руки оружие. Но ведь кто-то должен отомстить за кровь наших братьев?

Да, кроме Мусы, это сделать было просто некому.

Самое главное, что он теперь полностью осознавал это. Он хотел мстить всем и каждому— Аничкину, тому бандиту-следователю, Президенту России, каждому солдату федеральных войск... Всем русским, которые отныне стали его врагами...

Но прежде всего он должен был найти Аничкина. По двум причинам — тот должен был ответить за смерть Рустама, и еще у него (говорил Рустам) было какое-то страшное оружие вроде атомной бомбы. Это оружие должно было попасть в руки Мусы. И вот тогда он закончит дело брата. Отомстит не только за смерть Рустама, Ахмеда и Эльдара. Каждая капля крови погибших чеченцев будет смыта. И каждая смерть будет отплачена.

3

Несколько часов Аничкин бесцельно мотался по городу. Жутко болела голова, видимо, у него было небольшое сотрясение мозга. Кроме того, рана на руке время от времени начинала кровоточить. Ведя машину, он то и дело раздражал ее. Однако в больницу он обратиться не мог. Зная структуру сохранившейся с советских времен системы тотального присутствия секретных агентов, Аничкин мог с уверенностью предположить, что в главном здании (если его уже ищут, а в этом он почти не сомневался) о нем узнают максимум через час. И тогда вычислить его будет не так уж сложно.

Не мог Аничкин появиться и дома. Скорее всего, и там уже была засада. Вот и приходилось ему совершенно без всякой цели мотаться по городу, что было тоже крайне небезопасно.

Хорошо еще, что нет Тани, за границей она, в Швейцарии. А то наверняка перепугалась бы, если бы сейчас в их квартиру ворвались молодчики из спецподразделения ФСБ. Хотя у тех может хватить ума дождаться его и во дворе, где-нибудь на скамеечке, делая вид, что газеты читают.

Скорее всего, так и будет. Все-таки тесть его был в прошлом ответственным совминовским работником. А кроме того, он наверняка входил и в состав верхушки Стратегического управления. Да, они будут ждать во дворе.

Однако надо было что-то делать. Не мог же он до бесконечности ездить по Москве. Не пора ли выехать из города? В тот же Обнинск, где полно родственников и знакомых? Нет, нельзя подвергать такому риску людей... Впрочем, вряд ли удастся добраться до Обнинска: перехватят по дороге.

И потом, нужно было придумать, как оправдать это тройное убийство, которое он совершил утром в гостинице. Убийство есть убийство, и никакими ядерными чемоданчиками здесь не прикроешься. К тому же теперь ему не поможет уже даже эта пресловутая серебристая карточка, не говоря уже о полковничьих звездочках на погонах. Петров сделает все, чтобы засадить его на полную катушку.

Володя уже шестой раз огибал Садовое кольцо. Он подозревал, что только из-за огромного количества машин его и не задерживают. Ну как выхватить машину из третьего ряда, когда она находится в непрерывном потоке автомобилей?..

Если бы Мажидов был жив, Володя мог бы предъявить его в качестве свидетеля. Не соучастника, а именно свидетеля. С чеченца спрос другой — как его ни называй, хоть сепаратистом, хоть бандитом, у него своя, осознанная и, кстати, в достаточной мере оправданная цель: он защищает свою землю.

С Петровым и компанией все по-другому. Ради своих преступных планов они готовы поставить под угрозу жизни людей, раскрыть государственные секреты, даже развязать войну.

И первой жертвой должен был стать он, Володя Аничкин, которого они хотели подставить как неопытного дурачка.

Все-таки странно, неужели его тесть, Смирнов, не знает об этой операции? Но почему же тогда он позволяет так обойтись с мужем своей дочери?

А с другой стороны, кто знает, может быть, они и под Смирнова роют. С них станется...

Володя притормозил на минутку у лотка, где продавали пирожки. Он вдруг вспомнил, что с утра почти ничего не ел. Проглотив несколько пирожков, сразу почувствовал себя лучше.

Как же доказать, что эти убийства были оправданы? Его рассуждениям о ядерных чемоданчиках никто не поверит — это ясно с самого начала. К тому же они будут теперь усиленно охранять государственную тайну.

Аничкину нужен был человек, который бы знал о связях Мажидова, о том, что он хотел получить «Самумы», и о вчерашней встрече.

Погоди-ка... Вчера рядом с Мажидовым сидел какой-то человек. Судя по тому, что они были очень похожи, это был его брат. Вот кто может быть свидетелем. И его надо во что бы то ни стало найти.

Как это сделать? О, для полковника службы безопасности это не вопрос.

Конечно, Петрову доложат о том, что он обращался в Центральное адресное бюро. И тот сразу поймет, зачем Аничкину понадобился адрес брата Мажидова. Поэтому надо было спешить.

Увидев на пороге своей квартиры Аничкина, Муса Мажидов был ошеломлен. Еще бы, убийца брата пришел сам прямо к нему в руки.

Муса молча кивнул на дверь своей комнаты.

Аничкину понятны были мысли Мусы. Конечно, он уже сообразил, кто именно убил его брата. И теперь, каким бы он добропорядочным ни был, чеченская кровь должна была взять свое: он обязан отомстить Аничкину.

Поэтому, войдя в комнату, Аничкин без лишних слов достал свой пистолет и направил его на Мусу.

— Мне терять нечего. Все, что мог, я уже сделал. Атомные бомбы не попали в руки твоего брата, хотя для этого пришлось его убить. Пойми, Муса, он защищал свою страну, а я — свою. И поэтому, когда у нас за спиной целый народ, никакой пощады быть не может.

Муса спокойно сидел под дулом пистолета и слушал Аничкина. Перед ним был враг, которого нужно было бить, резать на части, рвать зубами, короче, делать все, что угодно, лишь бы поскорее

265

уничтожить. К тому же он был в доме Мусы, в двух шагах от него. И если бы не этот пистолет...

— Мне нужны вещи Рустама Мажидова — записи, документы.

Муса покачал головой:

— У меня ничего нет.

Русский хотел слишком многого. Неужели этот враг не понимает, что, даже если бы у него и были какие-то документы, Муса никогда бы в жизни их ему не отдал.

Аничкин приблизил дуло к его глазам:

— Я выстрелю, и никто ничего не услышит. Даже жена из соседней комнаты.

Муса пожал плечами:

— Стреляй.

Аничкин понял: ничего добиться от него он не сможет. Но и уничтожать Мусу не входило в его планы. Это единственный человек, который мог дать показания, оправдывающие Володю. Но, с другой стороны, Муса Мажидов сделает все, чтобы его убить.

Володя опустил пистолет и сказал:

— Хорошо. Ты сейчас поедешь со мной.

Муса снова покачал головой.

— Нет, поедешь!

Аничкин схватил его за локоть и попытался скрутить руку за спину. Но Муса оказался проворнее, он неожиданно звезданул Аничкина лбом по носу, отчего у того брызнули искры из глаз.

Выкрикнув гортанное ругательство, Муса изо всех сил ударил его кулаком в солнечное сплетение.

Пистолет выпал из рук Аничкина и полетел под диван. Муса схватил лежащий на столе кухонный нож и приставил его к горлу своего врага.

— А теперь слушай меня! Или ты скажешь, куда дел чемоданы с бомбами, или я сейчас перережу твое поганое горло! Клянусь!

Аничкин чувствовал, что чеченец говорит правду. Но он скорее пожертвовал бы жизнью, чем открыл местонахождение «Самумов».

И тут в дверь позвонили.

Он неожиданности Муса чуть надавил ножом, и Володя почувствовал, как сталь рассекла его кожу.

— Зульфия! — крикнул Муса жене. — Не открывай дверь!

Но из коридора уже донеслись топот и крики ворвавшихся в квартиру людей. Аничкин понял, что медлить больше нельзя. Сильно оттолкнув Мусу, он бросился к окну.

Квартира Мажидова была на четвертом этаже. Но что оставалось делать? Он вскочил на подоконник и сиганул вниз. Последними, кого он увидел в комнате Мусы, были несколько человек в форме и среди них генерал Петров.

Аничкина спасло то, что во время падения он наткнулся на несколько слоев натянутых между балконами бельевых веревок, которые сильно стегнули его по лицу, но существенно смягчили падение. Через несколько секунд он оказался на земле.

Володя сумел сразу же взять себя в руки и откатился в сторону. Спустя мгновение на то же самое место тяжело рухнуло тело Мусы Мажидова. Чеченцу повезло меньше: все бельевые веревки снес Аничкин, и, скорее всего, хозяин квартиры разбился.

Аничкин вскочил на ноги и побежал за угол, где оставил свою машину.

Но около нее уже стояли двое. Все выходы из двора были тоже перекрыты.

Оставалось последнее — крыша. Аничкин бросился к углу дома, где была прикреплена пожарная лестница. С трудом вспрыгнув на последнюю ступень, он, не обращая внимания на острую боль в левой руке, подтянулся и полез вверх.

— Аничкин, стой! — донеслось снизу.

Володя глянул под ноги. Там стоял генерал Петров в сопровождении нескольких молодчиков в штатском. А двое или трое уже карабкались за ним.

— Стой! У тебя нет никакого шанса! Мы будем стрелять!

— Ну уж нет, — проговорил Аничкин, задыхаясь от напряжения, — я вам нужен!

Вот уже и последние ступени. Через секунду Аничкин загромыхал по кровельному железу покатой крыши.

«Жаль, пистолета нет, — только и билось в его голове, — жаль, нет пистолета...»

Как бы в ответ на это мимо его уха просвистели несколько пуль.

— Не стрелять! — донесся истошный крик Петрова. — Взять живым!

Из окна чердачной мансарды появилось несколько омоновцев. Они высыпали на крышу, и из пистолета одного из них вырвался сноп огня.

Это было последнее, что увидел Аничкин, потому что в следующий миг он споткнулся и покатился вниз, к краю крыши. Сильно ударившись о железный барьер, он потерял сознание.

Глава 13

ТУРЕЦКИЙ И АНИЧКИН. ВСТРЕЧА

1

Я должен был добраться до Лукашука. Вообще-то если уж быть скрупулезно честным, то до этого почтенного полковника мне дела не было. Он и нужен-то был, как Остапу Бендеру — Гекуба. Но уж очень хотелось заглянуть в его лисьи глазки. Почему-то я считал, что они у него именно лисьи.

Что за хамство? Аничкин пропал, к Борисову не пускают. Пусть объяснит. Точнее, пусть объяснится. Он, видите ли, офицер ФСБ, а мы, скромные работники Генпрокуратуры, помочиться вышли. К тому же я на это дело получил благословение Меркулова и уверенности в себе у меня было хоть отбавляй.

Иногда действительно приходится ее убавлять. Частенько от избытка не самого худшего человеческого качества страдало дело, хотя, по большому счету, до сих пор все было тьфу-тьфу-тьфу.

Честно говоря, мне не нравится это здание на Лубянке. Я не большой поклонник подобной архитектуры. Оно такое мрачное, что, глядя на его этажи, в голову все время приходит мысль о бесконечных подземных этажах. Понимаю, что нужно о другом думать, а вот ничего не могу с собой сделать.

Лукашук сам назначил встречу на одиннадцать тридцать. То есть мы с Меркуловым попросили (Костя попросил), а он назначил. Если ты так сильно занят, назначай на двенадцать. Или отменяй другие дела и принимай, как договорились. Я же говорю, хамство.

Стыдно сказать, но он не отказал себе в удовольствии унизить старшего следователя по особо важным делам Генпрокуратуры. Он заставил меня прождать тридцать минут в своей приемной, прежде чем соизволил пригласить меня.

Но все, что Бог ни делает, — к лучшему. Я это очень давно заметил. Именно в то время, пока я ждал, когда хам вспомнит о приличиях, и произошел случай, после которого события в этом деле помчались вскачь.

Рядом со мной через стул сидел совершенно незнакомый мне мужчина. Закинув ногу на ногу, он держал на своем колене небольшой раскрытый блокнот и что-то в нем черкал. Увидеть, что он малюет, не было никакой возможности, да мне, откровенно говоря, и наплевать было на него. Когда же помощник Лукашука отвернулся зачем-то, я поймал на себе выразительный взгляд незнакомца.

Еще не хватало мне голубых, подумал я. Но уже через мгновение мои мысли потекли по другому руслу. А если предположить, что этот человек хочет мне что-то сообщить, но не решается? Например, он опасается помощника полковника.

Я улучил момент и глазами показал мужчине на дверь. Мол, давай, родной, выйдем поговорим. Ну прямо как два педераста. Он едва заметно покачал головой, но я не стал расстраиваться. Если ему есть что мне сообщить, он найдет способ это сделать. Не арестует же нас Лукашук. Хотя кто его знает, этого мужика, может, он резидент австралийской разведки?

Как раз в это время заговорил селектор — голосом полковника Лукашука. Помощника вызывали пред светлые очи. Тот, не суетясь, собрал какие-то бумаги и с достоинством удалился в кабинет. И мы остались наедине с неизвестным.

Он моментально протянул мне блокнот и держал его перед моими глазами всего лишь пару мгновений. Но и их мне хватило, чтобы прочитать написанное, а также уразуметь, что среди чекистов есть и такие, которых Меркулов с удовольствием бы угостил своим коньяком.

Я прочитал: «Аничкин в Лефортове по ложному обвинению. Генерал Петров — предатель».

А во мне-то еще жила уверенность, что передо мной — не сумасшедший, а абсолютно нормальный человек!..

Я кивнул, а мой неожиданный информатор снова положил себе на колени блокнот и опять стал что-то небрежно в нем черкать. Правильно. Если сейчас начать уничтожать улики, можно запросто нарваться на неприятности. Никто его сейчас, по всей видимости, проверять не будет, и он знал об этом. Потом уничтожит.

Слова благодарности я произносить не стал. Более того, я даже взглядом его не поблагодарил, сидел так же, как сидел до этого. Он был похож на профессионала и, очевидно, понимал, что и я не лыком шит. И поскольку вообще никак не реагирую, значит, я все понял. Вот какой я молодец.

Тем временем я заметил, что этот человек совсем потерял ко мне интерес. А может, и не потерял, кто его знает. Если он был, этот интерес.

Я воспрял духом. Мне даже захотелось послать к чертовой матери Лукашука, но в самую последнюю секунду я заставил себя вспомнить о приличиях и остался на месте. К тому же мне пришла в голову идея, для осуществления которой необходимо было как раз остаться.

Дверь открылась, помощник пригласил меня в кабинет:

— Полковник ждет вас.

Очень интересно. По-моему, это я его жду, а он занимается черт знает чем. Впрочем, я не стал негодовать вслух. Я кивнул и решительным шагом вошел в кабинет. На незнакомца оглядываться я тоже не стал.

Полковник Лукашук не встал из-за стола при моем появлении, да я не очень-то на это и рассчитывал. Я прошел к его столу и с размаха плюхнулся в кресло рядом с ним. И не без удовольствия отметил, что мой демарш полковнику не понравился. Он был настолько глуп, что пробормотал:

— Кажется, я не предлагал вам садиться.

— Разве? — удивился я. — Значит, мне послышалось. Прикажете встать и вытянуться во фрунт, господин полковник?

Он побагровел. Глаза его, к моему удивлению, были вовсе не лисьи, они были рыбьи. И он их выпучил — к вящему моему удовольствию.

— Что вы себе позволяете? — прохрипел он.

— Я только спросил. К вашему сведению я не встаю даже при появлении Генерального прокурора России.

Он все еще тяжело дышал. Кажется, он пребывал в раздумьях: наорать на меня или попробовать договориться по-человечески. Благоразумие в конце концов взяло верх, и он успокоился.

— О чем вы хотели со мной поговорить? — спросил он, преувеличенно внимательно рассматривая бумаги, лежавшие у него на столе, и всем своим видом показывая, что я отвлекаю его от важных государственных дел по пустякам.

— Только несколько вопросов, — ответил я. — Небольшое, так сказать, интервью. Не возражаете?

Он озадаченно на меня покосился.

— Валяйте, — нехотя проговорил он.

Сейчас я тебе и наваляю, любезный.

— Скажите мне, господин полковник, — сладким голосом начал я, игнорируя его вздрагивания по поводу «господина», — в чем вы обвиняете Владимира Аничкина?

Рыбьи глаза медленно поползли из орбит.

— Я?! — Нужно отдать должное ему, роль свою он играл превосходно. — С чего вы взяли?!

— Ну как же! — откликнулся я. — Столько времени Аничкин томится в Лефортове — а ему даже обвинения не предъявили? Поймите меня правильно, я не конкретно вас имею в виду, а всю вашу «контору», — выдал я желаемое за действительное.

273

Вот уж не знаешь, где найдешь, где потеряешь. Разве я мог предугадать такой подарок в виде таинственного незнакомца из приемной? И что главное — я поверил ему сразу и безоговорочно. Даже если бы я не поверил, все равно это хороший ход в разговоре об Аничкине с таким собеседником, как Лукашук. Это был бы единственно верный ход, даже если бы все оказалось блефом. Но я был уверен в своей правоте и правоте незнакомца, и сейчас мне оставалось только импровизировать.

— Откуда у вас такие сведения? — неожиданно спросил Лукашук.

И не так уж неожиданно, если разобраться.

— Ну что вы, господин полковник, — улыбаясь, развел я руками. — Разве я могу выдать вам свои источники информации? Мы ведь тоже не сидим на месте, работаем. Землю рогом роем. Ну так что же насчет Аничкина?

— Это информация секретная, — хмуро произнес Лукашук. — Она не подлежит огласке.

— Не понял. — Я покачал головой. — Вы что — действительно поверили, что я беру у вас интервью для газеты «Московский комсомолец»? — И тут я встал. — Позвольте представиться, господин полковник. Старший следователь по особо важным делам Генеральной прокуратуры России, старший советник юстиции Александр Борисович Турецкий.

— Не называйте меня господином! — вдруг почти истерично попросил он.

Горбатого могила исправит.

— Простите, — сказал я мягко. — Как ваше имя-отчество?

Он удивленно на меня посмотрел и пожал плечами.

— Борис Борисович, — сказал он.

— Борис Борисович, — ласково заговорил я. — Неужели вы не понимаете, что упорствовать мне в этом вопросе — бессмысленно? Что вы хотите, чтоб я написал рапорт генеральному прокурору? Или известил об этом деле газеты? Неужели вы не понимаете, что только в сотрудничестве со мной вы можете не вляпаться в неприятности. Если уже не вляпались. Так, может быть, я помогу вам избавиться от них? А?

Я был доволен собой. По-моему, звучало убедительно. Но он все равно кочевряжился.

— Я не могу брать эту ответственность на себя.

Нет, он просто не знал, что ему делать. И тогда я снова пришел ему на помощь.

— Если хотите, давайте мы организуем встречу с генералом Петровым, — сказал я. — Конечно, мне это и самому нетрудно, но, думаю, и в ваших интересах помогать Генеральной прокуратуре.

Я блефовал, я импровизировал и не удивлюсь, если он догадывался об этом, но я протягивал соломинку, и он ухватился за нее, за что я никак не мог осуждать его.

Показалось, что он украдкой вздохнул с облегчением.

— Ну что ж, — сказал он и, приняв решение, обрел нормальный вид. — Думаю, устроим.

Еще бы ты думал по-другому, услужливый ты наш...

Разговор с генералом Петровым получился на редкость бездарным. Прошибить его почти не удалось. И только в конце нашей с ним беседы я сказал ему нечто такое, после чего он не знал, что правильнее: хвалить себя или ругать?

С самого начала он заявил, что время его лимитировано и он может уделить мне не более десяти минут. Он думал сразить этим следователя, но Турецкому было наплевать, сколько у генерала лишнего времени. Я повторил угрозу — доложить об этом деле генеральному прокурору и сообщить в газеты. Он и глазом не моргнул.

— Это ваше право. У нас достаточно доказательств вины Аничкина, и если даже нам придется выносить мусор из избы и снова подвергаться нападкам прессы — пусть. Справедливость для нас дороже чести мундира. А дело, кстати, ввиду секретности подследственно не вам, а Следуправлению ФСБ.

— Так в чем же состоит вина Аничкина?

— Насколько я знаю, — спокойно повторил мне генерал, — пока это дело не вашей подследственности. Доложите дело шефу, и, если будет принято решение передать его в следчасть Генеральной прокуратуры страны — тогда другой разговор. Тогда и поговорим, и поспорим — кому его вести. А до тех пор — извините, я очень занят важными государственными делами — делами контрразведки.

И он выразительно показал на часы.

Что оставалось делать? Снова импровизировать.

— Могу я попросить вас о свидании с Аничкиным?

Он даже не усмехнулся: сидел и спокойно смотрел мне в глаза.

— Значит, вы не боитесь огласки в деле Аничкина, — сказал я, лихорадочно соображая, что еще ему такого гадостного сказать. — А если я, к примеру, расскажу газетчикам, ну и своему начальству заодно, о некоей организации, которая пытается повесить на Аничкина то, что он никогда не совершал, не говоря уже о других, более страшных ее делах?

Он не пошевелился, но я видел, что напрягся. «Генерал Петров — предатель», — вспомнил я и импровизировал напропалую: терять было нечего.

Он спросил меня:

— Вы имеете в виду американский ку-клукс-клан?

— Очень смешно, — кивнул я. — Нет, господин генерал. Я имею в виду вполне доморощенную российскую организацию, которая увлекается стратегией и управлением.

Говоря все это, я в упор смотрел на генерала. И к своему величайшему облегчению, понял по едва изменившемуся его лицу, что его таки проняло. Некоторое время он молчал, буравя своими глазками мое лицо. Молчал и я, стараясь выглядеть как можно настойчивее.

Наконец он первым нарушил молчание:

— Понятия не имею, что такое вы имеете в виду. Впрочем, и я что-то о вас слышал. Даже могу вспомнить, очень для вас лестное.

— Спасибо, господин генерал-полковник. — Этикет требовал, чтобы я начал расшаркиваться.

— Очевидно, вы на пороге какого-то открытия, — продолжал тем временем генерал-полковник. — Думаю, что ваши профессионализм и компетентность заслуживают того, чтобы мы удовлетворили ваше любопытство. Позвоните мне сегодня где-нибудь в девятнадцать часов. Посмотрим, что мы сможем для вас сделать.

Я был потрясен.

— Неужели вы позволите мне встретиться с Аничкиным? — не верил я своим ушам.

— Почему бы и нет? — пожал он плечами. — Позвоните.

И он кивком дал понять, что аудиенция окончена.

Теперь вы понимаете, почему я сказал, что разговор наш прошел для меня на редкость бездарно?

Итак, я засветился. Генерал Петров, несомненно, активный член Стратегического управления. И они сильны. Он не боится меня. Чего ему меня бояться? Он даже даст мне встречу с Аничкиным, если это не ловушка.

Чего он хочет от меня, чего добивается? Завербовать меня? А ради чего?

О, ему есть ради чего! Это ему очень многое даст, Турецкий. Фактически, если ты дашь слабину, он будет в курсе всего расследования.

А что? Иуда Турецкий — это даже звучит!

Но с другой стороны, чем он рискует? Тем, что я могу что-то узнать у Аничкина об их организации? Ведь генералу вполне по силам помочь мне занять место в одной камере с тем же Аничкиным. Похоронят меня в Лефортове, и никто не узнает, где могилка моя. Первый раз, что ли?

Значит, игра наша выходит на финишную прямую. Я знаю, что генерал Петров — преступник, он, в свою очередь, знает, что я это про него знаю. Но даже если он и забеспокоился, то по внешнему его виду догадаться об этом сложно. Достойный соперник, что и говорить.

Кстати о финишной прямой. Судя по всему, они тоже вышли на завершающий этап своих действий. Вполне может быть, что недалек тот час, когда ОНИ выступят уже в открытую. Если все, что я знаю о Стратегическом управлении со слов последнего маршала, правда, то они уже наложили впечатляющую кучу дерьма. И может быть, даже закончили первый, скрытый этап своей деятельности.

Может быть, может быть. Почему бы и нет. Как бы там ни было, бояться поздно. Он прелагает мне воспользоваться их любезностью и встретиться с Аничкиным?! Гран мерси, господин генерал. Или как вас там — все еще товарищ?

3

Федор Борисов был убит на больничной койке.

Я мог это предвидеть. Я обязан был предвидеть!..

Сразу после встречи с генералом Петровым я поехал в контору. Нужно было сделать два дела: поговорить с Меркуловым и произвести небольшую утечку информации. Не помню, чтобы я твердо обещал генералу свято хранить тайну местопребывания Владимира Аничкина. Нет, я не собирался созывать пресс-конференцию и сообщать журналистам о том, о чем им пока знать не следовало. Но сделать так, чтобы о судьбе мужа Тани Зеркаловой знали те, кому это следует знать, это я сумею. Есть у меня в подобных случаях безотказное средство.

Я пришел к Меркулову и узнал, что Костя у генерального. Понятное дело, время напряженное. Хотя убей меня Бог, если я хоть приблизительно представлял себе, о чем они могли подолгу разговаривать. Может, составляют план подпольной борьбы с коммунистами, если последние придут к власти?

Я взял лист бумаги и написал от руки что-то вроде письма на имя генерального: прошу, мол, дать указание руководству ФСБ разрешить допрос свидетеля Аничкина, находящегося в Лефортове и так далее и тому подобное. Можно было, конечно, попробовать действовать и так, но сомневаюсь, что в этом, казалось бы надежном, случае у меня все получилось бы гладко и без сучка без задоринки. Навредить же мне генерал Петров может без проблем. Наверняка пройдет неделя, пока бюрократические проволочки перестанут быть непреодолимой преградой и я смогу встретиться с искомым Аничкиным. Или, прошу прощения, его хладным трупом. Время да и дело такие, что поручиться нельзя ни за что.

Написанное я отдал Томочке Щукиной, машинистке. Томочка — существо удивительное. Ей где-то около пятидесяти, но чувствует она себя семнадцатилетней. И ведет соответственно. Она напоминает мне хохотушку-отличницу, не стареющую, к сожалению, только душой. Я был уверен, что через двадцать минут, после того как она перепечатает это мое якобы письмо, о судьбе Аничкина будут знать все. Причем не только в нашем здании, но, к примеру, и в МУРе, где у нашей Томочки есть закадычная подруга Любочка. Когда-то они начинали вместе, но потом их пути разошлись, впрочем ненамного, и до сей поры идут параллельно друг другу. Так что за свою контору и МУР в придачу я был спокоен. И за свою шкуру тоже — более-менее.

Кстати об осведомленности Томочки, в том числе о ее способности эту осведомленность демонстрировать. Именно она и сообщила мне о Борисове.

— Вы уже слышали? — спросила она, принимая из моих рук бумагу и делая при этом скорбное лицо.

— О чем? — вяло поинтересовался я, готовясь выслушать очередную сплетню.

— Об этом Борисове! Ну, на которого покушались.

Я моментально навострил уши:

— А что такое?

— Скончался, — вздохнула скорбно Томочка.

У меня не было оснований не верить ей. Но и принимать все на веру я тоже не мог.

— Это точно? — хотя я уже знал, что точно.

— К сожалению.

Интересно, она о нем скорбит или мне сочувствует? Ох уж мне эти сердобольные машинистки!

Я подождал, пока она напечатает письмо, забрал его, прошел в свой кабинет, порвал его на мелкие кусочки за ненадобностью, успел отметить, что Лили Федотовой нигде нет, вздохнул и поехал в военный госпиталь, где, по словам Томочки, скончался Федор Борисов.

На месте происшествия, как водится, уже орудовала оперативно-следственная бригада из МУРа во главе с Грязновым.

— Что-то мы в последнее время часто стали видеться, — посетовал я на судьбу, пожимая Грязнову руку. — Куда ни приду — всюду ты. Зачем ты их убиваешь, Слава?

— Э, нет, — как-то очень уж охотно подхватил он мой тон. — Оборотись-ка на себя, кума. Как только я приезжаю по вызову, через некоторое время подъезжаешь ты. Тянет на место преступления?

— Что ты! — отмахнулся я. — Представляешь, в скольких местах меня сейчас нет? А здесь что?

— Убийство.

— Ну конечно, как же я сам не догадался. Твое присутствие — гарантия серьезности происшествия. Я все думаю: чего это такой важной шишке, как замначальника МУРа, не сидится на месте, чего это он сам все время выезжает на место происшествия, чего помощников и собственных оперов не посылает?

Вопрос остался без ответа. Он только пожал плечами: что, мол, с тобой делать, раз ты сам не понимаешь?

— Ладно, — перешел я к делу. — При каких обстоятельствах его убили?

Он молчал, не отвечая. Я почувствовал неладное. Что-то меня смущало, дискомфорт какой-то. Может быть, то обстоятельство, что в коридоре и палате начисто отсутствовали так называемые люди в белых халатах? Нет, правда, куда задевались доблестные врачи и вообще все те, кто отвечал за жизнь Борисова — в том числе громилы, которые не пускали меня к покойному?

— Что ты молчишь, как рыба об лед? — спросил я Грязнова.

— Странно все это, — отозвался наконец он.

— Что именно? — быстро спросил я.

— Да вот то самое, — невнятно ответил он.

— Славка!

— Или эти охранники великие актеры, в которых пропал талант лицедеев, или происходит чертовщина... И знаешь, я все-таки склонен к мистике. Не верю я, что, обладая такими незаурядными актерскими данными, молодые ребята поступают не в театральный институт, а в охранники.

— Как интересно, — сказал я невозмутимым тоном. — А нельзя ли попонятнее?

— А вот как они мне рассказали. Они — оба — стояли у дверей палаты, где лежал Борисов. Каждые пятнадцать минут открывали дверь и проверяли, как он. Говорят, такая была инструкция. Все шло нормально. Кроме Борисова, в палате, естественно, больных больше не было.

— И что?

— В четырнадцать ноль-ноль к палате подошла медсестра — она должна была проверить состояние больного и проделать какую-то процедуру вроде укола. Эти ребятки проверили ее.

— В каком смысле?

— Ну, нет ли у нее чего постороннего. Оружия, например. Не ухмыляйся, они ее не лапали, а просканировали.

— Как это? — Я не удержался и подмигнул Славке.

— Аппарат такой, — терпеливо объяснил Грязнов, не реагируя на мое хулиганство. — Сканер называется. Если чует оружие — сигнал подает.

— Понятно.

— Ну вот. Все нормально, они открывают дверь и видят Борисова. А у него голова прострелена. И окна задраены.

— Это в такую-то жару?

— Там кондиционер в палате.

— В общем, ты предполагаешь здесь нечистую силу, да?

— Что-то в этом роде, — кивнул Грязнов. — Но и это еще не все. Кто-то его обыскал. И что-то нашел.

— Почему ты думаешь, что нашел? — недоверчиво спросил я.

— Потому что мы на нем ничего не нашли. Ни-че-го. Значит, если у него при себе что-то и было, то уже изъяли. Но, к сожалению, не мы.

Действительность быстро его опровергла, заставляя не делать поспешных выводов, какими бы логичными ни казались доводы.

К нам подошел молодой опер из его бригады и сказал:

— Господин подполковник, тут нянечка одну вещичку нашла, — и при этом он как-то загадочно ухмыльнулся.

— Чья нянечка? — не понял Грязнов.

— В больницах обычно работают нянечки, — напомнил я.

— И что там? — спросил он у опера. — Где она?

Молодой человек обернулся и знаком пригласил подойти к нам самую обычную старушенцию, какие во многих количествах работают в больничных учреждениях.

— Расскажите, как вы это обнаружили, — предложил ей ухмыляющийся опер.

— Да как? — откликнулась бабушка. — Взяла я ее, значит, и пошла сливать.

— Минуточку, — остановил ее Грязнов. — Кого вы взяли?

— Так утку же! — Нянечка недоуменно смотрела на него. — Выливаю, а он оттуда и выпади.

— Кто? — Грязнов понял, что лучше проявить терпеливость, если он хочет понять хоть что-нибудь. — Кто — выпади?

— Ключ, — ответила старушка. — Маленький такой. Не похоже, что от квартиры.

Грязнов посмотрел на своего подчиненного. Тот подал ему маленький ключик и объяснил:

— Полина Григорьевна освобождала утку, которой пользовался Борисов. Мочился он в нее, понимаете? Иногда мочатся и те, кто даже без сознания находится. А в утке этой самой находился этот самый ключик.

Грязнов задумчиво рассматривал предмет, который ему передали.

— Похож на обыкновенный ключ от камеры хранения, — объявил он после долгого молчания и обратился к старушке: — Спасибо, Полина Григорьевна. Вы нам очень помогли.

Полина Григорьевна с достоинством ему кивнула и медленно пошла от нас, все время оглядываясь: не позовем ли обратно?

— Как он мог засунуть ключ в утку? — спросил я. — Как он вообще оказался у него. Его же должны были выпотрошить, когда клали сюда.

— Спроси чего-нибудь полегче, — заявил Грязнов. — Лучше скажи, где нам искать эту ячейку, в какой камере хранения, на каком вокзале?

— А теперь ты спроси полегче, — отпарировал я.

Он кивнул, давая понять, что иного ответа и не ожидал.

— Так что с этими артистами-охранниками? — спросил я у него. — Имей в виду, у меня на них большой зуб.

И вкратце рассказал ему, что здесь со мной произошло.

— Разберемся, — туманно ответил он. — Идет дознание, господин Турецкий.

— Вот и хорошо, — кивнул я. — Ты работай здесь, а я пошел на встречу с Аничкиным.

Надеюсь, что убежденность в моем голосе прозвучала натурально. Я поверю в возможность такой встречи только после ее окончания, но это мое внутреннее дело.

Грязнов с интересом посмотрел на меня.

— Ты ничего не хочешь мне сказать? — спросил он.

Почему-то мне захотелось хоть немного побыть серьезным.

— Потом, — ответил я. — После встречи.

Он махнул мне рукой и подозвал своего помощника:

— Давайте-ка сюда этих артистов из охраны. Мне хочется задать им еще пару вопросов.

Я не стал больше докучать Грязнову своим присутствием. Никуда не денутся от меня свидетели из госпиталя, если и это дело будет у меня в руках. Грязнов работать умеет, ему и карты в руки. Потом доложит. А у меня тоже есть дела.

И весьма важные.

4

Генерал Петров не обманул. Люблю иметь дело с порядочными людьми, даже если они — гекачеписты.

— Полковник Лукашук сделает все, что нужно, — кивнул он на своего подчиненного. Тот даже ухом не пошевелил, стоял как скала. — И вот что еще, Александр Борисович. Сразу после беседы с Аничкиным жду вас у себя.

— Зачем? — на всякий случай спросил я, вовсе не удивленный таким оборотом дела.

— Думаю, что нам будет о чем поговорить, — ответил Петров и новым кивком дал понять, что я свободен.

Пришлось встать и откланяться. За встречу с Аничкиным я на многое согласен.

— Здравствуйте, — сказал я. — Старший следователь по особо важным делам Александр Борисович Турецкий. Я пришел, чтобы поговорить с вами о вашем деле. Ознакомиться с фактурой, так сказать, от лица прокуратуры.

До самой этой минуты я не верил, что мне позволят-таки с ним встретиться. Но вот он передо мной. Только что его ввели в следственный кабинет Лефортова и оставили нас наедине. И мы можем говорить. Разумеется, разговор наш будет записан гебешниками на пленку, но меня это мало волновало. Я ничего не знал, а они — все. Они ничего нового, по всей вероятности, не услышат, а я могу. Если, конечно, Аничкин сочтет нужным рассказывать. Пожалуй, не стоит предупреждать его о том, что разговор наверняка записывается. Ну разве в самом крайнем случае. Но ведь и он не мальчик, а полковник госбезопасности.

Мне пришлось выбрать такой тон, чтобы он был как бы и официальным (если обвинение и вправду ложное, это должно заставить Аничкина разговориться), и в то же время врать тоже было нельзя: дело Аничкина в моем производстве не находилось. Я вел, так сказать, ознакомительную беседу.

Выглядел он относительно неплохо. Вообще-то недели в тюремной камере никому не идут на пользу, тем более когда неопределенность положения давит на психику. А на него, я был уверен в этом, давила. Но выглядел, повторяю, Аничкин неплохо. Не знаю, как бы выглядел я, окажись на его месте. Чур-чур меня!

Глаза его мне тоже понравились. Он пытливо меня осмотрел и после того, как я представился, кивнул:

— Аничкин. Полковник службы безопасности.

— Это мне известно, — мягко сказал я. — Я пришел сюда, чтобы вы рассказали мне все. До нас дошли сведения, что вас арестовали по ложному обвинению.

— Мне пока вообще не предъявлено никакого обвинения, хотя действовал я в пределах необходимой обороны. Причем не только собственной. Был ранен, но, кажется, дело пошло на поправку.

— Вас обвиняют в убийстве нескольких человек, — продемонстрировал я свою осведомленность, ссылаясь на рассказ Лукашука, когда мы сюда ехали, — а также в государственной измене. Через вас шла утечка информации. Это так?

— Нет.

И он замолчал, словно изучая меня.

Я решил начать сначала:

— Что вы имеете в виду, говоря о необходимой обороне? Причем не только, как вы говорите, вашей?

Он долго молчал, и я уже стал беспокоиться. Он мог запросто ничего не сказать. Я для него посторонний. Хотя зачем ему все это держать в себе? Если у него есть хоть капля здравого смысла, он поймет, что самое лучшее, что может сделать человек в его положении, — это сказать правду.

Слава Богу, здравый смысл у него был, и, как я понял далее из рассказанного им, совсем даже не капля, а гораздо, гораздо больше.

— Говоря о необходимой обороне, я имел в виду оборону страны. Родины. На самых верхах власти готовится страшное предательство, которое грозит превратиться в катастрофу, если этих людей не остановить.

Ну вот. Что и требовалось доказать. Но может быть, стоит ему намекнуть, что разговор наш записывается на пленку? Ладно, послушаем пока дальше.

— Вы можете рассказать что-то конкретное?

— Да, — кивнул он. — Я готов под любой присягой подтвердить, что высшие чины в службе безопасности страны, а также отдельные высокопоставленные ответственные работники из окружения и администрации Президента России вступили в преступный сговор и организовали устойчивую группу, которую они называют Стратегическим управлением.

Да, эта встреча мне нужна была больше, чем им. Но я и представить себе не мог, насколько был прав.

Я уже хотел дать понять собеседнику про записывающие устройства, но Аничкин меня опередил:

— Я отдаю себе отчет, что мой голос в эту минуту могут записывать на пленку. Но я этого не боюсь, — твердо заявил он. — Правды нельзя бояться. Для них, для тех, кто организовал все это, ничего нового я не скажу, но если есть крохотная надежда, что мои показания станут достоянием гласности, значит, нужно использовать любую возможность, чтобы это произошло. Итак, я повторяю: в высших эшелонах власти и силовых структур действует группа заговорщиков. Эти люди делают все, чтобы дестабилизировать ситуацию в стране. Я не знаю всех конкретных действий этих заговорщиков, но одно я могу назвать. И уже это одно могло бы натворить столько беды, что мало не показалось бы. Я утверждаю, что через меня эти люди пытались передать чеченским боевикам Дудаева две атомные бомбы.

— Что?! — не поверил я своим ушам.

— Эти бомбы находились в двух небольших чемоданчиках. Мне сказали, что я должен передать чеченцам неисправные ядерные установки «Самум», которые засекречены, но о которых почему-то знают люди Дудаева. Мне сказали, что делается это с целью выявить источник информации в ФСБ. Мне сказали, что Стратегическое управление — это подразделение в составе службы безопасности, которое предназначено для выявления предателей в нашей среде. Но они сами оказались предателями. Они вручили мне для передачи чеченцам настоящие ядерные бомбы.

— Но почему именно вам? — не понимал я.

— Я стал опасен, я задавал слишком много ненужных вопросов, так я это понимаю. Они решили использовать меня и потом меня же обвинить, если бы где-то что-нибудь всплыло. Я бы не смог доказать, что выполнял приказ.

— Все это похоже на бред сумасшедшего.

Он вдруг жестко посмотрел на меня и так же жестко, как это могут делать профессиональные чекисты, проговорил, глядя мне прямо в глаза:

— Скажите мне: как вы узнали, что я здесь?

Я замялся, но все-таки ответил:

— Во-первых, ко мне обратилась ваша жена. А генерал Петров любезно разрешил мне встретиться с вами.

— Не лгите, — приказным тоном бросил он. — Вы знаете, кто такой генерал Петров?

Внутренне я махнул рукой на все. Пусть попробуют и меня арестовывать. Только вряд ли у них это получится так же легко, как с Аничкиным. Я уже предпринял специфические меры предосторожности. Да и потом, что они, не догадываются, что мне известно, кто такой генерал Петров?

Я ответил Аничкину:

— Генерал Петров — активный член Стратегического управления.

— Правильно! — тут же согласился он со мной и вдруг удивленно на меня посмотрел. — Так вы знаете? Вы тоже?..

— Я — нет. Я только расследую дело об убийстве высокопоставленных лиц.

— И вам дали со мной свидание, — вдруг спокойно сказал он. — Понятно.

— Что вам понятно? — начал я злиться. За кого меня принимает этот человек?

Но, когда он ответил, многое стало проясняться. Генерал Петров, оказывается, имел на меня вполне конкретные виды. Он был очень корыстным человеком, этот генерал.

— Они хотят знать, где бомбы, — так же спокойно проговорил Аничкин.

— Как это? — растерялся я. — Вы спрятали от них бомбы?

— Да. Я один знаю, где они находятся.

Я не верю в несгибаемых партизан в наше время. Неужели они не могли вышибить из него местонахождение этих бомб? Просто не верится.

— А почему они не приняли соответствующих мер? — с вызовом спросил я.

Он посмотрел на меня и усмехнулся.

— Это не так-то просто сделать, — сказал он. — Если они вздумают меня пытать, может получиться нежелательный резонанс, а они его избегают. Зато можно бессрочно держать меня здесь. Мы из одной «конторы», так что они под разными предлогами могут вести мое дело до бесконечности. Но время, думаю, работает против них.

— Вы думаете? — вяло проговорил я.

— Уверен. Как там выборы проходят?

Черт! Я и забыл обо всем этом.

— О результатах говорить еще рано, — осторожно ответил я. — Завтра утром будут известны только предварительные результаты.

Выборы-то сегодня! Черт...

— Вы проголосовали? — спросил он меня.

— Избирательные участки работают до десяти, — почему-то извиняющимся голосом ответил я. — Так что успею.

— И за кого вы?

— За Ельцина или Явлинского, там посмотрим.

— О чем думает этот Ельцин? — зло проговорил он, глядя в пустоту. — Набрал себе помощничков.

Я подивился загадочной душе русского человека. В тюрьме сидит, можно сказать, ни за что и о выборах говорит. Что чекист, что бабушка из трамвая.

— А я не голосовал, — сообщил он мне. — Никто так и не пришел.

— Почему? — возмутился я.

— А кто их знает, — устало проговорил он и переменил тему: — Теперь вы понимаете, почему они дали вам со мной встретиться?

Да, теперь я понимал. Да, генерал Петров, а вы та еще штучка!

Аничкин продолжил:

— Они думали, что я сразу начну орать: хочу, мол, сделать важное государственное сообщение! По такому-то адресу находятся две атомные бомбы! Стране грозит катастрофа! Виновные генерал Петров, генерал Басов, работник администрации — приближенный Президента Васильев, генерал МВД Мальков...

— Как вы сказали? — заинтересовался я. — Васильев?!

— А вы что, знакомы?

— Да нет, — пожал я плечами. — Просто чем больше фамилий, тем лучше.

Он покачал головой:

— Я знаю много, чтобы рассказать об этом, но очень мало, чтобы доказать. Боюсь, что вам придется очень потрудиться в поисках доказательств.

— Кое-что мы делаем, — заверил я.

— Как вы понимаете, местонахождение чемоданов я вам не раскрою, — сказал он твердо.

— И не надо, — замахал я руками. — Я еще жить хочу. Зачем им такой свидетель, как я. Головная боль только.

— Правильно, — кивнул он. — Я рад, что вы сами все поняли. Теперь, Александр Борисович, вы похожи на того велосипедиста, который должен крутить педали, чтобы не упасть. Или встать на их сторону.

— Знаю.

Он внимательно посмотрел на меня. Я кивнул ему и прикрыл веки: мол, все будет хорошо. Он улыбнулся. Кажется, он меня понял.

Я встал и протянул ему руку.

— Желаю удачи, — сказал он.

— И вам того же, — сказал я, внимательно глядя ему в глаза.

Пока есть такие офицеры, как он, да еще тот таинственный незнакомец из приемной Петрова, да Грязнов, да Меркулов, ну и я, разумеется, всякие там Стратегические управления спокойно спать не будут.

— До свидания, — сказал он.

— До свидания.

По лицу полковника Лукашука невозможно было понять, какое впечатление на него произвел наш разговор с Аничкиным. То, что он его слышал, не вызывало у меня никаких сомнений. Маска невозмутимости накрепко прикипела к его лицу. Да Бог с тобой, Лукашук. Я знаю, что ты мне скажешь сейчас.

Так и вышло. Он сказал:

— Вас ждет генерал Петров.

Я решил покапризничать.

— Потом, потом, — махнул я рукой. — Мне еще проголосовать надо.

Лукашук усмехнулся.

— Вот это вы успеете в любом случае, — сказал он. — Прошу в машину.

Возражать не имело смысла, и я полез в машину. Я искренне надеялся, что, если не успею проголосовать, этот факт не повлияет на становление многострадальной российской демократии.

Я имел право на это надеяться, не так ли?

Автомобиль резко дернулся и, не обращая внимания на светофоры, помчал меня к генералу Петрову.

Я хотел послушать, что мне предложат. Потому что у меня тоже было что предлагать. Я задумал рискованную операцию, граничащую с безумием, но игра стоила свеч. Я даже знал, что Петров с восторгом ухватится за мою идею.

Но одновременно мне казалось, что я не успею ему сделать предложение, поскольку он меня опередит.

А я как бы удивлюсь.

Глава 14

ЛИЛЯ ФЕДОТОВА

Лиля Федотова делила окружающих ее людей на две категории: личность и неличность. Эта простая в общем-то мысль посетила ее в раннем детстве, столь раннем, что когда Лиля, уже взрослая, рассказала о ней матери, та ответила категорично:

— Ты не могла в таком возрасте до такого додуматься!

Между тем Лиля ясно помнила день и час, когда это произошло.

Было лето. Они всей семьей отдыхали на море в Юрмале. Лиля заболела, потому что втайне от родителей бегала со знакомым мальчиком купаться после захода солнца, нарушив сразу два строжайших запрета: не купаться одной и не купаться после того, как выпадет роса. В результате она простудилась и заболела. Она лежала в постели возле окна, в двухэтажном деревянном доме на окраине соснового леса. Она лежала одна-одинешенька в наказание — родители с братом ушли гулять.

Стемнело. Вдруг Лилю осенила догадка: однажды я тоже умру! Она даже расплакалась от страха и хотела закричать, хотя знала, что ее никто не услышит и не прибежит на помощь.

Выплакавшись, она долго лежала не шевелясь и рассматривала со всех сторон перспективу собственной смерти, пока к ней не пришло новое открытие: на свете есть миллион девчонок, да и мальчишек, которые бы сейчас с воем кинулись прятаться в шкафу и сидели бы там до возвращения родителей, но я — я, Лиля, так не делаю. Почему? Я не такая, как другие!

От восхищения перед собственной храбростью ей стало весело, страх улетучился, как не бывало, и она спокойно уснула.

С тех пор она начала делить людей на тех, которые поступают как все, и тех, которые поступают наоборот, себя, естественно, причисляя к последним.

«Как все» были неинтересными, плоскими, скучными. «Наоборот» — делали игру под названием жизнь веселой, сложной и захватывающей. Поначалу таких людей вокруг было мало, практически — она одна, но Лилю это не смущало.

Все хорошие девочки в ее классе учились хорошо — она, наоборот, считала учебу занудством и специально не старалась. Все после уроков искали по заданию пионерской дружины каких-нибудь ветеранов для подшефной тимуровской работы — Лиля бродила по арбатским переулкам в поисках особняка, в котором жила Маргарита, а на Патриарших прудах — нехорошую квартиру...

Единственной подругой ее в школьные годы

стала тридцатилетняя художница по фамилии Грек, — Гречка, как все ее называли, — которая вела в их школе кружок художественной фотографии. И хотя Лиля не обнаруживала в себе никаких склонностей к искусству, она приходила к Гречке в кружок, а потом и домой на Плющиху, почувствовав притяжение сильной и талантливой личности.

Одних людей общение с сильной личностью подавляет и сводит на нет, других, наоборот, вдохновляет и заражает желанием тоже достичь чего-нибудь значительного в жизни. Общаясь с Гречкой, Лиля установила для себя еще одну истину, которую запомнила на всю жизнь: «Даже пинок под зад, полученный от личности, возвышает, в то время как, если тебя облает в трамвае баба с кошелкой, это не принесет ничего, кроме слез и унижения».

Когда она заканчивала школу, две профессии считались самыми престижными: экономист и врач. Все поступали в финансовые и медицинские. Родители Лили, московские медики во втором поколении, прочили родную дочь в мединститут, но она, уперших всеми четырьмя лапами, настояла на юридическом:

— Мне нужно. Ну и что, что у вас нет связей? Я сама смогу поступить! Я умная, я талантливая! Я хочу быть следователем!

Она всегда знала, что будет делать карьеру и добьется успеха. Но и на личной жизни креста тоже не ставила, поскольку с детства предпочитала играть в войну с мальчишками, чем прыгать с девочками в резинку (хотя, кстати, и в резинку она играла здорово и доходила до гигантской пятой высоты, когда резинку натягивают на уровне талии), — словом, в детстве она от отсутствия поклонников не страдала. Одно время, влюбившись в пятнадцать лет в своего одноклассника, некоего Аксенова, она даже всерьез колебалась между личной жизнью, которая вырисовывалась в виде замужества сразу после окончания школы, и карьерой.

Мама, узнав о ее чувствах к Аксенову, только сказала:

— В одну телегу впрячь не можно коня и трепетную лань! — чем несказанно Лилю оскорбила.

Уж она-то своего любимчика никак не могла сравнить с конем, а считала чем-то средним между средневековым благородным разбойником и современным героем. И кто знает, возможно, к теперешнему возрасту Лиля и превратилась бы в загнанную домохозяйку, жену и мамашу-наседку, как все ее более «удачливые» одноклассницы, если бы в десятом классе ее вдруг не объявили «доской». В том смысле, что она — «доска, два соска», а лучше быть последней уродиной и тупицей, но иметь в шестнадцать лет грудь, бедра и отклченную попку.

Наконец-то дорогие одноклассницы нашли, чем припечатать эту «принцессу» Федотову! Пусть не воображает, что она лучше всех. И в тот же день, как негласный совет школьных авторитетов признал, что Федотова — «доска», благородный Аксенов слинял, исчез и растаял и даже глаза на нее боялся поднять, проходя мимо по коридору.

Но, как говорится, недолго музыка играла, и Лиля очень скоро убедилась, что во сто раз выгоднее иметь ее худощавую европейскую фигурку, чем пышные формы, которые к тридцати годам расплываются и превращают женщину в свиноматку.

Но первый неудачный любовный опыт навсегда привил Лиле отстраненное и ироничное отношение к мужчинам. Когда она поступила на юрфак, такой сугубо мужской институт, то от поклонников у нее отбоя не было, но Лиля и на личные отношения перенесла свое жизненное кредо иметь дело только с личностями, у которых есть чему поучиться.

Сначала она догоняла в развитии своего избранника, затем некоторое время оставалась с ним на равных, а затем перегоняла и уходила, повесив его рога на стену как охотничий трофей. Почему, думала она, эти ослы так уверены, что если женщина красива, то обязательно с куриными мозгами, а если умна, то обязательно высушенная мымра? Сами себе роют яму своей ограниченностью! Ха-ха! Я вас всех еще тут перегоню и обставлю!

Таким образом, не теряя головы и всегда помня, зачем и для чего она живет и учится, Лиля к пятому курсу превратилась в опытную охотницу за сильной половиной человечества. Залучив в свои сети очередного умного и талантливого мужика, она постепенно высасывала из него, как паук из мухи, все, что только можно было: жизненный опыт, знания, секреты ремесла или, как модно стало говорить сейчас, его «ноу-хау», а также его связи, знакомства, всяческие ходы-выходы, крючки-зацепки, отмычки-ключи, без которых невозможно войти в узкий и весьма закрытый и опять же сугубо мужской мир юриспруденции. Но Лиля поставила себе цель не просто войти в него и занять место в середине звена, нет! Она и там собиралась опередить многих и очень сильных.

При этом не только охмуренная, облапошенная

и обобранная до нитки, образно выражаясь, жертва не догадывалась, что действия Лили нечистоплотны, мягко говоря, сама Лиля этого не знала. Подымаясь от романа к роману, как со ступеньки на ступеньку, Лилечка Федотова оставалась такой естественной, милой и глубокой девушкой, предупредительной и интеллигентной, что невозможно было бы заподозрить ее в меркантильных интересах.

Наоборот, это она снисходила с высоты своего ума и обаяния к очередному страждущему обожателю, пребывала с ним некоторое время и исчезала, «как сон, как утренний туман», оставив покинутому любовнику самые лучшие воспоминания о себе. И даже если в глубине души мужчина и чувствовал себя обманутым, то винил в этом лишь собственный эгоизм и узость мышления, заставившие его хоть на минуту поверить, что это божество и вдохновенье захочет принадлежать ему одному всю жизнь!

А Лиля, повесив рога очередной жертвы на стенку, повышала себе планку и искала подходы к завоеванию очередной неприступной мужской особи. Неприступной не в смысле секса — о, такого-то мужчины, пожалуй, еще Бог не создал! Чтобы он и подкаблучником у своей благоверной мегеры не был, и сохранил целомудрие в браке? Но Лиле нужно было завладеть им не только в постели, а завладеть его душой, мыслями, планами и надеждами на будущее, иначе победа не принесла бы ей ничего полезного.

Александра Борисовича Турецкого она увидела и возжелала (другое, менее напыщенное слово не отразит полноты смысла!) уже давно, еще когда девчонкой работала один год перед поступлением в юридический секретаршей в прокуратуре Москвы. Родителям удалось пристроить туда непокорное чадо после того, как она при первом заходе провалилась на экзаменах в заветный юридический. Лиля сидела в машбюро и перепечатывала всякие протоколы и постановления следователей следственной части Мосгорпрокуратуры, а вокруг толпилась, как обычно, куча граждан, ошизевших от долгих поисков правды в коридорах Фемиды.

И тут, как пишут в романах, вошел он, и Лиля в него сразу влюбилась... Ну, на самом деле все обстояло несколько иначе, но не суть важно!

Старший следователь по особо важным делам, знаменитый «важняк» Турецкий проносился впопыхах, с невидящим взглядом, мимо стола заштатной секретаря-машинистки, не замечая ее и даже, кажется, не подозревая о ее существовании. То, что он — личность, и не просто даже личность, а вообще нечто непостижимое, как великий магистр ордена розенкрейцеров, она поняла с первого взгляда. Можно было даже ничего не знать об Александре Турецком, не слышать о его подвигах (а коридоры прокуратуры в этом смысле весьма прозрачны, и о подвигах Турецкого, как профессиональных, так и амурных, тут легенды ходили), но достаточно было бы раз взглянуть в его серые, с огоньком, глаза, чтобы ощутить физическую силу, исходящую от этого человека.

Так, когда сходятся единоборцы и становятся в стойку, они прежде всего оценивают возможности друг друга по взглядам и еще до начала боя предполагают, кто из них выйдет победителем.

Лиля, с первого взгляда оценив тогда возможности Турецкого, не усомнилась ни на секунду, что если бы ей и удалось крутнуть с ним роман, то это была бы просто *его* очередная победа и ее скромное имя было бы внесено в серединку его донжуанского списка (ежели Турецкий вел таковой) даже без птичек и восклицательных знаков на полях. Ну еще бы! Ведь она всего лишь секретарша, пусть спасибо скажет, что посмотрел в ее сторону!

Поэтому тогда, семь лет назад, Лиля и думать о нем себе запретила. Так, грезилось что-то девичье в подушку, как бы все могло у них сложиться, если бы... Но днем она даже головы не поворачивала в его сторону, когда он входил. А то, что вошел именно он, а не какой-нибудь прокуратурский крючок, она чувствовала спиной и затылком.

Поступив на юрфак МГУ, она больше никогда не встречала Турецкого и даже забыла о нем — так ей казалось, хотя не помнить — еще не значит забыть. Он просто исчез с ее горизонта как «смутный объект желания». Лиля Федотова в этом смысле всегда была здравомыслящим реалистом.

После университета она два года отработала в районной прокуратуре. А когда Турецкому, уже работавшему в следственной части Генпрокуратуры, потребовался следователь в его бригаду и об этом спросили Федотову, она, не колеблясь, дала согласие поработать с «важняком» Турецким. Попав в группу и под начало Александра Борисовича, она — двадцатипятилетняя и уже не то чтобы умудренная, но опытная и самоуверенная женщина — поняла, что подсознательно все годы готовилась к этой встрече и собирается взять реванш. Турецкого она не забыла. Только теперь это уже не была любовь с первого взгляда юной Татьяны к подлецу Онегину. Скорее, это был бой между амазонкой и греческим воином, из которого она рассчитывала выйти торжествующей победительницей, волоча за собой на аркане плененного героя.

Турецкий ее не узнал. Где уж ему помнить физиономию секретарши! Ну и отлично. Честно говоря, Лиле не хотелось бы, чтобы кто-нибудь теперь напомнил ей те времена, когда она горбатилась и ломала ногти за пыльной машинкой в прокуренном машбюро. Она влилась в следственную бригаду на равных, как состоявшийся коллега, а с другой стороны, еще и пользуясь привилегиями — она всего лишь начинающий следователь и взятки с нее гладки. Никто и не ждет, что она тут же начнет носом землю рыть и всем на удивление возьмет да и отыщет убийцу и еще накопает кучу доказательств. Да и, паче чаяния, если бы она и на самом деле отыскала преступника и изобличила его, то это ничего бы, кроме раздражения, у старших коллег не вызвало: кому нужны выскочки, карьеристы-звездохваты?

Достаточно, думала Лиля, в первом разговоре вставить одно умное слово, во втором — два, в третьем — три, как твой же шеф всем начнет тебя превозносить до небес и утверждать, что ты растешь на глазах, приписывая этот рост своему бесценному влиянию.

В первый же день работы в следственной части, присутствуя телом на оперативном совещании в Главном следственном управлении Генпрокуратуры и слушая, что говорит заместитель генпрокурора

Меркулов о новом деле, поступившем в производство Турецкого, над которым группе следователей во главе с Александром Борисовичем предстояло работать, Лиля духом, так сказать, отсутствовала. Она разрабатывала в уме свой собственный стратегический план под грифом «Совершенно секретно» и под кодовым названием «Атака». Объект нападения сидел перед ней на расстоянии вытянутой руки, ни сном ни духом не догадываясь о ее коварных замыслах, и мучился от жары в партикулярной костюмной паре и при галстуке. Жара в Москве стояла градусов под тридцать. Выходя из дому, Лиля специально посмотрела на градусник: в девять утра он показывал двадцать три градуса в тени.

«Хорошо нам, женщинам», — подумала она. Лиля пришла на работу в легком летнем платье и только на совещании для солидности накинула на плечи форменный китель юриста второго класса.

Итак, думала она, внимательно глядя в спину Турецкому, — *он* меня не помнит. Это даже хорошо.

Жизненный опыт научил ее, что мужчины всегда обращают внимание на новую женщину, это закон природы. С неделю они перед ней петушатся, распуская хвосты и крылья, пока она им не примелькается и не станет просто коллегой. Тогда, будь она хоть примадонна, при ней начнут ковырять в зубах, ругаться матом и обсуждать боли в печенке.

Пока у меня есть неделя форы, думала Лиля, пока я для Турецкого просто женщина, а не солдат в юбке, надо действовать. Надо сделать так, чтобы он сам, первый, мною заинтересовался, и не длинными ногами и бюстом, а образованностью и тонким умом.

В единоборстве никогда не следует нападать первым, это ошибка новичка. Опытный боец ждет удара, чтобы еще раньше, чем противник успеет защититься, нанести ему один-единственный смертельный контрудар. Кто нападает, тот раскрывает себя, кто защищается, тот выигрывает.

Значит, стратегия ясна. Теперь тактика: она знает, что Турецкий женат. Это первая проблема. Конечно, он изменял жене, иначе бы это не было предметом разговоров, но Лиля прекрасно себе эти измены представляла. Сначала «солнечный удар» и страсть фонтаном, а через пять минут уже: «Ах, как я мог? Подлец я, подлец! — И бежать целовать жене ноги: — Ах, она святая! Больше никогда, ни с кем!» — до следующего подходящего случая.

Такая измена Лилю не удовлетворяла, ей нужен был весь Турецкий, с потрохами, а поэтому...

Наверное, он затылком почувствовал, что о нем думают, потому что вдруг беспокойно заерзал на стуле и стал искоса поглядывать в сторону Лили. Она сидела неподвижно, с непроницаемым лицом и скользила по Александру оскорбительно-равнодушным взглядом, как по столу или несгораемому шкафу.

«Красивая девчонка, — подумал Турецкий. — У мужиков в управлении кадров явно улучшился вкус. И не замужем... Хотя, может, просто не носит кольцо. Теперь не разберешь!»

Да, оторвать такого от жены не только телом, но и душой будет интересно и сложновато, думала, в свою очередь, Лиля. Надо разузнать, что его благоверная из себя представляет и зачем он с ней живет, по любви или по привычке. Хотя любил бы — не изменял, в этом Лиля была совершенно убеждена. В чувствах она сама оставалась максималистом и консерватором. Попробовал бы хоть один из ее обожателей изменить ей, пока она с ним жила! Да ему бы в голову такая мысль не пришла, все они были слепы и глухи, как новорожденные щенята, и осязали одну ее в целом свете.

«Ну и заодно надо бы узнать, нет ли у него на данном этапе какой-нибудь очередной полногрудой блондинки, — подумала Лиля, — а то ведь свято место пусто не бывает».

Наличие любовницы могло привнести серьезные осложнения. Жизненный опыт подсказывал, что оторвать мужчину от любовницы сложнее, чем от жены, хотя на первый взгляд кажется — чего там! Что одна любовница, что другая, это уже все равно, а вот жена — это святое!

— Что ж, господа-товарищи, — закончил свою речь Меркулов, — задача вам, в общем, понятна. Вопросов нет? — спросил он, обведя взглядом коллег.

Все хором вздохнули и зашевелились, как ученики при звуке звонка, с облегчением поглядывая на часы. Формальная часть окончилась, сейчас они разбегутся по своим делам выполнять домашнее задание. Но пока есть минуты две-три подытожить и перекинуться парой слов...

— У меня есть вопрос! — вдруг сказала Лиля, по-студенчески подняв перед лицом шариковую ручку, как бы концентрируя на ней внимание начальства.

Все повернулись и посмотрели на нее с интересом.

— Да? — нахмурившись, кивнул Меркулов.

Не было у него времени на лишние объяснения.

Лиля задала ему придуманный заранее простой и дельный вопрос, несомненно относящийся ко всему, о чем только что шла речь и демонстрирующий остроту и широту ее мышления, но... Но заместитель генпрокурора не мог бы ответить на него точно так же, как не может ответить папа маленькой дочке, которая, выслушав сказку про кошкин дом, вдруг задает вопрос:

— А тигр — тоже кошка? Почему?

И, пригвожденный к месту ее сообразительностью, Меркулов сделал то же самое, что и взрослый папа, отвечающий маленькой дочке: «Иди спроси у мамы», — он отослал Лилю к Турецкому.

— Вот Александр Борисович теперь ваш командир, пусть он вам все и объяснит.

На что Лиля как раз и рассчитывала.

Турецкий, не меньше Меркулова удивленный сметливостью и хваткой молодой следовательши, забрал Лилю с собой в машину и весь день не отпускал от себя, натаскивая, поучая и наставляя на ходу между делами.

Таким образом, за один день Лиле удалось убить двух зайцев. Во-первых, она обратила на себя внимание Турецкого и, как заметила к концу рабочего дня, смогла ему понравиться. Во-вторых, ей удалось напроситься к нему домой. Собственно, напрашиваться ей и не пришлось, Александр сам пригласил, ей только потребовалось слегка направить его мысли в нужное русло.

Получилось так: около одиннадцати вечера они ехали к Фрунзенской набережной, и Лиля попросила высадить ее возле метро «Парк культуры».

— Только, пожалуйста, остановитесь возле киоска, — добавила она.

— Запасы к ужину? — улыбнулся Турецкий, притормаживая у тротуара.

— Нет, ужасно пить хочу. Куплю «Веру» или «Святой источник», а то не доеду до дома — такая жара!

— А вам далеко ехать?

— Одну остановку, до «Октябрьской», но если не утолю жажду — умру по дороге! — рассмеялась Лиля, открывая дверцу и собираясь выйти из машины.

Турецкий соображал быстро.

— Заедем ко мне, это рядом, — предложил он. — Ирина вам и кофе предложит. Загонял я вас сегодня?

— Да уж, — призналась Лиля. — Устала.

Он и сам устал и, сдав гостью на руки жене, сразу же исчез в ванной.

— Горячую воду отключили! — крикнула ему через дверь Ирина, подавая Лиле гостевые тапки.

В ответ из ванной донеслось тихое рычание Турецкого, влезшего под ледяной душ.

— Проходите на кухню, — предложила Ирина. — Вы извините, что принимаю вас в кухне, но...

— Ничего-ничего! — заверила ее Лиля, бросая быстрый взгляд на плиту, где шипело, шкворчало и булькало содержимое кастрюль и сковородок. — Я вас не задержу.

— Нет, какая тут задержка! — замахала руками Ирина, которой на самом деле ужасно некстати пришлось внезапное появление в доме постороннего человека. — Оставайтесь с нами ужинать! Вы совершенно мне не помешали! Я даже рада, знаете, весь день одна кручусь по дому, и поговорить не с кем. Присаживайтесь!

Ей все казалось, что гостья заметит неудовольствие хозяйки, и изо всех сил старалась сгладить впечатление.

— Вам кофе или чай? Сейчас поставлю, — суетилась Ирина, весь день неважно себя чувствовавшая и собиравшаяся в тот вечер лечь спать пораньше.

Лиля с первого взгляда определила, что из себя представляет жена Турецкого: святая простота! Такая скорее себе руку отрежет, чем бросит в кого-нибудь камнем подозрения.

Она беременна, судя по животу, и выглядит, как и положено нормальной советской (а как иначе выразиться?) беременной, плохо. Пальцы рук опухают, ноги отекают, цвет лица нездоровый, бледно-зеленый от токсикоза. В общем, картина ясная.

Старший ребенок — девочка лет четырех-пяти — бегает по квартире в ночной рубашке, босиком, не хочет ложиться спать, хочет прорваться на кухню. Из коридора до Лили донесся ее жадный шепот:

— Мама, мама, я хочу посмотреть, кто пришел! — и ответные увещевания Ирины.

Кошмарные радости семейного быта! У Лили от них душу воротило.

К Ирине Турецкой она не испытывала ни жалости, ни сочувствия, потому что про себя давно решила: в жизни женщина должна выбирать между семьей и работой. Или — или. Или сидеть дома, нюхать цветы, учить троих-четверых детей французскому языку и игре на пианино, как и полагается хорошей матери, или бегать высунув язык по своим делам и жить своей жизнью одинокой хищницы. Третьего на дано. А всякие там дурацкие социальные утопии, что женщина может и пахать, как конь, и детей воспитывать, приводят к тому, что к сорока годам превращаешься в такую загнанную кобылу, полную неудачницу — и на работе все горит, все из рук валится, и дома дети сопливые и голодные бродят, кинутые на произвол судьбы...

Ведь за сто километров видно, что в этом доме одна Ирина разрывается — «Фигаро здесь — Фигаро там», в то время как Турецкий свято верит, что котлеты и суп с фрикадельками зарождаются сами собой, как гомункулусы в пробирках. А его несчастная жена и на второго ребенка пошла, как комсомолка на боевое задание, не по желанию, а потому, что надо! Надо — а то возраст уходит, силы убывают, жизнь усложняется, а пока еще есть здоровье, надо завести второго. Если не сейчас, то уже никогда...

Лиля пробыла у Турецких не больше пятнадцати минут. Выпила стакан апельсинового сока из холодильника, пригубила кофе и наотрез отказалась от предложения Ирины остаться поужинать.

— Спасибо, но меня дома ждут! — и поспешила распрощаться с хозяйкой, не дожидаясь появления из ванной Александра.

«Я ей не понравилась! — с огорчением подумала Ирина, закрывая за гостьей дверь. — Она решила, что я — копуша. Домашняя курица-копуша. И еще халат этот идиотский!..»

Ирина, как все интеллигентные женщины, не признавала халат за одежду, но что же делать? Старая летняя домашняя одежда не налезает на пузо, а та, в которой она носила Ниночку, вся зимняя. Конечно, Ирина прикупила себе и платье, и сарафан слоновьего размера, и даже разорилась на прекраснейший комплект белья и английский бандаж из салона-магазина для беременных «Бостон», но всю приличную одежду она берегла на выход в свет — не дома же, у плиты, морковку тереть в льняном костюме, на который попади пятно — и пропал.

Но после ухода гостьи Ирина решительно сбросила с себя униформу домохозяйки и надела сарафан, в котором сразу же почувствовала себя толстой и неуклюжей — хоть плачь!

— Что, она уже ушла? — спросил Александр, появляясь на пороге кухни и даже не замечая перевоплощения Ирины.

Жена сидела за столом и смотрела на него с выжидающей улыбкой, думая, что он все же догадается спросить:

— А почему ты в парадном платье?

Тогда бы она смогла сказать, что чувствует себя некрасивой и несчастной, уродливой бочкой, для того чтобы Саша, в свою очередь, обнял ее и стал ласково упрекать:

— Ну что ты, Ирочка, ты у меня красавица, любимица, мамочка моя! Как ты можешь так говорить? Я очень люблю твое пузо-карапузо, кого оно там прячет? Мальчика или девочку?

Но Турецкий так и не заметил на жене новое платье, вместо этого он сел и сказал:

— Ну, ладно, корми меня. Я устал сегодня как собака. Никто не звонил?

— Суп будешь? — со вздохом ответила Ирина, тяжело подымаясь со стула.

М-да! — думала Лиля в тот вечер по дороге домой. С этой жертвой собственной порядочности все ясно. Он ее по-своему любит и никогда от нее не уйдет, но отравлять ей жизнь своими подвигами на стороне будет. Жену его надо попросту убрать с глаз долой. Жаль, что я не спросила, в декретном она или еще нет? Судя по животу, даже если и не в декретном, то скоро выйдет. Куда бы ее деть? Неужели она от него никогда никуда не уезжала, к родителям, к сестрам-братьям, к друзьям? Сидит небось с утра до вечера дома, жрать готовит своему благоверному да полы моет... Неужели он ее никуда не отправит отдохнуть?

Нет, конечно! Где уж ему догадаться самому? А кто его кормить будет вечером и носки свежие подавать утром?

Нужно ее услать на отдых, это подходящий вариант. Только вот куда? Кавказ отменяется, там неспокойно. Крым? В Крыму — холера каждый год и вообще столпотворение народу. Да и самолетом она не полетит, побоится, а два дня душиться в поезде до Симферополя — не реально. Про заграницу даже думать нечего, хотя... Может, в Прибалтику?

Так, а что, если действительно в Прибалтику?

Что там есть? Неринга, Нида, Друскенинкай, Паланга, Юрмала... Отличные курорты. Почему бы нет? Не далеко, с одной стороны — Европа, с другой — еще недавно одна страна, один язык. И всего ночь в поезде. А ведь можно будет даже машиной отправить. Что, не возьмет Турецкий ради такого случая служебную машину в своей конторе? Возьмет!

И все-таки интересно, зачем он на ней женился? Она же ему совершенно не подходит!

Если уж представлять кого-либо в качестве спутницы жизни знаменитого «важняка», то Лиля, скорее всего, представляла рядом с Турецким женщину вроде себя — независимую, сильную, настоящую помощницу и товарища. А что? Неплохо было бы из краткосрочного романа завязать и долгосрочный... годика на три, на четыре... ради такой, как Лиля, мог бы Турецкий и уйти от жены. Потом вернется, все равно простит и примет, это у нее на лбу написано. На самом деле — зачем ей Александр? Он ведь ей совсем не нужен, что он, что другой — какая ей разница? А вот Лиле нужен именно Турецкий, в том виде, в каком он сейчас собой является, — со своей работой, успехами, связями, перспективами... и никто его не сможет заменить. Разве что вдруг, неизвестно каким образом, на месте старшего следователя по особо важным делам в прокуратуре появится не Александр Турецкий, а другой человек — только тогда эта самая Ирина Генриховна сможет заполучить назад своего благоверного Сашу.

Поездка жены Турецкого на курорт была ею решена.

Но жена — не так страшно, как любовница. А у Турецкого, судя по всему, любовница действительно имелась. И вычислить ее не составляло труда. Звали ее Таней Зеркаловой, и она проходила свидетельницей по делу об убийстве бывшего управделами Совмина Смирнова. Лиля вспомнила ее слезы на груди у Турецкого, добавила немало сведений и словоохотливая муровская сотрудница Любочка, отчаянная сплетница.

— Мы тут все замечаем и все знаем и как-то, знаете, даже иногда жалеем его жену! — разливалась соловьем Любочка. — Вы знакомы с его женой? Правда, она такая милая? Нам ее как-то по-женски жалко, вы понимаете? Самое главное, Александр Борисович ее очень любит! Очень! Просто... наверное, работа такая, вся на нервах, вот и тянет порой расслабиться.

«Оправдывай его, оправдывай, — думала Лиля, — он тебе за это спасибо не скажет, адвокат».

-- А эта Зеркалова замужем? — спросила Лиля, стараясь разузнать как можно больше о сопернице, у нее была своя тактика.

— Ой, она-то замужем, но у нее муж — в Лефортовском следственном изоляторе. Во семейка, да? — засмеялась Любочка, не подозревая, что только что подсказала Лиле ход против Зеркаловой.

Муж в Лефортове! Надо все узнать об этой сладкой парочке: кто она, кто он и зачем ей Турецкий? Что Зеркаловой от него нужно? Ведь наверняка недаром женщина с такой темной биографией стала любовницей «важняка». Что-то же она хочет? Мужа вытащить? Если Зеркалова рассчитывает с помощью связей Турецкого освободить мужа — а

316

это абсолютно не реально, но она, как все бабы, может слепо надеяться, — то она будет держаться за Александра зубами и когтями. А если этот роман — всего лишь случайное совпадение и они от скуки расслабляются? Надо проверить самой, такие сведения ни у кого не вытянешь, решила Лиля. Во-первых, она досконально изучила показания Зеркаловой, и для этого ей пришлось (с разрешения «важняка») пролистать дело Смирнова. Во-вторых, она отправилась к Зеркаловой под видом «следователь хочет задать вам пару дополнительных вопросов». Эта Зеркалова и во сне ожидала хоть каких-либо известий о муже, так что даже если бы Лиля приехала к ней в три часа ночи задавать свои «дополнительные» вопросы, несчастная восприняла бы это как должное. Но Лиля не ездила к ней посреди ночи, а, вежливо договорившись по телефону, приехала к ней в семь вечера после работы.

Одного взгляда на квартиру достаточно, чтобы понять хозяйку.

Квартира Зеркаловых была красивой, но запущенной. Складывалось впечатление, будто с недавних пор у хозяйки исчез стимул убирать, стирать и мыть посуду. Так выглядит квартира человека, внезапно ставшего инвалидом без рук или без ног.

Татьяна провела Лилю в зал, хотела угостить кофе, но банка оказалась пустой. Пришлось заваривать чай. Когда же она принесла Лиле поднос с чашкой, выяснилось, что в доме кончился сахар. Татьяна и руки опустила:

— Извините! Я в последнее время не помню, на каком свете живу! — со слезами в голосе сказала она.

Пришлось в тридцатиградусную жару пить горячий чай с аптечными таблетками сахарного заменителя, придавшего чаю солоноватый минеральный привкус, как у степной воды.

Задав для виду несколько уточняющих обстоятельства обнаружения трупа отца вопросов, а также о возможных угрозах и подозрительных звонках по телефону, Лиля добилась, чего хотела: внушила Зеркаловой доверие к своей персоне.

— Вспомните, — говорила Лиля, для солидности заглядывая в толстый кожаный календарь-ежедневник в черной обложке, — может, неожиданно появились старые знакомые, которые давно исчезли, не поддерживали с вами контакты, а теперь вдруг стали искать встречи с вами или вашим отцом?

— Нет, — качала головой Татьяна, честно пытаясь вспомнить. — Ничего такого не было. Вы же знаете, меня долго не было в Москве, когда папу... Я не знаю, если кто и появлялся, то связывался прямо с ним. Я ведь уже составляла для вас список всех знакомых, вы их проверьте...

— Вы не волнуйтесь, — успокаивала ее Лиля. — Это просто формальность. Всего этого просто требует следственная процедура.

Когда официальная часть допроса закончилась, Лиля гладко и естественно перешла на неофициальный тон и согласилась на вторую порцию чая.

— Вы не пьете чай с сахаром из-за фигуры? — наугад спросила она и попала в точку: Зеркалова стала говорить о своем муже.

— Нет, это Володя пьет с сахарином. Он мой муж. У него диабет, без инсулиновой зависимости, слава Богу, но все-таки... Я за него так боюсь, — механически добавила Татьяна, скорее в ответ на собственные мысли.

— Да, я в курсе всего того, что случилось с вашим мужем, — тактично вставила Лиля. — Я же член следственной бригады, которую возглавляет Александр Борисович.

Через пять минут ей удалось вытряхнуть из Зеркаловой главное: чего она хочет? Она хотела получить свидание с мужем в следственном изоляторе. Этого свидания ей не удавалось добиться ни с чьей помощью.

Уходя, Лиля знала, что делать.

— Я вам очень сочувствую, — сказала она на прощанье. — Ничего не хочу обещать заранее, но постараюсь вам помочь. Может быть, мне удастся получить для вас разрешение на свидание, но только никому-никому не говорите, что я обещала вам помочь, а то у меня могут быть большие неприятности.

Зеркалова поклялась ей, что будет нема как рыба.

Лиля знала, что в положении Зеркаловой человек хватается за соломинку и верит в чудеса. Свое обещание она и не думала выполнять, то есть оно было так же нереально, как если бы Лиля обещала устроить Зеркаловой аудиенцию у английской королевы Елизаветы. Но Татьяна этого не понимала и верила ей, этого достаточно. Значит, если Лиля позвонит ей и скажет: «Бросайте все, немедленно поезжайте в Лефортово!» — в любой день и в любой час Татьяна помчится туда, куда скажет Лиля, не раздумывая.

...Несколько дней прошло в хлопотах по «расчистке местности». Лиля подбирала приличное место на прибалтийском курорте в Литве или в Латвии (но лучше в Литве, там к русским не так болезненно относятся) и заодно искала, кто бы мог устроить Зеркаловой разовый пропуск в Лефортово. Что касается жены Турецкого, то Лиля как-то невзначай обмолвилась о Прибалтике. Александр Борисович поддержал тему, сообщив, что вот и его Ирина раньше частенько навещала свою тетку в Прибалтике. А теперь вот сорвалось, как это ни обидно, что-то у тетки случилось, проблемы какие-то. А жаль, Ирине с девочкой сейчас бы в самый раз отдохнуть перед родами. Лиля поняла, что попала в точку.

Через знакомых Лиле наконец удалось найти одно солидное литовское агентство, предлагающее отдых и лечение. Лиля съездила к ним на Таганскую, посмотрела рекламные буклеты, поговорила с менеджером и в конце концов остановила свой выбор на Паланге. Стоимость путевки на десять дней, проживание в четырехзвездочном пансионате, четырехразовое питание — примерно сто семьдесят долларов. Эту сумму, как она думала, Турецкий сможет потянуть. Зато: одноместный номер для матери и ребенка, санаторный режим, кругом сосны и дюны, для детей — бассейн с подогревом и площадка для игр... Именно то, что нужно женщине в положении и с ребенком на руках. Пусть себе прогуливается по небольшой, открыточной Паланге и водит ребенка на экскурсии в Музей янтаря смотреть допотопных жуков, замаринованных в смоле.

Теперь нужно было тактично напомнить о недавнем разговоре Турецкому. Лиля долго — три дня! — выжидала подходящего момента.

— Ну и куда же вы решили отправить жену на отдых? — спросила она как о чем-то само собой разумеющемся, когда у Турецкого было настроение получше.

Александр не понял сразу, о чем речь. И только огорченно махнул рукой. Трудно сейчас стало, да и дорого все...

— Не такое уж это дорогое удовольствие, — возразила Лиля в ответ на эти полуобъяснения-полуоправдания. — Моя сестра, к примеру, в этом году ездила с ребенком в Палангу... — далее последовало жизнеописание несуществующей сестры и племянника в Паланге, почерпнутое из рекламного буклета. — Признайтесь, вы просто не хотите пожертвовать своим горячим обедом и ужином! — закончила она свою предвыборную речь. — По-моему, это просто эгоизм. На вашу жену тяжело смотреть.

Турецкий опешил от такой наглости. Он хотел прикрикнуть на зарвавшуюся нахальную следовательшу и сказать ей что-нибудь вроде того, что не суй нос в чужие дела, а занимайся собой... Но проснувшаяся совесть строго заявила, что девчонка-то, в общем, права.

Все эти отговорки: «Некуда ехать, не осталось хороших курортов» или «Ирине в ее положении лучше быть дома, рядом с мужем» — всего лишь отговорки для успокоения совести. Чем это, интересно, Ирине лучше от того, что она дома, рядом с мужем? Она и видит-то своего мужа только ночью.

Можно подумать, он сильно помогает ей тем, что храпит под боком. Неужели он действительно такой эгоист, что боится остаться без опеки и заботы?

В тот же вечер, вернувшись с работы, Турецкий для очистки совести заговорил с женой о различных несуществующих сослуживцах, отправлявших своих беременных жен отдыхать в санатории и пансионаты.

— И тебе, наверное, осточертела Москва? — спросил он, надеясь, что благоразумная жена сама придумает тысячу и один веский довод, почему не может или не хочет уехать из Москвы отдыхать.

Однако Ирина, крошившая редиску на салат, ответила совершенно иначе:

— Надоела! Смертельно надоела! Ты даже не представляешь, как она мне надоела!

Слова жены окончательно убедили Турецкого в том, что он — законченный эгоист и маринует несчастную Ирину в пыльной, душной, экологически грязной Москве, движимый самыми низкими чувствами.

«Хватит! — решил он. — Так больше продолжаться не может! Уже до чего дошло — сослуживцы за спиной шушукаются и обсуждают, как я мордую жену...»

Ко всему прочему примешивалось еще подленькое чувство вины за этот случайный и ненужный роман с Таней Зеркаловой.

Словом, к утру Турецкий окончательно созрел и, явившись на работу, первым делом буркнул в сторону Лили:

— Э-э-э... вот что... Вы не помните, в какой санаторий ездила ваша сестра? Я тут прикинул...

И через несколько минут он уже записывал

инструкции о том, куда следует обратиться за путевкой. Затем Лиля снова яркими красками расписала прелести отдыха в пансионате матери и ребенка в Паланге и убедила Турецкого в том, что сто пятьдесят долларов — это, в конце концов, по нашим временам просто смешные деньги.

Устранение жены стало делом времени и должно было решиться в ближайшие несколько дней. Теперь Лиля могла полностью переключиться на устранение Зеркаловой, которая почти каждый день встречалась с Турецким и буквально свободной минуты ему не оставляла. Но ничего, Лиля уже знала, как с ней управиться.

Достать Зеркаловой пропуск в Лефортовский изолятор оказалось делом сложным, для этого Лиле пришлось пустить в ход одну-две из старых своих отмычек — бывших поклонников, которые ради нее могли пойти на многое. Оставалось только запастись терпением и ждать отъезда жены Турецкого, а пока слегка разогревать его интерес к своей особе. Что Лиле и удавалось сделать настолько изящно, что, с одной стороны, никому и в голову бы не пришло, что она заигрывает со своим шефом, а с другой стороны, Турецкий все чаще и охотнее подвозил ее вечерами до «Парка культуры», и они все дольше просиживали в машине, обсуждая рабочие проблемы, прежде чем распрощаться друг с другом. Самый злобный сплетник не мог бы сказать, что Лиля своего шефа, грубо говоря, снимает, а между тем Турецкий сам не мог понять, отчего чувствовал порой, что оспытывает желание схватить и прижать к себе эту нахальную девицу, которая смотрит на него так, будто сообщает: «Ну разве я виновата, что родилась красавицей?..»

Глава 15

ЗИГЗАГИ

1

Первое, что сделал генерал Петров, — отослал всех своих сотрудников. Лукашука в том числе. И мы остались с ним наедине. Не скажу, чтобы мне очень нравилась его компания. Но чего только не стерпишь ради пользы дела!

Некоторое время он не поднимал глаз и только барабанил пальцами по столу, как бы наблюдая за собственными ногтями. Мне даже показалось, что он забыл о моем существовании и увлеченно занимается любимым делом.

— Простите, — так и сказал я ему, — вы не слишком заняты? Может быть, я в следующий раз загляну?

Он поднял на меня глаза. Не знаю, я ли подвиг его, но он показался вполне созревшим для разговора.

— Ну? — произнес он.

Начало, надо сказать, не оригинальное. Так начинают, когда хотят, чтобы начинал другой.

— Что? — сказал я.

— Что скажете? — смотрел он на меня.

Я пожал плечами.

— А что я могу сказать? Сидит человек в тюрьме практически ни за что. Любой с ума сойдет.

Он вскинул брови.

— Вы считаете рассказанное им выдумкой? — удивился он.

Я тоже как бы удивился.

— А разве к этому можно относиться как-то иначе? — Я изо всех сил старался, чтобы мое недоумение выглядело как можно натуральнее. — Какие-то бомбы, какое-то предательство. Он думает, что он мессия.

Между прочим, так оно и было, но это — именно между прочим.

Генерал еще некоторое время помолчал, а потом усмехнулся и покачал головой:

— Не пойдет, Александр Борисович.

— Не пойдет? — переспросил я. — А что — не пойдет?

— Вот это самое, — туманно ответил он и пояснил: — Разговор такой не пойдет. Мы же с вами серьезные люди, правда? Вот и давайте говорить серьезно.

— Давайте, — с готовностью согласился я.

Он кивнул.

— Итак, — снова начал он, но уже более решительно, — вы, очевидно, поняли, что Аничкин действительно спрятал где-то очень опасный груз? Не так ли?

— Неужели? — поразился я.

Он с размаха опустил на стол свой огромный кулак. Стекло на столе треснуло, часы на стене пискнули, а я вздрогнул. Интересно, бьет ли он своих подчиненных?

— Хватит! — сердито заговорил он. — Давайте говорить по существу.

Не люблю, когда на меня кричат, пусть даже это генералы. Хватит с меня Меркулова.

— Может быть, я пойду? — сказал я. — У вас, кажется, плохое настроение.

И начал тихо-тихо приподниматься.

— Ладно уж... Не уходите! — остановил он меня. — Послушайте, Турецкий, я навел тут о вас справки, так что вы меня не обманете.

— Да? — только и сказал я.

— Да! — Он жестко смотрел на меня. — Так вот. Работник вы способный, к делу своему относитесь довольно профессионально, но вот в личной жизни вы далеко не образец для подражания.

— У каждого свои недостатки, — пробормотал я. — Все мы человеки, так сказать.

— Честно говоря, я не рекомендовал бы вас своей дочери, — упрямо продолжал он. Чего он хочет? Кто же так вербует в свои ряды? — Не нравится мне ваше поведение с женщинами.

— У вас есть дочь? — вежливо поинтересовался я.

Мне показалось, что он вдруг чего-то испугался. Наверное, я слишком заинтересованно его спросил.

— Так вот! — сердито сказал он. — Вы, надеюсь, понимаете, что скомпрометировать вас — дело одной минуты?

— Вы хотите собрать по поводу моего поведения партсобрание? Послушайте, Григорий Иванович, вы только что говорили мне, что я профессионал. Неужели вы думаете, что я не понимаю, куда вы клоните? Неужели вы всерьез полагаете, что меня можно запугать и взять на туфту вроде аморального поведения? Вы хотите мне что-то предложить, так валяйте, предлагайте, что вы кровь портите и себе и людям?

— А с чего это вы взяли, что я хочу вам что-то предложить? — недоверчиво посмотрел он на меня.

— А тут гадать особенно не надо, — ухмыльнулся я. — Раз вы не убили меня сразу после свидания с Аничкиным, несмотря на все ваши тайны, которые в результате этого рандеву мне открылись, значит, вы хотите, чтобы я вам в чем-то помог. В конце концов, мы делаем одно дело, мы охраняем закон, хоть и находимся в разных ведомствах.

Осторожней, Турецкий, не перегибай палку. Как бы она тебя по хребту не ударила. Но впечатление было произведено, я это видел.

Петрову явно понравилось то, что я сказал. Вся штука была в том, что я медленно подготавливал его к мысли, что Турецкий способен на предательство и не прочь отхватить свое при дележе возможного пирога.

— Что вы знаете о Стратегическом управлении? — неожиданно спросил меня генерал.

Вот оно, началось. Ну, Турецкий, перекрестись мысленно — и в бой.

Глядя генералу в глаза, я медленно ответил, выделяя чуть ли не каждое слово:

— Я знаю, что Стратегическое управление — это организация людей, которая озабочена судьбой страны. Я не знаю, есть ли в этой организации устав, но мне кажется, что это солидная организация со своей жесткой иерархией и, очевидно, дисциплиной. Стратегическое управление активно участвует в общественно-политической жизни страны. Люди, которые входят в нее, считают, что за ними — будущее.

Все время, пока я говорил эту фашистскую бредятину, он смотрел мне в глаза, а я — ему. Так мы и сидели, как два человека, которые затеяли смертельную игру и знали, что делали, а слова были только сопроводительным материалом.

Все так же не сводя с меня глаз, он спросил:

— А вы как думаете?

Я был готов к этому вопросу.

— Обычно — головой, — ответил я.

Строго говоря, я рисковал. Генерал вполне мог обладать настолько развитым чувством юмора, чтобы догадаться, что, противопоставляя себя членам Стратегического управления, я как бы намекаю, что они, члены, думают, в отличие от меня, не головой, а совсем другим местом. Да и что с них, членов, взять? Но он не догадался. И правильно. Человек с развитым чувством юмора не может стать генералом.

— Вы согласны с тем, что управление заботится о будущем страны? — требовал от меня генерал ответа.

Нельзя же быть таким настырным.

— По-своему — да, — осторожно ответил я.

Он кивнул. Вроде его удовлетворил такой ответ.

— Как бы вы отреагировали, — снова взялся он за свое,— если бы мы с вами стали сотрудничать?

— Кто это — мы? — невинно смотрел я на генерала.

Пусть попыжится. Пусть не будет никаких недомолвок. Пусть колется.

— Стратегическое управление, — спокойно ответил мне генерал Петров.

Еще немного, и ты, Турецкий, добьешься своего.

— Каким же вы видите наше сотрудничество? — недоверчиво ухмыляясь, спросил я.

Впервые за все это время он улыбнулся. К тому же и вздохнул с плохо скрываемым облегчением.

— Я знаю, что вы расследуете несколько убийств, которые были совершены в последние дни. Речь идет о высокопоставленных людях.

Я изобразил недоумение:

— Откуда вы это знаете?!

Он даже отвечать не стал, только небрежно отмахнулся — не задавай, мол, глупых вопросов, мальчик.

— Так вот,— продолжил он. — Я скажу вам, кто убил Смирнова.

— Вот так просто, да? — вырвалось у меня.

— Да, — спокойно кивнул он. — Причем это не подставка, а действительный исполнитель. Убийц остальных я вам дать не могу — просто не знаю их. Можете сами их искать, а можете доказать, что это тоже сделал тот самый человек, на которого я вам укажу. Как хотите.

— А что я должен сделать? — спросил я наконец. — В смысле взамен?

— Я скажу, не торопитесь, — ответил мне Петров. — Но прежде чем мы договоримся, скажу еще кое-что: вы не пожалеете, Александр Борисович, если свяжете свою жизнь с деятельностью нашей солидной и авторитетной организации. Тогда вы многого добьетесь. Хорошие работники, профессионалы, нам всегда нужны, а мы, в свою очередь, подумаем о вашем будущем. Что скажете?

— Ура,— пожал я плечами, — наконец-то хоть кто-то будет думать о моем будущем.

Он снова улыбнулся:

— Итак, я, пожалуй, начну говорить о том, чего мы хотим от вас, Александр Борисович.

— Слушаю.

— Представьте себе Аничкина на свободе, — сказал он наконец вожделенные слова, и сердце мое запело, готовое выскочить из груди.

Он, видимо, заметил мои вспыхнувшие глаза, но, слава Богу, понял все по-своему.

— Не торопитесь, — предупредительно поднял он руку. — Никто просто так не собирается выпускать Аничкина. Это было бы в высшей степени глупо. Есть иные варианты...

Уйми свои эмоции, Турецкий. Веди себя прилично, пусть люди радуются, что раскусили тебя. Доставь генералу эту радость, что тебе стоит?

Я снова сделался глуповатым.

— А как же быть? — спросил я. — Ведь обвинения не предъявлено. Знает он, похоже, много. И держать его в любой момент под рукой было бы, конечно, замечательно. Для следствия. Но вот

330

опять же и жена его, Таня, просила... Мне бы хотелось выполнить ее просьбу. Надо бы как-то освободить человека...

— Да уж,— усмехнулся генерал, и я был неприятно поражен: как давно они за мной следят?

— Но вот каким же образом Аничкин может оказаться на свободе? — спросил я. — Разве что сбежит из Лефортова?

Нормально, Турецкий! Человек, организующий побег, не станет первым об этом заговаривать. Осталось совсем немного. Чуть-чуть. Вот сейчас этот долбаный генерал откроет рот и скажет то, ради чего я и затеял всю эту мутотень.

Генерал открыл рот и сказал:

— Вот именно. Именно это я вам и предлагаю.

Что и требовалось доказать. Гремите, фанфары, славу Турецкому!

Я потрясенно уставился на генерала:

— Вы хотите организовать побег Аничкина?!

Не переигрывай, Турецкий.

— Нет, — покачал он головой. — Побег ему организуете вы. А мы только поможем.

— Но почему — я?! — Демонстрируя изумление, я прекрасно знал ответ.

— Потому что нам он не поверит, — отвечал Петров. — Он опытный чекист и сразу заподозрит неладное. Если к нему подойдет кто-то из нас или любой посторонний, он почувствует ловушку. И откажется. А вы сможете его убедить, потому что вы как раз в первую очередь заинтересованы в том, чтобы он был на свободе. И он это поймет. И есть шанс, что поверит вам.

— Не знаю, не знаю, — качал я головой. — Слишком рискованно.

Генерал нетерпеливо затарабанил пальцами по столу.

— Никакого риска нет, — раздраженно заявил он. — Детали уточним, и вы сами можете убедиться, что в нашей организации работают люди неглупые.

— Да я и не сомневался, — пробормотал я будто в смятении, — но... как-то...

— Что-то я не пойму, — внимательно изучал меня Петров, — по моим данным, вы довольно решительный следователь. А тут мы предлагаем вам такую помощь. А вы трусите. В чем дело, господин Турецкий?

Я даже похолодел внутренне при мысли, что он поймет сейчас, что я просто разыгрываю комедию. В конце концов, он кадровый разведчик и вполне может понять, что я блефую...

Я вскинул голову, надменно посмотрел на генерала и оскорбленным голосом проговорил:

— Что вы себе позволяете, господин генерал?!

— Ну слава Богу! — облегченно вздохнул он. — А то я видел перед собой мальчика, а не мужа. Ну так что, Александр Борисович? Согласны?

— Согласен.

— И замечательно, — сказал он. — А теперь обговорим детали.

— Минуточку, — поднял я руку. — Мы забыли кое-какую другую деталь.

— Да? — недоуменно уставился он на меня. — И какую же, позвольте полюбопытствовать?

— Вы обещали мне отдать убийцу Смирнова.

— Ах это,— улыбнулся он. — Не порите горячку, Турецкий. Раскроете вы это дело в лучшем виде, уверяю вас. Но прежде — Аничкин. Сейчас это — самое важное.

2

Президент победил, но не так, как хотелось его самым большим почитателям.

Лидер коммунистов отстал совсем ненамного, и второго тура не избежать. Представляю, какая теперь свистопляска начнется по телевидению и в газетах.

Ирину нужно срочно отправлять, и пусть Лиля Федотова мне в этом помогает. Она же обещала помочь достать путевку в Прибалтику. И чем скорее, тем лучше.

До операции с Аничкиным осталось два дня. Все рассчитано мною правильно.

Генерал Петров и его коллеги из Стратегического управления думают, конечно, что повесили мне на уши высококлассную лапшу. Они считают, что я поверил каждому слову генерала. Пусть так считают и дальше.

Их план понятен: как только вы, господин Турецкий, вместе с Аничкиным окажетесь в открытом пространстве, они сначала проследят, куда бросится Владимир, чтобы извлечь свои грозные чемоданы. Но, скорее всего, он этого не сделает, а Петров со товарищи это не могут не понимать. Чего же они хотят? Там, в Лефортове, у них возникнут проблемы, ежели они станут его пытать. А вне Лефортова — кто же им может помешать? Для начала на глазах у Аничкина они помучают, а потом и пристрелят доверчивого придурка Турецкого, чем продемонстрируют мятежному полковнику серьезность своих намерений. Все очень просто.

Я-то знаю, что меня ожидает. Поэтому за эти два дня я должен позаботиться об Ирине с Ниночкой, написать завещание, а также выпить на прощание с Меркуловым и Грязновым, рассказав им в деталях о предложении генерала Петрова. А может, и рапорт еще придется сочинить. Это как начальство прикажет...

Тот, кто предупрежден, тот — вооружен. Генерал Петров и не подозревает, что я ясно представляю, о чем он думает.

...Сборы проходили в суете и спешке. Отъезд Ирины с Ниночкой превратился в катастрофу вселенского масштаба, размеров которой Турецкий и представить не мог. Он мотался по городу, делая срочные и необходимые покупки, в то время как Ирина впрок стирала его одежду и закупала продукты, чтобы он в ее отсутствие не голодал и ни в чем не нуждался. Каждые полчаса Ирина бросала на пол какую-нибудь вещь, которую держала в руках, и объявляла, что она никуда не едет, потому что не может бросить Сашу одного в такой тяжелый для него период. После этого заявления Ниночка подымала рев и кричала, что хочет на море...

Послушавшись советов Лили, покупать билеты на поезд Турецкий не стал, а договорился насчет служебной «Волги». Чтобы добраться до Паланги за одни сутки, в день отъезда все поднялись чуть свет, в половине пятого утра. В пять пришла «Волга».

Сонную и поэтому равнодушную ко всему происходящему Ниночку уложили на заднее сиденье, чемодан и сумку с вещами — в багажник. Ирина, уже захваченная предвкушением путешествия, уселась на переднее сиденье рядом с шофером и поставила под ноги корзинку с бутербродами на дорогу.

— Саша, только ты, пожалуйста, не голодай, — в пятый раз напоминала она мужу. — Как только приеду, сразу позвоню тебе.

Турецкий поцеловал ее на прощанье, приказал ни на минуту не отстегивать ремень безопасности и захлопнул дверцу.

«Волга» тронулась и покатилась вдоль безлюдной в этот ранний час набережной. Ирина махала ему рукой, пока машина не исчезла из виду.

В то же утро Татьяне Зеркаловой позвонили домой и сообщили, что ей позволили встретиться с мужем. Лиля не стала звонить ей сама, чтобы лишний раз не выпячивать свое участие в этом деле, а попросила позвонить того самого человека, который и выписал Зеркаловой пропуск. Конечно же это был гебешный генерал, занимающий большое положение в ФСБ. Ошалевшая от неожиданности Татьяна, не дожидаясь назначенного часа, помчалась в Лефортово.

В это время Лиля приводила себя в порядок перед решающим свиданием с Александром. Ничего особенного для того, чтобы хорошо выглядеть, ей делать не нужно было: она не принадлежала к тем женщинам, которые занимаются собой только по случаю и по три месяца не смотрят на себя в зеркало. Лиля была в полном порядке каждый день, но, как говорится, нет предела совершенству, и никому не помешает лишний час провести в салоне красоты на Арбате.

О том, где состоится долгожданное свидание, она тоже подумала заранее. Все складывалось очень удачно: Гречка, когда-то учительница, а ныне просто ее подруга, уехала в Германию делать выставку и оставила на попечение Лили свою квартирку и свою собаку. Лучшего места и представить невозможно.

На работу Лиля решила прийти в обычном платье. Для соблазнения Александра у нее имелся запасной ход. Турецкий явился на работу мрачный и не выспавшийся. Предусмотрительно прихваченный Лилей термос с кофе и горячие бутерброды в герметичной кюветке оказались более чем кстати: утром Турецкий не позавтракал дома. Пока он, злой как черт, уписывал за рабочим столом бутерброды, его горестно ссутуленная фигура могла служить моделью для какого-нибудь художника-соцреалиста, пишущего картину под названием «Жена ушла!». Когда Лиля ему об этом сказала, он только мрачно посмотрел на нее, обиженный таким бессердечным отношением к своей потере.

Но, перекусив и выпив кофе, Турецкий почувствовал себя бодрым и полным жизни, и перспектива холостяцкого одиночества в течение ближайших десяти дней не показалась ему такой уж печальной, а, наоборот, даже сулила кое-какие выгоды.

Он позвонил Тане, чтобы договориться встретиться сегодня после обеда, но Зеркаловой почему-то не было дома.

Лиля подошла к его столу и налила себе кофе из термоса.

— Где вы успели загореть? — спросил вдруг Александр, глядя на ее загорелые руки и плечи. — Лето только началось, а вы уже вся как шоколад.

Лиля невозмутимо ответила:

— Солярий... Но я вообще от природы смуглая. Моя бабушка по отцу была татаркой со смешной фамилией Тыртых... Знаете что?

— Что? — эхом отозвался он.

— Вам лучше поехать домой и выспаться. У вас очень усталый вид.

«Она права!» — подумал Турецкий, которого, как всякого нормального человека после плотного завтрака, стало клонить в сон.

— Вы правы. — Он встал из-за стола и потянулся. — Поеду домой.

Он решил съездить к Зеркаловой — возвращаться в пустую, разгромленную поспешными сборами квартиру не хотелось.

— Если будут спрашивать...

— А я тоже сейчас ухожу, — перебила его Лиля, мило пожав плечами.

— А, вы тоже? Ну конечно, когда начальства нет, зачем на работе сидеть выслуживаться? — иронично сказал Турецкий.

— На самом деле я рассчитывала, что вы меня подвезете.

Лиля взяла со стола свою сумочку. Турецкий вдруг удержал ее за руку, притянул к себе и чмокнул в щеку. Лиля не сопротивлялась, но при первой же возможности выскользнула у него из рук.

— Ключи не забудьте, — сказала она улыбаясь и вышла из кабинета.

Существует целый арсенал способов, как заманить мужчину на свою территорию.

— Поднимемся ко мне, выпьем кофе? — Это лобовая атака.

Другой вариант:

— У меня кран течет на кухне, ты не посмотришь? — Годится для супермена с отверткой в руках.

Еще один:

— Ты, я слышала, ищешь второй том Конфуция, издание Академии наук 1962 года? У меня дома как раз есть то, что ты ищешь. Приходи сегодня после одиннадцати вечера.

Можно выплеснуть на брюки мужчине томатный сок и пригласить к себе переодеться. Можно притвориться, что потеряла ключи от квартиры, и попросить своего рыцаря выломать дверь. Можно сломать ногу (понарошку), чтобы у него появилась возможность донести вас на руках до кровати...

Лиля никогда не повторяла одну и ту же фразу двум разным мужчинам: к каждому у нее был индивидуальный подход. Когда она усаживалась в «Жигули» Турецкого, то еще не знала, что ему скажет, и полагалась на вдохновение.

— Вы не могли бы поехать через Смоленскую? — попросила она по дороге. — Мне нужно забрать у подруги таксу.

— У вас есть такса? — удивился Турецкий.

— А что вас так удивляет?

— Может, перейдём наконец на «ты»? Я уже устал от грамматических упражнений: «вы», «вам», «вас»...

— Я ждала, когда предложит старший по званию, — улыбнулась Лиля. — А чем тебе такса не нравится?

— Если бы я вас... тебя... тьфу ты, совсем уже мозги отказываются соображать! Если бы я тебя представлял с собакой, то не с сосиской на поводке, а как минимум с датским догом, а лучше с тигром на цепочке.

— В самом деле? — повела плечами Лиля. — Я выгляжу такой грозной?

— Не прибедняйся, сама это отлично знаешь!

— Знаю, — не стала запираться она. — И сосиска на поводке действительно не моя, а моей подруги.

— Удивительно! — сказал Александр, когда она замолчала. — Ты не назвала ни имени подруги, ни зачем она отдаёт тебе собаку и на сколько — это удивительно. Девяносто девять женщин из ста проболтались бы хотя бы по одному пункту.

Он сам не понимал, раздражает его эта девушка или, наоборот, нравится. Она заводила его — это точно. Он меньше на дорогу смотрел, чем на неё.

— Теперь налево, — объяснила Лиля, высунувшись в открытую форточку и высматривая номера на домах. — Улица Плющиха, дальше, до конца... Стоп. Вот её дом. А вы что, разве не хотите со мной подняться? — спросила она, выходя из машины.

Турецкий с неохотой выполз из-за руля. Он по опыту знал, что когда сходятся две подруги, да ещё когда снаряжают в дорогу любимого питомца, то лучше это дело пережидать не в машине, а за стаканом чего-нибудь холодного. К тому же его выжидающий вид должен стимулировать подруг к ускоренным сборам.

— Ладно, посмотрим на твою таинственную подругу, — кивнул он, поднимаясь следом за Лилей на второй этаж.

Она ничего не ответила, открыла своими ключами бронированную дверь и пропустила Александра в прихожую.

Турецкий вошел и присвистнул, оглядывая квартирку от пола до потолка.

— Ты проходи, проходи, — подтолкнула его легонечко Лиля. — Не бойся за свою репутацию честного следователя. Здесь живет художница.

— Художница? — Турецкий пожал плечами. — Бывают же чудеса на свете! Знаешь, у меня о художниках несколько другое представление... Почему-то все мои знакомые художники... В общем, все они доходяги и живут почему-то в конурах с интерьером из пустых бутылок и грязных холстов. А твоя подруга что, нарисовала «Джоконду»?

Лиля рассмеялась.

— Сейчас увидишь, — пообещала она. — Присаживайся пока здесь, — она кивнула на кожаный диванчик у стены. — Я поищу Ваксу. Она, наверное, забилась под кровать и боится выходить.

— Такса Вакса, — пробормотал Турецкий, усаживаясь на диван и чувствуя себя в этой квартире так хорошо, что с места не сдвинулся бы.

Однокомнатная квартира Гречки была отремонтирована (хотя точнее было сказать — отреставрирована) так, что казалась безразмерной. Все лишние стены выброшены, кухня и коридор совмещены в одну большую гостиную со светлыми, цвета слоновой кости, стенами. Кроме кожаного дивана, здесь помещался обеденный стол, телевизор, дерево в глиняном горшке бочечного размера. Сбоку неприметно вписывалась итальянская комбинированная плита, совмещавшая в себе холодильник и кухонную мойку. Стол от кухонного гарнитура с мраморной столешницей с успехом приспособили под рабочий, на нем стоял компьютер и лежали необходимые для работы предметы, смысл и назначение которых были Турецкому не ясны.

Из гостиной раздвижная дверь вела в единственную комнату — спальню. Лиля ушла в ту комнату и закрыла за собой дверь.

— Располагайся и не обращай на меня внимания! — крикнула она из спальни. — Там слева от тебя, под мойкой, холодильник, сам себе налей что хочешь, сок или пиво...

— А где же подруга? — спросил Александр.

— Не бойся, она в Германии. Никто сюда не ворвется, вся квартира полностью наша...

Пока она там неизвестно чем занималась, Турецкий налил себе ледяного пива и, взяв со стола трубку радиотелефона, набрал номер Тани.

«Если она дома, то встану и уеду, — подумал он, слушая длинные гудки зуммера, — а если никто не возьмет трубку...» Татьяна не подошла к телефону. В это время она стояла у ворот Лефортова, нервно перебирая в памяти все то, о чем хотела сказать мужу при встрече.

— Дрожит как кролик! — сказала Лиля, появляясь на пороге спальни с таксой на руках.

При виде Лили у Турецкого отвисла челюсть. То, что было на ней надето, не поддавалось никакому описанию, потому что хотя это самое и считалось, по большому счету, верхней одеждой, но у Турецкого возникло сильнейшее ощущение, что перед ним стоит совершенно голая женщина.

— Ты хотел видеть, что нарисовала моя подруга? — спросила между тем Лиля. — Она художник по костюму, вот одна из ее работ. Нравится?

Она подошла к Александру и присела напротив него на край стола.

— Гм! — откашлялся Турецкий, чувствуя, что у него запершило в горле. — По крайней мере, я теперь понимаю, как она добилась такого успеха.

— Да, это одна из первых ее работ, из коллекции платьев-коктейль, — объяснила Лиля, наклоняясь и опуская на пол собаку, которая тут же юркнула как мышь под диван.

То немногое и достаточно условное, что прикрывало бюст Лили, провисло на бретелях-ниточках, когда же она наклонилась, взгляду Турецкого открылась не только грудь — что там одна грудь! — он увидел все ее тело до самого пупка. Ему захотелось одним рывком сорвать с нее эту шелковую атласную тряпочку, схватить за подол и дернуть вниз с силой, чтобы треснули и лопнули на плечах тонкие бретели и все платье соскользнуло к ее ногам.

Александр встал и сгреб Лилю в охапку, поймал губами ее губы, схватил ее на руки и швырнул на диван как перышко. Она отвечала на его поцелуи с таким же энтузиазмом, но как только он освободил ее губы, перенеся свое внимание на ее грудь, он

342

услышал над головой ее ровный и чуть насмешливый голос:

— Осторожнее... медведь! Это платье стоит три тысячи долларов.

Черт побери!

Турецкий ослабил хватку.

— Так сними его! — нетерпеливо сказал он, на всякий случай отстраняясь от драгоценной тряпки.

Чем Лиля не преминула воспользоваться.

— Ну, не все так сразу, — рассмеялась она, выпорхнув из его рук. — Что будем пить? Ты что любишь больше, неразбавленное или коктейль? — Она открыла холодильник и достала бутылку и тоник. — В общем, можешь говорить все, что угодно, все равно я приготовлю две порции. Такого ты еще не пробовал!

Турецкий смотрел, как она уселась подальше от него и с сосредоточенным видом принялась колдовать над стаканами.

— Только не говори, что я в детстве готовилась стать барменом, — предупредила она, строго посмотрев в его сторону.

Турецкий подумал, что на этот раз он, кажется, зашел слишком далеко и у Лили, возможно, в мыслях не было заводить с ним интрижку, а вот он накинулся действительно, как медведь, ни с того ни с сего и показал коллеге свое настоящее лицо.

Он приосанился и постарался сделать вид, будто ничего необычного только что не произошло — так, небольшая шалость взрослых детей, не более. Чтобы скрыть неловкость, он завел ничего не значащую светскую беседу о разных качествах и свойствах алкогольных напитков.

Лиля поддерживала разговор, поглядывая в его сторону с хитрой усмешкой. Это была ее излюбленная тактика: довести мужчину до белого каления и вдруг остудить, напустив на себе строгий и неприступный вид. Но как только он остынет и начнет думать, что пять минут назад с ним случилось временное умопомешательство, как только он захочет встать, извиниться за свое постыдное поведение и уйти, вот тут она снова схватит его и начнет повышать градус, пока не доберется до главного... Без этого получится примитивная история: встретились, переспали, разбежались, а ей нужно другое, ей нужно влюбить в себя мужчину. А для этого, думала Лиля, пусть два часа он помучается, как настоящий влюбленный, пройдет через желание и неуверенность, ожидание и сомнение: а вдруг она откажет?

Все люди в душе мазохисты, им хочется переживать, страдать. Он привыкнет ко мне, как к наркотику, потому что только со мной он сможет получать такие ощущения — не с женой же — в счастливом браке и тем более не с этой пресной гулящей женой Зеркаловой. Так уж мужчин Бог создал, все они хотят страдать от любви к своей прекрасной даме, а иначе им скучно, иначе они покрываются плесенью на своих диванах перед телевизором.

— Я не умею жонглировать стаканами и вообще выписывать всякие профессиональные фортели руками, зато гарантирую вкус! — сказала она, взбалтывая коктейль в кувшине за неимением подходящей емкости. — Можешь заткнуть уши, — предупредила она, на несколько секунд включая миксер. — Готово!

Лиля влила густую и неаппетитную с виду жижу в высокие стаканы, набросала сверху зеленой травы, каких-то пряностей и подала Турецкому, присаживаясь рядом с ним на валик дивана.

— И чего ты туда налила? — подозрительно спросил он, заранее сморщившись.

— Это секрет, могу только сказать, как он называется, — Лиля обняла Турецкого за плечи одной рукой.

— Как? — спросил он.

— «Поцелуй змеи».

Напиток оказался очень крепким, острым и на удивление приятным на вкус.

— Метко, — кивнул Турецкий, чувствуя, как одна такая змея — тонкая прохладная девичья рука — вползает ему под рубашку и щекочет волосы на груди.

Турецкий схватил Лилю и стал сдирать с нее платье. Лиля помогла ему, и платье соскользнуло, как старая змеиная кожа, и под ним оказалось ажурное, как татуировка, белье и пояс с подвязками, которые Турецкий готов был рвать зубами.

Он и сам бы ни за что не поверил, если бы ему сказали, что он может так опьянеть от одного стакана, даже если в него и влита гремучая смесь. Чего только он не пил на своем веку, спирт пил неразбавленный, и ничего, а тут в голове вдруг замелькало что-то из отдаленной молодости: «Где мои семнадцать лет?» — «На Большом Каретном!» — «Где мой черный пистолет?» — «На Большом Каретном!..»

— А где мой черный пистолет? — пробормотал он вслух, сам точно не помня, каким образом он оказался вынутым из своей одежды и перенесенным в спальню, на фальшивую медвежью шкуру с твердой, как дерево, выпуклой головой.

Лиля наклонилась над ним.

— Будь хорошим мальчиком, — сказала она, — я сейчас приду.

Она поцеловала его на прощание и исчезла в ванной. Пришла пора остудить Турецкого в последний раз.

Не больше чем через пять минут она вышла из ванной комнаты, благоухающая и свежая, как Афродита из морской пены, и вернулась в кровать.

— Вот и я!

Турецкий спал. И по одной его позе Лиле стало ясно, что уснул он глубоко и надолго и никакие силы в мире не способны сейчас поднять его на ноги. Она присела рядом с ним, посидела, вглядываясь в его лицо, затем скинула с ног узкие туфли на каблуках и набросила на себя старый Гречкин халат-кимоно с дырой под мышкой. Укрывать Турецкого одеялом она не стала — не мамочка, замерзнет, сам накроется.

«Вот так-то! — думала она с улыбкой, хотя и с досадой в душе. — Вот, значит, ты какой, знаменитый «важняк»! Стареешь, Казанова. Скоро ты без всяких усилий превратишься в вернейшего мужа на радость своей благоверной. Надеюсь, что тогда она сможет отплатить тебе и утереть нос, загуляв с каким-нибудь стажериком. Хотя вряд ли Ирина на такое способна. А жаль!»

Лиля быстро пообедала на кухне, оделась и поехала в Лефортово, чтобы забрать оттуда Зеркалову. Ей не хотелось видеть физиономию Турецкого после того, как он проснется. Ей было ясно, как в зеркале, что продолжения у их романа нет. После сегодняшнего бравый «важняк» будет избегать ее как черт ладана, а это и смешно, и поделать ничего нельзя. Лиля кое-что понимала в людях, чтобы не питать иллюзий по поводу Турецкого, — и, как позже выяснится, она была права, оставив сухо-официальную записку: «Александр Борисович, уходя, пожалуйста, просто захлопните дверь». С этого сухого и делового тона им больше никогда не сбиться.

Смешно, думала Лиля, что во всей этой анекдотической истории в выигрыше осталась его жена.

Перед глазами Татьяны Зеркаловой успели поменяться люди, ожидавшие своей очереди на свидание, а очередь Тани так и не наступила. Охранники, вызывающие посетителей в комнату для свиданий, упорно пропускали ее фамилию в общем списке. Прошел час, другой, третий... Сначала Таня вздрагивала и вертела головой, боясь, что при оглашении не услышала собственной фамилии, затем уже совершенно не слушала, что выкрикивают охранники. Она устала, впала в апатию и продолжала сидеть и ждать, тупо ждать своей очереди, которая никогда не наступит.

Увидев Лилю, она встрепенулась и вцепилась в нее, как в последнюю надежду.

— Тсс! — зашипела Лиля. — Сейчас я схожу узнаю.

Она зашла к начальнику изолятора — подчиненному своего бывшего любовника — и полчаса пила с ним кофе и болтала, перемывая косточки общим знакомым. После чего, посвежевшая и приободрившаяся, в который раз убедившись в неотразимости своих чар на сильную половину мира сего, вышла к Зеркаловой со словами:

— Идите домой. Ничего не получилось. — И, проводив Татьяну до ворот Лефортова, рассталась с нею как с лучшей подругой, с тем чтобы через минуту забыть навсегда о ее существовании.

Глава 16

ПОБЕГ

1

Задумано все было вроде неплохо. Простенько и со вкусом. Нет, что ни говори, а работать в ФСБ тоже умеют, не хуже, чем в Генпрокуратуре.

Накануне я имел долгую и изнурительную беседу с Меркуловым и Грязновым, на присутствии которого в кабинете Кости настоял я. Впрочем, уговаривать Меркулова насчет Славы мне долго не пришлось.

Мой рассказ оба они выслушали с каменными лицами. И про визит к Аничкину, и про последовавший вслед за ним визит к генералу Петрову. Когда я закончил, Меркулов кратко меня похвалил:

— Молодец.

На что Грязнов заметил:

— Не уверен. Что-то я не пойму. Ты продался, что ли?

— Костя, объясни ему, — обиделся я.

Меркулов так же кратко и немногословно объяснил Грязнову то, что он не смог понять:

— Так надо.

— Понял, — тут же проговорил Грязнов.

— Где ты намерен прятать Аничкина? — спросил Меркулов. — У себя на квартире?

— Конечно же нет! — горячо возразил я и поделился кое-какими соображениями. Хотя я продолжал считать, что большие знания рождают большие печали.

На том и порешили. Я даже был удивлен странным равнодушием коллег. Мол, считаешь так поступать, давай, твои проблемы. Разбирайся сам, а лажанешься — уж не обессудь!

— Теперь про папку, — сказал Меркулов.

— Про папку? — воззрился я на него.

— Про папку Воробьева, — невозмутимо напомнил он мне.

— А! — вспомнил я.

Грязнов закатил глаза к небу, считая меня придурком. Но неужели я должен держать в памяти всякую мелочь? Что у меня, больше нет никаких других дел, кроме этой папки?!

— Документы, которые находились в ней, — сообщил Меркулов, — доказательство того, что в высших эшелонах власти, а также МВД и ФСБ, орудует шайка заговорщиков, которая поставила перед собой цель дестабилизировать ситуацию в стране любыми доступными ей путями, а в перспективе — овладеть властью.

— Есть какие-то конкретные фамилии? — спросил Грязнов.

— Есть, — кивнул Меркулов. — Есть там и фамилия Петрова, и уже известного нам Васильева. И еще многие фамилии.

Я проговорил:

— Генерал Басов... Генерал МВД Мальков...

Меркулов уставился на меня:

— Откуда?..

Я был лаконичен:

— Аничкин.

— Еще какие-нибудь фамилии? — выжидательно смотрел на меня Меркулов. — Называл он еще?..

— Нет.

— Так... — сказал он. — Но теперь все-таки доложи, где ты его собираешься держать. Надеюсь, не у одной из своих баб?

— Возможно, и у баб-с, — сказал я. — Я, кстати, спросить хотел. Каким образом вы собираетесь арестовывать этих людей? Каждый из них имеет иммунитет — депутатскую неприкосновенность.

— Найдем способ, — ответил Костя. — Ну так — где? Только честно. И не финти. Это же не шутка все-таки.

— В деревне.

— Где?!

— В деревне, — повторил я. — У Грязнова есть замечательный домик. Там его никто не найдет.

Меркулов ошеломленно уставился на Грязнова. Тот — на меня. Я глядел в сторону.

— А почему ты мне не сказал? — спросил Грязнов, когда пришел в себя.

Я виновато развел руками:

— Не успел. Извини.

— А что? — задумчиво проговорил Грязнов. —

Пожалуй, это неплохая мысль. Там его никто искать не будет.

— Твой племянник Денис не может нам помочь? — спросил его вдруг Меркулов.

— Браво, — негромко сказал я ему. — А вот я почему-то не догадался.

— Думаю, это возможно, — медленно ответил Грязнов. — Но разумеется, посвящен в дело будет только он, и то самую малость. Он просто немного поживет с Аничкиным — и все. Остальных членов своего бывшего агентства я привлекать к этому делу не буду.

— Разумно, — кивнул Меркулов. — Если уж в нашей системе возможно предательство, то в детективном агентстве, пусть даже это твоя знаменитая «Глория», — тем более.

— Тем менее! — возразил я. — Они не за идею работают, а за деньги. Так что они меньше подвержены вирусу предательства, чем мы.

Грязнов промолчал, но я поймал взгляд, которым он меня как бы поблагодарил.

— Что ж, — сказал Меркулов. — Давайте подведем итоги нашего блицсовещания...

— Минуточку... — Заговорил вдруг Грязнов. — Мы еще не поговорили о деле Борисова.

— Точно! — согласился я. — И о таинственном ключе, найденном в больничной утке.

— А что такое? — заинтересовался Меркулов.

— Ты что, ничего не доложил? — удивленно посмотрел на меня Грязнов. — Ну, работничек...

— Костя, чего это он пристал ко мне? — Я спокойно посмотрел на своего начальника.

Грязнов сказал:

— А что вам известно о бандитском авторитете по имени Эдуард Лапшин?

Костя покачал головой:

— Ничего.

— Есть оперативные данные, — медленно говорил Грязнов, — что банда этого Лапшина имеет касательство к нашему делу.

— Вот как? — отозвался Костя Меркулов. — Каким образом?

— В квартире убитого Смирнова наши эксперты из НТО обнаружили его пальчики. И еще. В день убийства Борисова, буквально за час до его убийства, один из наших агентов видел в этом госпитале некоего Волоху.

— А это что за птица? — спросил Меркулов.

— Волоха — вор в законе, один из ближайших подручных Эдуарда Лапшина. На его совести немало мокрых дел. Правда, и у его босса их не меньше.

Мы немного помолчали, а потом заговорил Костя.

— Интересно, — сказал он, — очень интересно. Это раскрывает новую грань так называемого Стратегического управления.

— Какую именно грань? — спросил я.

— Они не гнушаются ничем. И действуют руками отпетых, заурядных уголовников, — ответил Меркулов.

— Лапшин — не заурядный уголовник, — возразил Грязнов. — Он птица высокого полета.

Но у Меркулова на этот счет был свой, особый, взгляд.

— Незаурядных уголовников не бывает, — упрямо проговорил он. — Все они — примитивные сволочи.

Грязнов пожал плечами и не стал спорить.

— Ну и что этот Лапшин? — спросил я. — Какая все-таки связь?

— Ты не понял? — удивился Грязнов. — А Смирнов? А Борисов?

— Ключ тут при чем? — спросил я.

— Да, ключ, — согласился он. — С ключом проблема. Мы уверены на сто процентов, что это обычный ключ от одной из ячеек камеры хранения. Но где эта ячейка, на каком вокзале — тайна сия велика есть.

— Стоп! — тихо произнес я. — Погоди-ка. Погоди-ка. Погоди-ка!

Они с недоумением на меня смотрели.

— Что ты заладил? — спросил раздраженно Меркулов. — Чего годить-то?

Я вскинул глаза и посмотрел на Грязнова.

— Это может быть бредом сивой кобылы и выглядеть совершенно фантастически, — начал я неуверенно, где-то далеко внутри себя чувствуя, что могу оказаться прав, и тогда мне сам черт не брат! — Но...

— Что — но? — сердито смотрел на меня Меркулов.

Я молчал, лихорадочно соображая.

— Да не тяни же ты! — повысил голос Грязнов. — Чего уставился?!

Да, я так и не сводил с него глаз, ошеломленный своей догадкой.

— Слушай, — сказал я ему. — Не скажешь ли ты мне, каким образом могли быть связаны Борисов и... — я сделал паузу, — Аничкин?

— Что?! — воскликнул Слава.

— Вот именно, — сказал я ему.

Он качал головой, не сводя с меня напрочь обалдевших глаз.

— Не может быть! — проговорил он.

Молчавший доселе Меркулов вмешался:

— А мне нравится эта идея.

— Еще бы! — откликнулся я. — Мне она тоже нравится.

— Еще Нильс Бор говорил: «Идея не заслуживает внимания, если она недостаточно сумасшедшая». А эта мысль почти гениальна, тут надо отдать Турецкому должное.

— Да уж, отдайте, пожалуйста, — протянул я руку к Меркулову.

— Просто в этом случае многое сходится, — задумчиво рассуждал Меркулов, как бы сам с собой разговаривая. — И многое становится проще.

— Простота хуже воровства, — брякнул я.

Они посмотрели на меня с таким видом, будто это не я только что выдал им гениальную идею.

Я не стал терпеть такого обхождения с собой. И задал им невинный простенький вопрос:

— Представьте себе, что они были как-то связаны, хотя бы на минуточку. Можете вы в этом случае понять, что за ключик находится в руках у Вячеслава Грязнова?

Потрясенные, они молчали, уставившись один в одну точку, другой — в другую. Вдруг Грязнов поднял на меня глаза и спросил неестественно жалобно — никогда не слышал такого в его исполнении:

— А они... не могут взорваться?

— Это не ко мне, — не стал я его успокаивать. — Теперь у меня совершенно конкретное дело. И я его спрячу так, что ни одна чекистская собака не учует. Гад буду.

— Ты помнишь, где мой ключ от дачи находится? — слишком услужливо спросил меня Грязнов.

Я чувствовал себя победителем.

— Помню, — ответил я снисходительно. — Хорошо помню, можешь не беспокоиться.

— Что тебе еще понадобится? — спросил меня Меркулов.

Что-то они слишком уж суетятся, мои дорогие коллеги. Прямо стелются передо мною. Пора становиться серьезным, а то они прямо на глазах комплексовать начнут.

— Вот что, Слава, мне еще сегодня нужно поговорить с Денисом и обговорить с ним кое-какие детали.

— Так поедем к нему, — предложил Грязнов. — Сейчас закончим разговор и поедем.

Я и Слава синхронно повернули головы к Меркулову, и он тут же сказал:

— А мы уже закончили. Вопросов нет?

Мы покачали головами.

— Значит, все, — заключил Меркулов. — Удачи всем!

Через полчаса после окончания нашей беседы с Меркуловым я уже начинал другую: с Денисом, племянником Грязнова, на которого тот оставил свое детективное агентство «Глория», когда возвращался в МУР.

Полтора часа беседы с Денисом убедили меня,

что «Глория» находится в хороших руках и что племянник достойно продолжает традиции своего дяди. Он внимательно выслушал все мои инструкции, задал несколько точных вопросов, и мы расстались, весьма довольные друг другом, во всяком случае, за себя я точно ручаюсь.

Если ничто не помешает, то, как говорят в социальной рекламе первого канала телевидения, «все у нас получится»...

2

В ночь перед побегом Аничкина из тюрьмы я не стал приходить к Тане Зеркаловой — это было бы слишком. Но совсем без женского общества провести этот вечер мне не удалось.

Ко мне явилась Лиля Федотова.

Когда прозвенел звонок в дверь, я машинально посмотрел на часы: четверть второго. Для гостей поздновато, если только это не доставшее меня Стратегическое управление. Что это могут быть грабители, я даже не подумал. Какой-нибудь Лапшин? Но он работает на управление, и ему хозяева голову оторвут, если со мной случится что-нибудь до того, как я помогу Аничкину бежать.

Я не стал спрашивать «кто там», а запросто открыл дверь непрошеному гостю.

Непрошеным гостем, как я уже заметил, оказалась Лиля Федотова.

— Мне нужно поговорить с вами, — с порога заявила она, проходя в квартиру, не спрашивая, естественно, разрешения. Бесцеремонная такая девица.

Я вынужден был ее предупредить:

— По ночам я с женщинами разговариваю только на скользкие темы.

Она за словом в карман не полезла:

— У меня такое ощущение, что вы с женщинами постоянно так разговариваете. Не бойтесь. Вас я сегодня соблазнять не буду.

— Что так? — уязвленно спросил я.

— Однажды, Турецкий, у вас был шанс, — сообщила она мне. — Но теперь вы его потеряли.

— Жаль, — развел я руками.

Я помнил этот недавний шанс — я позорно уснул. Но, повторяю, все, что Бог ни делает, к лучшему. Значит, так было нужно. Все-таки я немного побаивался этой решительной девчонки. Кому-то повезет так, что, как говорит Меркулов, мало не покажется.

— У меня к вам дело, — вспомнила Лиля.

— Слушаю вас, — сказал я. — Хотите кофе? Как хорошо, что Ирина с Ниночкой уехали.

От кофе Лиля отказалась. И стала рассказывать:

— Сорок минут назад ко мне домой явился некий незнакомый мужчина. Я не хотела открывать дверь, но он сказал, что пришел от вас.

— Да? — удивился я. — Я никого к тебе не посылал.

Но она упорно не желала обратно переходить на «ты».

— Как только я его впустила, он сразу признался, что обманул меня и пришел не от вас, а по собственной инициативе. Более того — он хочет встретиться с вами, и я должна помочь ему в этом.

— Почему же он не пришел ко мне? — поинтересовался я, начиная догадываться, в чем тут дело.

Но этого просто не может быть! Хотя — почему не может? В этом деле все может быть.

— Он сказал, что вы знаете, почему он не может к вам прийти, — сообщила мне Лиля, и я не стал притворяться, что удивился.

За мной, конечно, следят, и если это тот человек, о котором я думаю, он знает о слежке. И, надо сказать, он поступил так, как поступил бы настоящий профессионал. Впрочем, он наверняка и есть профессионал.

Тем временем Лиля продолжала:

— Он сказал, что вы должны его вспомнить. Вы как-то видели его в приемной генерала Петрова, и он дал вам кое-что почитать.

Да, так и есть. Это он. Мой таинственный незнакомец и неожиданный помощник из приемной генерала Петрова. Все верно.

— Он хочет с вами встретиться.

— Где?

— Он все просчитал, — усмехнулась Лиля. — Сейчас мы с вами выйдем и будем целоваться. Вы отвезете меня домой. Как бы вы меня провожаете. У подъезда я предложу вам чашечку кофе. Вы подниметесь ко мне. И он будет вас там ждать. В смысле у меня дома.

— Он что — до сих пор у вас сидит?! — поразился я.

— Да, — кивнула она. — А что?

— Да так, — пожал я плечами, — ничего.

Умно, ничего не скажешь. Внезапно я похолодел. А что, если они установили здесь у меня прослушивающие устройства? Но тут же себя одернул: ты же все проверил, когда пришел, ты всегда все проверяешь. Действительно, есть у меня пара-тройка секретов, которые помогают мне определить, побывали ли у меня посторонние в мое отсутствие. Нет, Турецкий, так грубо они работать не будут, они же знают, что ты тоже не лыком шит.

Я только спросил:

— Про поцелуи — тоже он придумал?

Лиля усмехнулась и ответила:

— Нет. Это я придумала, скрывать не буду. Знаете, как говорят? С паршивой овцы хоть шерсти клок.

Я не нашелся, что ей ответить.

3

Да, это был он.

Он не стал ходить вокруг да около, сразу взял быка за рога.

— Я знаю, что завтра, — он посмотрел на часы и исправился, — что сегодня у вас ответственная операция.

— Откуда? — спросил я на всякий случай.

— А откуда я знаю про генерала Петрова? — возразил он, и я пожал плечами.

— Что вы хотите мне сообщить? Или предложить?

— Помощь, — ответил он.

— Кто вы? — спросил я.

— Я — патриот, — ответил он. — Нас четверо, простых офицеров службы безопасности. Мы, так сказать, находимся в оппозиции Петрову, но он об этом пока не догадывается.

— Почему вы верите мне? Если вы знаете об операции, значит, знаете, что я действую в сговоре с Петровым. Почему же вы захотели встретиться со мной?

— Я уже встретился.

— И все-таки? — настаивал я.

— Просто я не дурак, — сказал он. — Вы преследуете личные цели и надеетесь оставить Петрова с носом. Но, боюсь, вам это не удастся.

Все это мне не слишком нравилось, если не сказать больше.

— Скажите яснее, — потребовал я.

— Пожалуйста, — кивнул он и повернулся к Лиле: — Вы не могли бы приготовить нам по чашечке кофе?

Все это время Лиля смотрела на нас широко раскрытыми глазами. Почему-то я не был против того, чтобы она была свидетелем нашего разговора, хотя в нем и звучали сведения, мягко говоря, закрытого характера. Что-то мне подсказывало, что это правильно.

— Конечно, — встала со своего места Лиля и скрылась на кухне.

Незнакомец, который так до сих пор и не представился, снова повернулся ко мне.

— Сегодня вечером вы встречались с племянником Вячеслава Грязнова Денисом, — сказал он спокойным голосом. — Вы разговаривали с ним часа полтора. Надо полагать, вы обсуждали с ним подробности предстоящей операции.

— Откуда вы знаете? — ошалело глядя на него, спросил я.

— Мы — профессионалы, — коротко ответил

он. — Но мы не можем остановить генерала Петрова и его пособников без вашей помощи. Как только мы начнем предпринимать хоть что-нибудь, мы немедленно засветимся. И нас тут же ликвидируют.

Да, в его словах была логика. Я бы даже сказал — железная логика.

— Что вы предлагаете? — тряхнув головой, спросил я у этого странного человека.

Он ответил:

— Наконец-то. А предлагаем мы вот что. Аничкин должен быть на свободе — это, как говорит один из кандидатов в Президенты, однозначно.

— Он уже не кандидат, — заметил я.

— Пусть, — продолжил он. — Мы попробовали предположить, что вы придумали с Денисом. И решили, что, когда вы вместе с Аничкиным выедете из тюрьмы, Денис как бы случайно атакует машину, которая будет неотступно следовать за вами. Пока суд да дело, вы с Аничкиным исчезнете.

Я занервничал. Он обратил на это внимание и сказал мне успокаивающе:

— Не переживайте. Я бы тоже действовал на вашем месте именно так. Это хороший, проверенный ход. Но в данном случае он может не сработать.

Все пошло к чертовой бабушке.

Я знал, что он прав. Если об этом знает он, то почему об этом не может догадываться Петров и иже с ним? Все логично, а я полный болван.

— И в чем же заключается ваша помощь? — спросил я у него после минутной паузы.

— Очень просто, — сказал он. — Вместо Дениса по машине, которая будет следовать за вами, ударю я.

— Как?! — не поверил я своим ушам.

— Я, — подтвердил он. — Пусть Денис работает так, как вы ему сказали. Он пойдет на сближение, и его нейтрализуют, то есть просто не дадут ничего сделать. Кстати, по закону его ни в чем не обвинят, не смогут, потому что агрессивность будет проявлена по отношению к нему, а он свою проявить просто не успеет. Поверьте, там работают настоящие мастера своего дела.

— Ну хорошо, — все еще недоверчиво проговорил я. — И что дальше?

— А дальше, — сказал он, — дальше — все будет зависеть от того, насколько слаженно мы с вами будем работать.

— То есть?

— Как только Денис тронется с места, им займутся те, кто будет обязан оградить машину преследователей от посягательств. Вы тронетесь с места, а я в это время нанесу свой удар. И вы будете свободны.

Я не был против этого плана. Но что-то в нем мне все равно не нравилось.

— А что вам-то с этого? — бестактно спросил я и пожалел об этом в следующую минуту.

Мой таинственный незнакомец, что называется, спал с лица. Он чуть ли не побелел от ярости и, подойдя ко мне вплотную, произнес:

— А вам?

Где-то он был прав. Но я все равно сопротивлялся. Не верю я в дедов-морозов.

— Как вас хоть зовут-то? — спросил я, чтобы хоть что-нибудь спросить.

Он еле заметно улыбнулся и ответил:

— Зовите меня просто Вася.

— Хе, как верблюда, — вспомнил я свой любимый фильм «Джентльмены удачи».

Вошла Лиля Федотова и торжественным голосом объявила:

— Кофе, господа.

4

Все у нас получится, бормотал я про себя как заклинание, все у нас получится.

Перед выездом на операцию Меркулов сообщил мне:

— Ни по каким зарегистрированным делам Аничкин не проходит. Не пойму, как они умудряются держать его в Лефортове?

— Его посадили свои же братья чекисты. И без всяких ненужных бумаг! — ответил я.

Он как-то странно посмотрел на меня.

— Ладно, иди, — махнул он рукой, — удачи тебе. Ни пуха ни пера.

— Иди к черту! — послал я его.

— Спасибо, — улыбнулся он.

Ох, и натерпелся же я!

Предъявив начальнику тюрьмы свое удостоверение, а также соответствующее постановление, санкционированное замом генерального прокурора, в котором черным по белому говорилось, что Владимир Аничкин должен покинуть стены тюрьмы и быть передан из рук в руки старшему следователю по особо важным делам Генпрокуратуры Александру Турецкому для проведения безотлагательных следственных действий, я собственной шкурой почувствовал, что такое тотальное недоверие. Этот начальник изучал несчастный лист бумаги минут пятнадцать, не меньше.

Наконец он поднял на меня глаза и спросил:

— А почему вы забираете его без охраны?

— Выполняйте предписание Генпрокуратуры, я отвечаю за сохранность зека, — посоветовал я ему, и что-то в моем голосе ему не понравилось.

Он внимательно меня оглядел и, кивнув, предложил сесть.

— Располагайтесь, — сказал, почти радушно улыбаясь. — Я только кое-что уточню.

И вышел. Странно. Если он решил позвонить, почему не позвонил из своего кабинета? Меня испугался? Подстраховаться решил? А с чего я вообще взял, что он звонить пошел? Может, он пообедать решил? Хотя для обеда еще рано.

Вернулся он через шесть минут пятнадцать секунд. Теперь он улыбался мне, словно близкому родственнику, которого не видел много-много лет. Я даже подумал, что он скрытый алкоголик и вышел только затем, чтобы принять очередную дозу. Хотя алкаши опять же заначку держат в рабочем столе — так надежнее.

— Все в порядке? — поинтересовался я у него.

— Конечно, — чуть ли не сиял он. — Извините, что заставил ждать. Сейчас приведут заключенного.

Что происходит в этом доме, а?

Аничкина ввели через десять минут. Вид у него был немного удивленный. Но я отметил, что сегодня он выглядит хуже, чем в нашу первую встречу.

— Гражданин Аничкин! — начал я как можно официальнее. — Я от лица Генпрокуратуры уполномочен вам заявить, что сейчас вы едете со мной для проведения некоторых следственных действий. Прошу вас не делать глупостей и не пытаться усложнять жизнь себе и мне. Наручники пока не снимем. Ради вашей же безопасности.

Он внимательно пригляделся ко мне, пытаясь, видимо, понять, что стоит за всем этим. Я смотрел ему прямо в глаза как можно тверже. Он перевел взгляд на свои руки, закованные в наручники, и сказал:

— Воля ваша.

— Очень хорошо, — кивнул я. — Прошу вас следовать за мной.

И, не оглядываясь, пошел к двери.

Охранник довел его до машины, которая стояла во дворе тюрьмы.

Это была «вольво». Я попросил «мерседес», по возможности шестисотый, но мне грубо отказали. И предложили «вольво». Спасибо, что не «Запорожец».

Итак, мы выехали за ворота, и свистопляска началась. Я сразу же заметил движение машин, которые до того, казалось, безучастно стояли у обочины.

И потеха, о необходимости которой всю эту ночь говорил Турецкий, началась!

Все получилось так, как планировал гениальный Вася.

Машина, черная как вороново крыло по цвету и сути, лениво двинулась вслед за нами. Все это я видел в зеркальце заднего обзора.

Денис, красавец, работал, как Бог, но он был обречен с самого начала. За черной машиной следовали еще две. Одна из них не дала ему сманеврировать, молниеносно среагировав на его рывок. Вторая примитивно подставила свой бок новенькому «Москвичу» Дениса. Автомобиль Дениса дернулся, не в силах, наверное, смириться с поражением, мотор чихнул пару раз и заглох. Черная машина получила оперативный простор.

Но она не успела им воспользоваться. Откуда ни возьмись — иначе и не скажешь — на огромной скорости для этого участка дороги выскочил «форд» и, как бы не видя ничего перед собой, на этой самой опасной скорости устремился прямо на наших с Аничкиным преследователей. Последние увидели его, похоже, в самый последний момент.

Противный скрежещущий звук двух столкнувшихся машин пролился на мое сердце бальзамом. Теперь можно было отрываться.

Что я и сделал. Выжав педаль газа до упора, я помчался по дороге.

Никто меня не преследовал.

— Хорошая работа, — негромко произнес Аничкин, глядя прямо перед собой.

Я бросил на него быстрый взгляд и прижал к губам указательный палец. С этой минуты я не хотел, чтоб кто-то посторонний нас слышал. Он кивнул и замолчал.

Я долго плутал по московским дорогам, стараясь сбросить несуществующий хвост. Убедившись в тщетности моих попыток обнаружить хоть какое-то подобие слежки, я сдался и направил машину в то место, о котором заранее договорился с Меркуловым.

На тихой улице Заповедной я увидел «джип» и подъехал к нему. Внутри сидел Меркулов, а его собственная машина стояла на расстоянии пятнадцати метров. Дальше ее поставить он остерегся: мало ли угонщиков. Я не стал пенять ему за это. Слава Богу, что он вообще сидел в «джипе», а не в своей тачке. А ну как угнали бы именно этот «джип»?

— Все в порядке? — спросил зачем-то Меркулов.

— Твоими молитвами, — буркнул я его же фразой. — Сматывайся быстрее, не компрометируй себя.

Мы пересели в «джип», а Меркулов двинулся в сторону своей тачки. Я не стал ждать, когда он дойдет до нее, и сорвался с места, будто за нами мчались вражеские танки.

— Кому-то повезло, — сказал вдруг Аничкин, оглядываясь на «вольво».

— Вот уж не ожидал от вас такого жульнического уровня мышления, — отозвался я, внимательно следя за дорогой и на всякий случай проверяя наличие хвоста. — О чем вы думаете в такую историческую, можно сказать, минуту? Что какому-то вору повезет и он найдет эту «вольво». Так ведь далеко не уйдет. В отличие от вас. Вы уже далеко ушли. Так что поздравляю со счастливым освобождением.

— Вы тоже далеко пойдете, — успокоил он.

— Правда? — обрадовался я. — Вы так думаете?

— Если не пристрелят, — остудил он мой пыл.

— Это кто же? — вроде как испугался я.

— Сволочи красные, — усмехнулся он.

Ха! Я тоже люблю этот фильм — «Неуловимые мстители» называется! Но я промолчал, пусть не думает, что я подлизываюсь к нему.

Пусть он ко мне подлизывается! В конце концов — кто кого освободил?!

Некоторое время он молчал. Я тоже. Пусть сам начинает. Пусть не думает, что я расколоть его хочу. Пусть сам колется. Потому что я очень этого хочу.

Кажется, это приключение плачевным образом повлияло на мои умственные способности. Но почему он молчит?! Да скажи же хоть что-нибудь!

И он сказал:

— Я знаю вас.

— Здравствуйте! — язвительно проговорил я. — Давненько не виделись. Или вы думаете, что я вам во сне являлся в Лефортове?

— Вы бывший любовник моей жены, — сказал он.

Я чуть в дерево не врезался. Уж язык-то прикусил точно. С этими гебистами ухо надо держать востро. Еще пришибет ненароком.

— Вы что, с ума сошли? — спросил я у него.

369

А что — вдруг он на самом деле чокнулся в этих застенках? Всяко бывает.

— Она мне рассказывала о вас, — сообщил он. — Но я не ревную. Это же было до меня.

Интересно, что бы ты сделал, милый мой, если бы узнал, что рога твои сейчас до того ветвистые, как никогда раньше? Все-таки ты большая сволочь, Турецкий.

Мне было нестерпимо стыдно, но не стану же я признаваться в своих грехах до срока? Какой смысл? Еще, чего доброго, даст по башке и — салям алейкум, кювет! Давно в этих краях катастроф не наблюдалось? Вот и мы, просим любить и жаловать.

— Давайте сменим тему, — предложил я.

Ага! Начинай развешивать уши, Турецкий. Щас он начнет тебе выкладывать местонахождение двух симпатичных чемоданчиков. С атомными бомбами.

— «Жучков» нет? — невинно, я бы даже сказал — наивно, спросил он.

Я молча покачал головой. Неужели и вправду начнет рассказывать?

— Зачем вам знать, где груз? — внезапно спросил он. — Кто много знает — много плачет.

А действительно, подумал я, зачем мне это? Мне, конкретно Александру Турецкому, — зачем?

— Если я правильно понимаю, — продолжал он, — вам необходимо как можно больше узнать об организации под названием «Стратегическое управление». Не так ли?

— Так, — коротко ответил я.

— Вот и хорошо, Александр Борисович. Что вы собираетесь делать в этом направлении?

— Для начала я спрячу вас так, чтобы никто не нашел, — ответил я.

— Зачем? — не понял он. — Какую пользу я могу принести, если буду прятаться?

Я ответил так, как думал:

— Не задирайте нос, но вы сейчас, на данный момент, являетесь национальным достоянием. За вашу голову противная нам сторона отдаст любые деньги. Не потому, что ваш груз дорого стоит, а потому что дорого стоят их покой и безопасность. Для них вы являетесь угрозой пострашнее вашего груза. В то же время те, против кого они действуют, то есть законное правительство и народ, тоже весьма высоко ценят вашу голову. Я имею в виду, что ценили бы, если б знали о вашем существовании. Но вы, я уверен, к популярности не стремитесь. Характер выбранной вами профессии отвергает подобную мысль. Не так ли?

— Так, — согласился он. — Но, боюсь, от популярности мне никуда не деться.

— Да?! — я был неприятно поражен. — И почему, позвольте полюбопытствовать?

— Потому что единственное, что мне может помочь, — это полная и безусловная гласность. Мне нужно связаться с журналистами, причем самыми известными.

— Например?

Он пожал плечами:

— Ну не знаю. Манкин?

— Слишком амбициозен, — высказал я вслух свое личное мнение.

— Быковский.

— Слишком молод.

371

— Холодов был еще моложе, когда его убили, — напомнил Аничкин.

— Быковского никогда не убьют, — категорически заявил я. — Самое большее, на что он способен, — вытематериться на страницах газеты и заявить, что это народный фольклор.

— Соколов?

— Не знаю, — мне вдруг надоело это перечисление знаменитостей. — Вообще я думаю, что гласность в этом деле может быть применена только в самом крайнем случае.

Он повернул голову и с интересом посмотрел на меня.

— То есть вы хотите сказать, — осторожно подбирал он слова, — что у нас есть и другие пути?

— Совершенно верно.

— Тогда повторяю вопрос: что вы намерены делать, чтобы разоблачить Стратегическое управление?

Слишком лобово выражается, подумал я, но понять его можно: все-таки не из санатория человек вышел.

Однако вопрос требовал четкого ответа.

— В первую очередь я хочу вас спросить вот о чем: какие отношения связывали вас с председателем Национального фонда спортсменов Федором Борисовым?

Он как-то странно икнул. Я ожидал нечто такое, знал, что вопрос для него будет неожиданным, но подготавливать его не имел ни малейшего намерения. Пусть не думает, что в Генпрокуратуре сидят лохи, которые будут плясать под его дудку. Пусть под нашу пляшет. А то вообразил себя национальным сокровищем!

Я молчал и смотрел на дорогу. Мы уже выезжали за пределы Москвы.

— Вы его арестовали? — спросил он наконец.

— Борисов был убит на больничной койке, — сообщил я и вкратце пересказал все, как было. Разумеется, умолчав о ключе.

Потом я взглянул на него и увидел, что лицо его стало совершенно белым.

Он встретился со мной глазами. Взгляд у него был такой, словно ему только что Президент страны лично сообщил, что через четыре с половиной минуты он нажимает кнопку и начинает ядерную войну. Я просто содрогнулся от этого взгляда.

— Все пропало, — прохрипел он. — Все полетело к черту.

— Не думаю, — успокоил я его.

— Вы же ничего не знаете! — громко простонал он.

— Сказать, что я всезнайка, было бы преувеличением, — заметил я. — Но сказать, что я совсем уж ничего не знаю, — это, видите ли, другая крайность. Кое-что мы все-таки знаем, уж поверьте.

Он не усмехнулся — он оскалился. Настоящий Фредди Крюгер.

— Вы даже не представляете, как много вы не знаете,— в отчаянии сказал он.

— А вы не представляете, как вы ошибаетесь, — ответил я этому жлобу.

Что-то в моем голосе его насторожило, и он аж встрепенулся. Он выпрямился и стал бесцеремонно заглядывать мне в лицо, надеясь прочитать на нем подтверждение вспыхнувшим своим надеждам.

— Вы нашли его? — дрожащим голосом спросил он, и я был уверен, что сейчас он молится про себя: «Господи, сделай, чтобы это было так!..»

Я вспомнил, из-за чего он переживает, и мысленно выругал себя: перестань издеваться над человеком, Турецкий, не будь скотиной. Ведь, по существу, этот человек сделал то, что на его месте сделал бы не каждый. Он не дал атомной бомбе взорваться в твоей стране.

— Что, ключ? — небрежно откликнулся я. — Конечно, нашли. А вы сомневались?

Из него словно воздух выпустили. Он протяжно простонал и словно обмяк на сиденье.

— Спасибо, Господи! — истово произнес он.

А нам с Грязновым? Впрочем, это мелочи.

Через два часа мы приехали к деревенскому домику Грязнова. К вечеру подъехал сам Грязнов и сообщил, что, хотя к Денису нет никаких претензий, он не приедет — слишком опасно. За племянником могли следить. Я потребовал привет от Меркулова. Грязнов его зажилил.

Глава 17

ПОХИЩЕНИЕ

1

Простой смертный никогда бы не догадался, выбираясь с проспекта Мира на Ярославское шоссе и переезжая мост через Яузу, что справа под ним, на пустыре, обнесенном неприметным серым бетонным забором, расположено секретное оборонное предприятие. Этого не знали даже жители окрестных домов, ежедневно выгуливавшие на Яузе своих собак. В лучшем случае они принимали трубы, торчащие на противоположном берегу из зарослей сирени, за небольшой пивзаводик и думали нечто вроде: «Вот! Загаживает реку!» — и вспоминали, что при Петре I по Яузе еще ходили корабли. Никому не могло прийти в голову, что на этом «пивзаводике», уходящем под землю на пять этажей и известном специалистам под скромным названием СКТБ «Луч-16», работает несколько тысяч человек.

Конечно, как это обычно в Москве бывает, о «Луче» ходили кое-какие слухи непосвященных местных жителей, но слухи эти обрастали такими неправдоподобными подробностями, что человеку здравому верить в них было бы смешно. Говорили, например, что таинственное СКТБ строилось после войны по личному приказу Сталина, что его будто бы строили пленные немцы, которых затем расстреляли... Все это — мрачное вранье. Но если и находились умники, готовые поверить в небылицы, то в их глазах «Луч» представлялся чем-то вроде космической станции, где в стерильной тишине двигаются как роботы люди в форменных балахонах, словно у хирургов, с печатью государственной тайны на угрюмых лицах. И уж вовсе бы не поверили умники, если б узнали, что в таинственных недрах «Луча», в уютном кабинетике с искусственной зеленью на стенах, за столом сидит печальная красивая женщина, смотрит на настенный календарь с умильной кошачьей моськой в пол-листа и думает: «Боже мой!.. Боже мой!.. Моя жизнь совершенно запуталась...»

Между тем так оно и было: старший юрисконсульт СКТБ Татьяна Зеркалова сидела за столом в своем кабинетике и думала о жизни, а конкретно о Саше Турецком, который вот так вот вдруг, нежданно-негаданно вошел в ее жизнь и ее мысли.

Кроме Татьяны, в кабинетике работали еще две сотрудницы — Лена и Катя. Это были новенькие девушки, только что закончившие юрфак, и с самого начала Таня приняла по отношению к ним покровительственно-командирский тон: «Девочки-то, девочки — это». Лена и Катя ее побаивались, держались друг за дружку и старались пореже попадаться Татьяне на глаза во внерабочее время. У них были свои секреты, совершенно прозрачные для Тани: обе влюбились в одного сотрудника, на ее взгляд полного болвана. И, глядя на их перешептывания и понимающие взгляды, Татьяна всякий раз с недоумением спрашивала себя: «Неужели и я в двадцать шесть лет была такой же набитой дурой?» И ей казалось, что нет, что все, произошедшее и происходящее с ней, — гораздо умнее, сложнее, значительнее и... Она уже не находила подходящего эпитета.

Как просто разбираться в чужих проблемах! Все так ясно и не стоит выеденного яйца: он болван и катается на горных лыжах, а им по двадцать шесть и — «уж замуж невтерпеж». Но как справиться с собственными бедами: арестом мужа, смертью отца? Все так сложно, так запутано.

С двенадцати до часу у Татьяны был обеденный перерыв: как в каждом приличном заведении, в СКТБ «Луч-16» имелась своя столовая для сотрудников. Не какая-нибудь общественная тошниловка с сальными столами, а вполне солидное заведение. Сейчас была половина первого. Девочки еще обедали, то есть следили за предметом своих чувств, — а Таня вернулась в кабинет пораньше. Она боялась пропустить звонок Турецкого. Саша должен был позвонить, вчера они договаривались встретиться, но не получилось. Он должен был встретиться с ней сегодня.

Таня включила кофеварку и закурила. После обеда она всегда пила кофе и выкуривала одну сигарету — это вошло в привычку, как чистить зубы перед сном. Она не могла уснуть, не почистив зубы, даже если уже лежала в постели и умирала от усталости, и не могла сесть за работу, не выпив кофе, даже если начальник стоял над ней с ножом у горла. Все коллеги знали об этой ее слабости и старались забежать к ней под любым предлогом именно в те пятнадцать — двадцать тихих после-обеденных минут, чтобы поболтать и угоститься бразильским кофеечком. И Таня в эти минуты была склонна пооткровенничать с заскочившим приятелем, порасспрашивать его о житье-бытье и поделиться своими проблемами.

Но сегодня никто не зашел, и Татьяна, оставшись наедине со своими мыслями, чувствовала себя неприкаянной, как лодка, оторвавшаяся посреди океана от своего корабля.

«Боже мой!.. — думала она, уставясь в одну точку и пропуская меж пальцев завитой после химической завивки упругий локон. — Моя жизнь запуталась... запуталась, запуталась...» Фраза прокручивалась в голове сама собой, как магнитная пленка, будто голова мыслила отдельно и независимо от ее желаний. «Что мне делать с моей жизнью? Что? Она запуталась. И с каждым днем запутывается все больше. Почему «днем»? Будь откровенна хотя бы сама с собой, скажи — с каждой встречей с Сашей. Хотя почему встречей? Мы не встречаемся — мы спим. Как это так получилось? Само собой. Ни я, ни он не виноваты. Но Боже мой!..»

Таня запустила пальцы в кудрявую гриву, сжала виски. Не отдавая себе в том отчета, она принадлежала к типу людей, которые не умеют жить собственной жизнью. Для счастья ей необходимо быть частью кого-то. Найти другой корабль или прибиться к пристани, но лишь бы не мотаться самостоятельно в безбрежных просторах, никому не нужной, рассчитывая только на себя. Женщины такого типа в университете-институте заводят роман с профессором, в больнице — с врачом, а в круизе — с капитаном. И все это происходит совершенно *случайно*, без задних мыслей, как-то так легко и естественно: подходящая атмосфера, взгляды, первые слова... И вот уже роман катится по наезженной колее. То же, или приблизительно то же самое, происходило и с Таней Зеркаловой. Она поддавалась влиянию обстоятельств, сознательно не желая принимать в них участия, но послушно играя ту роль, которую навязывали, если можно так выразиться, окружающие декорации.

Выйдя замуж за Аничкина, она просто заполучила самую крупную в своей жизни роль — роль хорошей жены, и пока Владимир был рядом, все шло прекрасно. Жизнь Тани диктовалась понятными, тысячи лет незыблемыми правилами: «Хорошая жена должна любить мужа». И Таня искренно любила своего мужа. «Хорошая жена должна хранить семейный очаг». И она с удовольствием украшала, чистила, убирала квартиру и вкусно готовила. «Хорошая жена должна оставаться привлекательной». И Таня бегала в парикмахерскую, шила у своей портнихи и занималась макияжем только для Володи, не для себя. И вдруг этот привычный, отлаженный мир рухнул. В своде правил имелись указания и на тот случай, если муж попал в тюрьму: жена должна ждать его, хранить верность или ехать за ним, как жены декабристов. И Таня честно исполняла все, что было в ее силах: бегала в юрконсультацию и советовалась с адвокатами, но... Жизнь продолжалась, и нужно было как-то существовать дальше.

Отношения с Турецким тоже не привносили в ее жизнь необходимого спокойствия. Вот уж кто меньше всего похож на тихую бухту, так это Александр Турецкий! Вся его жизнь, думала Таня, — это сплошное «по морям, по волнам, нынче здесь, завтра там», и ладно бы он был здесь, с ней, болееменее постоянно — ежедневно или еженощно, но так, чтобы она могла почувствовать уверенность. Но он то появляется, то исчезает, и опять она одна. Это ее угнетало.

«Сколько же я не видела Володю?.. — пыталась сосчитать она. — Вдруг он отпустил бороду? Почему-то все в тюрьме отпускают бороду. То есть понятно почему, но это так старит. Он будет похож на старичка». Таня достала из сумочки портмоне, в котором всегда носила семейную фотографию. «Как же ты там? — думала она, вглядываясь в лицо мужа и уже не понимая, любит она его или нет. — Он сильный человек, но теперь он надеется на меня, а что я могу? Я даже элементарного свидания не могу добиться! Не пойму и не знаю, в чем его обвиняют».

У Тани защекотало в горле от желания расплакаться, но тут тихо запищала кофеварка, сигналя, что кофе готов, и сразу же, будто за дверью стояла, в кабинет вошла приятельница Тани — длинная огромная Филиппова.

— Ну я лиса! Лиса! — восхищенно заявила она с порога. — Прямо нюхом почуяла, когда к вам зайти. Угостите кофием? Где у вас чашки-то?

— Внизу, в шкафу, — улыбнулась Таня, пряча фотографию в портмоне.

— Вы что сегодня кислая? Случилось что-нибудь?

— Да нет, все прежние проблемы.

— А с вашим отцом ничего не прояснилось?

— Пока нет.

Филиппова понимающе покивала.

Они никогда не были подругами, хотя знали друг друга настолько, насколько все в отделе знают друг друга. У Филипповой было красивое нежное имя — Алина, но по имени ее никто никогда не звал. Уж слишком оно не сочеталось с ее внешностью гром-бабы, которая коня на скаку остановит. Одевалась она вечно в старомодные кофты, из-за чего считалась у коллег грубой, дремучей теткой. Татьяна тоже долгое время была о ней того же мнения, но этой зимой она случайно столкнулась с Филипповой в овощном магазине на Новослободской. Алина расплачивалась у кассы за два пакета, битком набитых овощами и фруктами — сквозь белый целлофан просвечивались розовые персики, зеленая пальмочка ананаса, виноград... Зная обычную экономность сослуживицы, Татьяна даже позволила себе пошутить: «Что это вы? Новый год уже прошел!» И вот, пока они вместе шли до метро, Алина поведала ей о своих проблемах: у нее с лейкемией лежит в больнице младшая сестра, восемнадцатилетняя девочка. С того дня Филиппова обрела в глазах Татьяны человеческий облик.

Татьяна не могла рассказать ей об аресте мужа — эту часть своей жизни она прятала от сослуживцев. Но когда ранее произошла трагедия с отцом, никто не сумел так сердечно посочувствовать ей, как длинная грубоватая Филиппова.

— А у вас что слышно? — спросила Таня, забирая из рук Алины свою чашку с кофе.

— Что у меня слышно? Катюшу (так звали ее больную сестру) перевели в новую палату, окнами в садик. Там такой садик-скверик внутри больницы. Зелень, ей нравится.

«Боже мой, — думала в это время Таня, — неужели он не позвонит? Может, что-то случилось? Почему он не может хотя бы позвонить и сказать: извини, сегодня не встретимся. Все лучше, чем вот так сидеть и ждать...»

— А что говорит Персецкий? — вслух спросила она, назвав по фамилии лечащего врача Катюши.

— Персецкий? — вздохнула Филиппова. — Ну что он нового может сказать? Говорит, надо посмотреть, если через неделю не появятся результаты...

Зазвонил телефон, и Таня, подскочив на стуле, потянулась за трубкой. Звонили не ей, а Лене. Она посоветовала перезвонить через полчаса.

— Вы звонка ждете? — спросила проницательная Филиппова.

— Нет... — соврала Таня и тут же подумала: а зачем я вру? — Да, жду, что следователь позвонит. Вдруг что новое?

— Вы думаете, они найдут убийцу?

— Надеемся, — развела руками Татьяна.

По лицу Филипповой ясно читалось, что она не верит в такую возможность.

— Теперь никого не ищут, — убежденно сказала она. — А если и найдут козла отпущения, то ему ничего не будет. Посидит пару лет и выйдет. Десять бы лет назад сказали, что в Москве людей будут стрелять по подъездам как собак! Вы помните, какой тогда Москва была? Чистая, спокойная, без этих всяких реклам, изуродовавших центр! Я в три часа ночи выходила гулять. Я раньше ничего не боялась, а теперь страшно войти в собственный подъезд. Вдруг там уже пришли убивать соседа, а я, старая дура, им как раз на пути и попадусь? Нет, я убеждена, так дальше продолжаться не может. Если власть не поменяется, мы все погибнем.

Таня слушала взволнованную проповедь и удивлялась. Она не собиралась спорить, а спросила скорее из любопытства:

— А что вы хотите? Чтобы к власти опять пришли коммунисты?

— Нет! — живо ответила Алина. — Коммунистов я не люблю, но, если во второй тур выборов выйдут только Президент и их лидер — я буду голосовать за него.

— Но ведь он же коммунист?

— Нет! — заявила Филиппова. — Он не коммунист. Он социалист и честный человек. В этом вся разница.

— А вы не боитесь, что опять закроют границы, запретят газеты? Исчезнут импортные вещи, опять очереди?..

— Ну что вы! — отмахнулась Филиппова. — Ничего не изменится. А границы, я считаю, следует прикрыть, да! Пока еще не все государственное добро вывезли.

В кабинет вернулись Лена и Катя, уселись на свои места возле окна, не прислушиваясь к политическим дискуссиям коллег.

— Девочки, — обратилась к ним, как к общественности, Алина. — А вот вы уже решили, за кого будете голосовать?

Лена и Катя переглянулись.

— А у нас отпуск с пятнадцатого! — весело сказала Лена.

— Ну и что?

— Не хочу я тратить на глупости ни одного свободного дня. Я эти несчастные двадцать четыре дня как манны небесной ждала целый год.

— И вообще мы уезжаем, — сказала Катя. — Улетаем! — Подруги так мечтательно заулыбались, что Таня догадалась — кумир их души летит тем же рейсом.

«Уже начало второго, — подумала она с раздражением, посмотрев на часы. — А он не звонит. Подлец!»

И, словно прочитав ее мысли, телефон разразился нетерпеливым трескучим звонком. Она протянула руку к телефону одновременно с Леной.

— Наверное, это тебя, — кивнула Таня, уступая.

Лена сняла трубку и тут же передала ее Татьяне:

— Вас!

Звонили из прокуратуры. Равнодушным ровным голосом, будто читая с бумажки, не назвавшая себя секретарша объявила Татьяне, что Александр

Борисович Турецкий выслал за ней машину «Волга», номер 83-61. В половине второго она будет на стоянке возле учреждения.

— Это все, что Александр Борисович просил мне передать? — официальным тоном спросила Татьяна, чувствуя, что неудержимо краснеет от радостного волнения.

— Да, все, — после короткой паузы сказала секретарша. — Он сказал, что будет ждать вас.

— Хорошо, к половине второго постараюсь освободиться.

Таня положила трубку и огляделась. Она даже не заметила, когда успела уйти Филиппова, а девочки расселись по своим рабочим местам. Таня сгребла со стола свои вещи и зашла к шефу, чтобы предупредить, что должна уйти по делам.

Сунув в карман пластиковую карточку пропуска, она поднялась в лифте на верхний, первый этаж, сдала пропуск дежурному офицеру и получила обратно личный жетон, который уже механическим жестом сразу же прицепила к брелоку с ключами. Затем она положила сумочку перед аппаратом рентгеновского контроля и сама прошла под металлической аркой контрольного телевизора. Только после этого дежурный разблокировал монолитную дверь. Таня поднялась по лестнице в нулевой, надземный этаж. Наверху были еще два контрольных поста, внутри здания и на выходе, но проходить их было легче. Нужно только показать охранникам личный жетон, они сверяли его по своим системам и пропускали дальше. Последним пунктом обороны служила проходная будка у ворот. Там дежурили попарно омоновцы.

Таня уже с проходной заметила на стоянке машину «Волгу», посланную Турецким. «Волга», видимо, только что подкатила, потому что шофер даже не выключил мотор. Подойдя ближе, Таня увидела, что за рулем сидит женщина, а на заднем сиденье — молодой, коротко стриженный парень в джинсовой рубашке. Открыв заднюю дверцу, она наклонилась к нему:

— Вы от Турецкого?

Парень окинул ее с ног до головы быстрым внимательным взглядом.

— Зеркалова?

— Да.

— Садитесь.

Он отодвинулся в конец заднего сиденья. Придерживая сумочку, Татьяна уселась с ним. Машина сразу же тронулась с места. Таня чуточку приподнялась, расправляя под собой шелковую юбку. Ее сосед покосился на этот женственный жест, и Татьяна улыбнулась ему, как бы объясняя: ну да, не хочу появляться на людях с мятой задницей.

Развернувшись на кольцевой, машина въехала на мост.

— А почему не в центр?.. — Таня не успела договорить, почувствовав острый укол в левом плече. Она ахнула от боли, хлопнула рукой по плечу, прогоняя невидимую пчелу. — Меня что-то ужалило! — воскликнула она, резко поворачиваясь к своему соседу, но уже не смогла его увидеть. Перед глазами закачалось темное облако, дыхание ее замедлилось, глаза закрылись. Таня упала ничком на колени мужчины.

— Готово? — не оборачиваясь, спросила сидевшая за рулем женщина.

— Отключка, — подтвердил напарник, проверив у Тани на шее пульс.

Женщина прибавила скорость. Машина мчалась по Ярославскому шоссе, стараясь как можно скорее вырваться за Московскую кольцевую.

2

Эдик Лапшин вышел на крыльцо, глянул на желтую песчаную дорогу, аппендиксом отросшую от шоссе к дачному поселку. Пустую дорогу вразвалочку переходило стадо гусей, направляясь к Клязьме. Безрукий с потерянным видом заглядывал под каждый куст и время от времени жалобно выкрикивал:

— Кыца-кыца-кыца! — звал своего любимого кота, рыжего Сидора, пропавшего без следа вчера вечером.

«Волги» не было.

Эдик с удовольствием посмотрел на свои увесистые золотые часы «Ситизен» и одновременно с неудовольствием подумал, что Волоха и Люська-Магадан запаздывают. Он рассчитывал, что они привезут Зеркалову к половине третьего. Сейчас блестящие лучики-стрелки показывали пять минут четвертого, и Лапшин нервничал, все ли получилось так, как он спланировал. Вдруг Зеркалова оказалась не так проста, чтобы клюнуть на примитивнейшую, если уж говорить откровенно, удочку? Или они не застали ее на работе и, забыв про все инструкции, остались ждать на стоянке возле проходной, мозоля глаза сидящим в будке омоновцам?

«Вот жиды! — в который раз подумал Эдик о заказчиках и своих непосредственных хозяевах. — Говорил же им, нужен второй сотовик! Козлы...»

Эдуард Яковлевич Лапшин по паспорту числился гражданином Израиля, хотя вся его трудовая деятельность протекала в основном на территории Советского Союза, а позже — Российской Федерации. Исторической же родиной Эдик считал город Киев. «Из города Киева, из логова змиева», — цитировал Эдик запавшую в душу фразу неизвестного ему поэта, когда рассказывал о своем прошлом. Прошлое это представало перед ним в виде трехкомнатной квартиры сталинской постройки на Крещатике, фотографии деда в форме красноармейца, в буденовке со звездой и доставшихся от того же деда в наследство серебряных окладов от икон Богородицы и Николы Чудотворца. Куда сами иконы подевались, он не знал. Обзаведясь еще во время оно израильским паспортом и пожив некоторое время в земле обетованной, Эдик приобрел дурную привычку всех сквалыг называть жидами. Делал он это безо всяких расовых предубеждений — просто констатировал факт.

Хозяева разорились только на один сотовый телефон, да и то потому, что так им самим удобнее ловить Лапшина, где бы он в этот момент ни находился, в лесу или в сортире. А вот как Эдику контролировать своих легионеров — на это хозяевам было глубоко наплевать.

На данном этапе в подчинении у Лапшина находилось двое. Люську он в этот список не вносил.

Магаданшу он знал как самое себя, знал ее мужа, с которым еще лет семь назад вместе сидел, и уважал Магаданшу по максимуму, насколько вообще мог уважать Евино отродье. Баб, считал Эдик, можно использовать только по прямому назначению.

В подчиненных ходили сопляк-кореец, которого Эдик выводил в люди, и Волоха — с ним Эдик работал давно. Он не любил новых людей вокруг себя. Но в последнее время Волоха начал Эдика раздражать: слишком стал самостоятельным.

Эдику недавно перевалило за сорок, и хотя он чувствовал себя в расцвете, все-таки не мог не замечать, что ему в затылок уже дышат, наступают на пятки подросшие молодые бычки в черных кожаных куртках. Лапшину с ностальгией вспоминалось его поколение. А эти, нынешние, того и гляди тебя сметут с корабля истории в гнилую яму два на полтора.

Глядя, как Цой, сосредоточенно уставившись в пространство над Клязьмой, утрамбовывает пятками плешь во дворе, сопит и делает плавные пассы руками в сторону невидимого врага, Эдик плюнул про себя. Здоровенный лоб, а предел мечтаний — черный «БМВ» последней модели и две блондинки зараз. Двадцать три года, а уже пушка на боку. А когда сам Эдик впервые заимел свою пушку? Подумать страшно, ведь обходился же одной собственной головой да руками. Но, взявшись за воспитание Цоя, он видел, что Цой — малек по натуре был, есть и будет и в акулу ему никогда не вырасти. Оставляя такого малька у себя за спиной, Эдик, по крайней мере, мог жить спокойно, не опасаясь, что его сожрут. Этот не сожрет, думал он, фантазии не хватит.

— Эй, Малек! — окликнул корейца Эдик.

Цой услышал и повернулся к Лапшину, сопя и раздувая ноздри, лоснясь от пота, словно бронзовый.

— Кончай мелькать. Подымись на шоссе, погляди: не едут?

— А Безрукий не может посмотреть?

— Я тебе сказал! — нахмурился Эдик.

Малек не стал спорить, ополоснулся под железным рукомойником, прибитым к доске парника, и, не вытираясь, влез в спортивную куртку, привычным жестом засучив рукава выше локтей.

С шоссе на въезде в поселок открывался обзор километров на пять вокруг. Шоссе плавно спускалось с горочки и там, внизу, катилось серыми асфальтовыми волнами. Подъезжающий к дачам автомобиль то взмывал на гребень волны, то исчезал в низинке и был виден как на ладони. Но сейчас дорога была пуста, над размякшим от жары асфальтом колыхалось марево.

Лапшин со своими бандитами жил на даче у Божьего одуванчика по прозвищу Безрукий. Мужичонка и вправду был сухоруким, правый рукав его френча болтался как пустой, и из рукава выглядывала не кисть, а серая воронья грабка со скрюченными пальцами. Безрукий устраивал Эдика по всем параметрам: одинокий, малообщительный, не в свое дело не лезет, ходит себе как тень. А не устраивал Эдика только один факт: Безрукий был идиотом. То есть не клиническим шизоидом с отвисшей слюнявой хлеборезкой, а просто придурком по жизни: он держал в доме кошачий питомник. Любой кретин, подобравший на улице хворого, вшивого, с гниющими глазами кота в лишаях, мог привезти его к Безрукому, и идиот с умилением принимался выхаживать паскудного паразита. Иногда кошек привозила из Москвы засушенная мумия с нарисованными тушью жирными бровями. Телефон мумии печатался в рекламных газетах в рубрике «Животные» под слезливой просьбой не выбрасывать мохнатых друзей на помойку, а звонить прямо по этому номеру. Желающих находилось выше крыши. Изредка, правда, попадались и желающие усыновить четвероногого сиротку-подкидыша, но те разбирали самых красивых, с признаками хоть мало-мальской породы на усатых физиономиях. Большинство же питомцев Безрукого отличалось плебейской внешностью. Брать их никто не хотел, в лучшем случае помогали деньгами и кормом. Так что по всему дому и по двору шлялись денно и нощно раздобревшие, сытые ублюдки. Они чувствовали себя здесь хозяевами, разбегаться и не думали, а, наоборот, плодились и размножались. Кошачье племя дополняли уродливые дворняги, всученные когда-то доверчивым ослам под видом щенков колли и овчарки. Когда хозяева прочухались, кого купили, то выперли щенков ногой под зад, и постепенно все они оказались у Безрукого.

Лапшин до знакомства с Безруким относился к животным лояльно, но, переночевав одну ночь на даче, на другой же день поклялся собственноручно кастрировать самых горластых тварей и утопить в Клязьме мешок-другой писклявого молодняка. Но идиот грудью встал на их защиту, и Эдик понял, что, если он тронет хоть одну тварь пальцем, придется им всем сваливать отсюда и искать новое пристанище. А времени на это не было. Да и место — удобнее не придумать: до Москвы двадцать километров, а затеряться здесь — как иголке в стогу сена. Это же не деревня, где все друг друга знают, это — старые дачи, сто раз перепроданные из рук в руки. Соседи тут не знают друг друга даже в лицо. Так что пришлось заткнуть свое мнение в одно место и терпеть.

Малек спустился с горочки. Эдик по лицу его понял, что машины с Волохой и Люськой-Магадан не видно, но все-таки крикнул:

— Ну что? Едут?

— Не видно! Нет еще!

— Стой там и смотри. Увидишь — беги ко мне, понял?

Кореец вяло согласился — удовольствие ему торчать столбом на жаре.

— Кыца-кыца-кыца! — заунывно звал Безрукий. — Сидор! Сидор! — кланялся он каждому кусту.

Эдик улыбнулся: ищи, ищи своего рыжего паскудника, не найдешь. Валяется сейчас твой Сидор со свернутой шеей в болоте возле Клязьмы и только зеленые мухи над ним жужжат. А царапался, гаденыш, как — рука вспухла и чешется.

Лапшин машинально почесал подсохшие царапины и посмотрел на часы. Двадцать минут четвертого.

«А если хозяин сейчас позвонит?.. — мелькнула неприятная мысль. — Явится Волоха — убью».

В Медведкове их на каждом перекрестке тормозили светофоры. Приходилось останавливаться и париться в духоте. От асфальта несло горячим воздухом, как от печки. Волоха зубами скрипел от злости, но поделать ничего не мог. Магаданша и так уж выкручивала «Волгу» как могла, показывая чудеса вождения.

Голова уснувшей чувихи все еще лежала у него на коленях. Рука ее безжизненно свесилась. Волоха поправил руку, переложив ее на колени, но, когда машина тронулась с места, рука снова соскользнула и повисла, качаясь. Только не хватает, чтобы на спящую женщину обратил внимание гаишник. И на пьяную она, к сожалению, не похожа: культурная с виду баба, молодая, одета хорошо. Замужем — золотое обручальное кольцо на пальце, а поверх кольца — перстень с крупным зеленым камнем. А пальцы-то какие длиннющие! Волоха даже сравнил их мысленно, покосившись сначала на свои руки, сцепленные в замок на коленях, а потом на руки Магаданши, небрежно лежащие на баранке. Пальцы у Люськи были от рождения расплющены на концах, а на безымянном еле заметно синела плохо выведенная татуировка овального перстня с двумя чайками. У этой — как ее? Зеркаловой? — пальцы на концах тонкие и как-то сами собой переходят в длинные ногти, хоть и коротко стриженные. И почему-то эти ногти блестели, хотя она их не накрасила.

За Челобитьевом они попали в пробку. Двухрядное шоссе забили дальнобойные грузовики-контейнеры, идущие из Москвы на Ярославль и Вологду. Затертые между ними, как клопы, легковушки пытались маневрировать, выезжали на встречную полосу, вклинивались в просвет между идущими впереди машинами. Минут десять Магаданша двигалась тем же макаром, пока машины не перекрыли и встречную полосу и не образовалась бестолковая, сигналящая и матерящаяся пробка.

Магаданша обернулась и критически осмотрела спящую Татьяну.

— Ну-ка поправь ее, — кивнула она Волохе. — Закинь ей ноги на сиденье да сумку сними. Еще начнут докапываться менты. Надолго застряли.

Проклятая пробка нагнала на этот участок дороги свору гаишников, они шныряли между машинами, как живчики, разгоняя затор.

Волоха, как куклу, перевернул спящую, уложил поперек сиденья и даже приобнял рукой, чтобы не свалилась, когда машина дернется. Ему было нестерпимо жарко и хотелось пить. Надетая под рубашку прямо на голое тело кожаная портупея неприятно натирала плечи. Он чувствовал, как под рубашкой струйками стекают капли пота.

— Жара, — выдохнул он.

— Ага, — флегматично ответила Люська, закидывая руки за голову. Ее футболка под мышками почернела от пота и кисло воняла. — Ну чего уставился? — сказала она, имея в виду пожилого гаишника, стоявшего впереди и уже несколько раз с любопытством присматривавшегося к их машине.

Гаишник отвернулся, потопал взад-вперед по

своим делам, махая жезлом, потом вдруг развернулся и пошел прямо на них.

— Ити твою мать, — медленно сказала Магаданша.

Их «Волгу» зажали в тиски со всех четырех сторон, так что в случае чего пришлось бы бросать ее и тикать на своих двоих, а в нагрузку со спящей чувихой это выглядело проблематично.

Гаишник был от них метрах в трех, как вдруг в левом ряду не успевший притормозить «ниссан» врезался в заднее крыло «Жигулей», смяв его в лепешку и избавив таким образом Волоху от общения со стражем порядка. Круто сменив траекторию, гаишник устремился на место аварии. И сразу же, как по заказу, стоявший справа рефрижератор плавно тронулся с места. Магаданша вывернула руль и непостижимым образом умудрилась втиснуться в правый ряд следом за ним. Правый ряд стал потихоньку двигаться.

Волоха откинулся на спинку сиденья и рукавом вытер пот со лба.

— Ты что, сегодня не с той ноги встал? — не оборачиваясь, спросила Люська.

— Что?

— Ты с какой ноги сегодня встал? — Видя, что до Волохи так и не доходит суть вопроса, она махнула рукой.

Между тем было одно «но», от которого только что Волоха чуть не свихнулся, впервые в жизни не зная, что же делать. Когда гаишник шел в их сторону и было ясно, что разборки с ним не миновать, Волоха, не надеясь на отмазку в виде документов, сунул было руку за пазуху, нащупывая влажную от пота кожу кобуры... И тут вдруг понял, что забыл пистолет.

Его прошиб такой пот, что он в секунду стал как после бани. А хуже всего, что он занервничал и сам знал, что у него сейчас на лице большими буквами написано: вот у этого парня не все в порядке.

Теперь, когда каким-то чудом пронесло, он не хотел признаться Магаданше в своей идиотской оплошности.

— Ты бы стрелял? — спросила Люська.

— Ага, — кивнул он.

— Крыша от жары поехала? Придурок, ну и что бы мы делали с дубарем? Застряли в кошмаре, сиди тихо и жуй мочалку.

Дорога постепенно расчистилась. Когда промелькнул на обочине последний подмосковный пост ГАИ, Магаданша разогнала «Волгу» до предельной скорости.

Промелькнули Мытищи, по обе стороны шоссе начался лес. Солнце спряталось за верхушками деревьев, потянуло прохладой.

За Мытищами, не доезжая километров трех до развилки, где им надо было сворачивать на проселочную дорогу, их совершенно неожиданно притормозил пост ГАИ.

— Тормози, — сказал Волоха, неожиданно почувствовав прилив вдохновения.

— Проскочу! — Магаданша сбросила скорость и замигала фарами, делая вид, что собирается пристать к обочине. На самом деле она обычно виртуозно переключалась с первой скорости на четвертую и улетала из-под носа не успевшего ничего сообразить гаишника.

— Я сказал, тормози! Еще увяжутся.

До дачи оставалось не больше семи километров, и навязывать себе на хвост погоню было бы глупо.

— Не учи меня! — окрысилась Люська.

Она все же остановилась возле козырнувшего лейтенанта и высунулась в форточку. Мотор она не заглушила. Если бы гаишник сейчас сказал: «Заглушите мотор и приготовьте документы», — она бы не задумываясь нажала на газ.

Но вместо этого слегка смущенный лейтенант протянул в окошко сотенную купюру:

— Извините, не разменяете? Сдачу нечем дать.

Магаданша опешила — этого она никак не ожидала. В бардачке у нее лежал бумажник с лимоном — десятью точно такими же розовыми бумажками. Доставать и открывать его при менте, делая вид, что ищешь и не находишь мелочь, было бы глупо.

— Кошелек у тебя? — спросила она, поворачиваясь к Волохе, хотя наперед знала, что у того при себе только сто баксов.

Волоха не колебался ни секунды.

— У жены посмотрю, — лениво сказал он, открывая замочек Татьяниной сумочки.

Как он и ожидал, в кармашке лежало толстое кожаное портмоне. Он неторопливо открыл его и пересчитал деньги: сотня десятками и пятерками. Волоха передал деньги гаишнику и забрал у него сто тысяч. Лейтенантик, довольный, что кончились его мытарства, козырнул и отошел к другой машине, видимо, в ней сидел проштрафившийся водитель.

— А ты — ничего, сообразил, — заметила Магаданша, когда они отъехали от поста.

Волоха самодовольно пожал плечами. Ему удалось избавиться от неприятного ощущения вины за собственный идиотизм с пистолетом.

Положив портмоне обратно в сумочку, он заодно из любопытства осмотрел остальное хозяйство спящей крали. В сумочке лежал чистый носовой платок, пудреница, квитанции, неотправленное письмо для некой Валентины Гутчиной, поселок Степное Саратовской области, ключи, ежедневник в кожаной обложке и крошечный пузырек духов с пробкой в виде цветка. Волоха не удержался и понюхал духи. Их запах показался ему знакомым, — он сообразил, что так же пахло от спящей женщины.

— Она тебе ноги не отлежала? — сочувственно ухмыльнулась Магаданша. — Можешь спихивать, приехали.

— Да ладно, пусть лежит.

Волоху редко интересовала личность своих жертв, они примелькались за эти годы и были все на одно лицо, как для прораба одинаковы кирпичи на стройке. Но почему-то эта спящая красавица его заинтересовала.

— Кто она, не знаешь? — спросил он Люську.

— А тебя колышет? — лаконично ответила та. — Прикрой ее, пора.

Он убрал с колен плечи и голову женщины. Она была мягкой и податливой, как резиновая кукла из секс-шопа, пользовался раз Волоха такой ради прикола.

Магаданша, не останавливаясь, перегнулась через сиденье и бросила ему стоявшую впереди спортивную сумку-палатку. Волоха развернул палатку и укрыл Татьяну прорезиненной оранжевой тканью со шнурами. Теперь, если бы кто-нибудь заглянул в салон «Волги», въезжающей в дачный поселок, то увидел бы просто двух изможденных жарищей московских дачников-лохов, не сумевших даже толково увязать палатку и кинувших ее кучей на заднее сиденье.

— Вон Цой сигналит, — с улыбкой сказал Волоха.

Магаданша тоже усмехнулась.

— Там Эдичка икру мечет. Мы на час опоздали.

Вдруг им стало весело, как после удачной охоты, когда удалось завалить матерого кабана-секача и возвращаешься по морозцу домой, предвкушая сковородку горячей свеженины и запотевший пузырь самогона на столе.

Это же чувство удачной охоты не покидало Волоху и тогда, когда они въехали в открытые ворота Безруковой дачи и поставили «Волгу» в тени под яблоней, и когда он с Цоем тащил за руки за ноги замотанную в палатку спящую женщину. На душе было радостно, и предвкушался какой-то праздник.

Довольный, как слон, Эдик побухтел что-то насчет задержки и примолк. Женщину отнесли в мансардочку и уложили на железную кровать, накрытую пыльным сенником — тюфяком.

— Ну как все прошло? Проблем не было?

— Да все тихо, — отвечал шефу Волоха, снимая

со спящей красавицы палатку и отдавая Цою: — На, сложи.

— Люська позвонила?..

— Да все, как ты говорил: вышла, села. «Вы от Турецкого?» — «От Турецкого». Уколол — и пикнуть не успела.

Лапшин, довольный собой, осклабился. «Все-таки котелок еще варит», — думал он, защелкивая на Зеркаловой наручники.

— А когда она проснется? — спросил Волоха, глядя на женщину.

Лапшин подумал.

— Да через полчасика начнет отходить, — сказал он, подозрительно глядя на Волоху. — А ты что задумал? Ты лучше свайку заткни! Не вздумай до нее дотронуться. Хозяин приказал только доставить, и чтобы с нее волос не упал. Ты понял?

Вместо ответа Волоха вышел из мансардочки.

Безрукого послали в деревню за водкой и за молоком. Картошки уже не было, приходилось варить то рис, то макароны. Магаданша ушла на верандочку, где стояла газовая плитка с баллоном, и там гремела грязными кастрюлями.

— Эй, эй, эй, только ты ее вымой хорошенько с мылом, — предупреждал Эдик, стоя в дверях и глядя на пышную Магаданшину задницу, обтянутую вязаной домашней юбкой. — Безрукий в этой кастрюле бурду для своих гадов варит!

— Он и сам из этой кастрюли жрет!

— Из этой? — В голосе Эдика послышалась гадливость. — Значит, этот идиот сам жрет то, что котам варит. Тьфу!.. Лучше бы ты мне не говорила.

— Да ладно, какой кашерный! — кокетливо

сказала Магаданша, поглядывая на Эдика через плечо.

Пока они там были заняты шуры-муры, Волоха быстро снял рубашку и отстегнул портупею. Пистолет его лежал там, где он его вчера положил, — на кушетке под подушкой. Слава Богу, что Лапшин на него не наткнулся! Волоха сунул пистолет в кобуру и, обмотав ремни вокруг кобуры, спрятал свое хозяйство обратно под подушку.

С улицы на верандочку зашел Малек.

— Что сегодня на ужин? — заглянул он Магаданше под руки. — Опять макароны? Ты бы хоть раз гречки сварила, в ней железа много.

Глава 18

НАСИЛИЕ

1

Волоха снял кроссовки и, сам еще не зная зачем, проскользнул по лесенке наверх, в мансарду. Женщина еще спала, но первый, мертвый неподвижный сон уже проходил, она начинала ворочаться и шевелить губами во сне. Волоха присел у нее в ногах, снял с нее туфли и бросил под кровать. Когда-то он слышал от умных людей, что в женщине настоящая *порода* определяется не по лицу, не по одежде, даже не по рукам, хотя руки — это основное. Прежде всего надо посмотреть на ее ноги, на пальчики ног. Если они ровные, как у младенца, а не кривые, скрюченные, изуродованные плохой обувью, съеденные грибком, — тогда это порода. Такая женщина никогда, ни разу в жизни не носила дубовые туфли из кожзаменителя, не втискивала ногу в обувь, на полразмера меньше нужной, потому что нужного не смогла достать, не одалживала у подружек, не подкладывала вату в носы туфель, как делали почти все девки в его деревне, идя на танцы.

У этой были нежные на ощупь, розовые пяточки. Волоха взял ее ступню в свою ладонь. У нее были ровные и твердые, как молодые опята, белые пальчики. Узкая щиколотка. Прохладная гладкая кожа на ногах, без всяких признаков выбритой щетины. Круглые узкие коленочки, под правой коленкой — старый белый шрам с точками швов, — ага! где это тебя угораздило так ее распороть? Хулиганкой была в детстве? с велосипеда упала?

Волоха согнул ее ногу в коленке и поставил, придерживая за щиколотку. Между пыльным сенником и шелковой юбкой обнажилась белая тыльная сторона бедра.

Волоха, как все деревенские парни, долгое время, до самой армии, испытывал перед городскими женщинами страх. Он столбенел, когда с ним заговаривала городская, отводил глаза, хмурил лоб, делал скучное лицо и, глядя в сторону, мямлил в ответ что-нибудь односложное: «Ага... Але... Тудой идзите».

Самая зачуханная городская чувырла убивала его на месте своим раскованным и чистым русским языком, в то время как он, всю жизнь прожив в деревне Голынь, колхоз «Принеманский», как физического уродства — горба или хромоты — стыдился своего белорусского «колхозного» акцента. «Колхозный» язык приковывал его к деревне, деревня — к беспросветной темноте и бедности, к алкоголичке-матери, доярке, к гулящим сестрам, к пьянству и дикой бедности... И еще долгое время после армии, которая кончилась для него «зелены-ми елочками» — дисциплинарным батальоном, он робел перед городскими женщинами, которые одним словом, одним взглядом вызывали в нем чувство неполноценности. На ученом языке такое чувство называется комплексами, но Волоха таких умных слов не знал, а просто довольствовался бо-сявками, которые к тому же сами к нему на шею вешались.

Но эта спящая красавица не вызвала в нем обычного замешательства. Она была такой мягкой, покорной, податливой, доступной, что у Волохи вдруг мелькнула мысль: она не спит! Она играет с ним! Она давно проснулась и лежит с зажмуренны-ми глазами, подчиняясь каждому его движению.

Он затаил дыхание и внимательно посмотрел ей в лицо — ему показалось, что ресницы ее дро-жат, что она готова открыть глаза и улыбнуться ему заманчиво и пригласительно. Волоха придвинулся к ней поближе, двумя пальцами расстегнул верх-нюю пуговичку на блузке. Обнажилась темная лож-бинка между ключицами. Расстегнул вторую пуго-вичку — показались округлые холмики, стиснутые черным кружевом атласного бюстгальтера. Когда-то тот же спец, что объяснял ему значение женских ножек, говорил: «Какая грудь должна быть у насто-ящей женщины? Такой, чтобы могла поместиться мужику в ладонь, иначе это уже корова будет, а не женщина». Волоха, уверенный, что красавица не спит и все чувствует, положил руку ей на грудь. Грудь вошла в его ладонь как влитая, как под его мерку сделанная. Вот только женщина не хотела открыть глаза.

Волоха осторожно оттянул ее верхнее веко и увидел голубоватый белок в розовых жилках. Женщина спала глубоким сном и не подозревала, что вокруг нее происходит. Волоха опомнился. Застегнул на ней блузку, прикрыл юбкой коленки.

— Кыща-кыща-кыща! Сидор! Сидор! — донесся с улицы тоскливый зов Безрукого.

Волоха подошел к пыльному оконцу, заплетенному паутиной. Безрукий тащился по дороге с горочки, перекосившись на один бок, — волок на левом плече торбу, из которой выглядывали горлышки бутылок и трехлитровик молока, прикрытый капроновой крышкой. Безрукий припадал на одно колено, как в реверансе, заглядывал под кусты и заборы.

— Сидор, Сидор! Иди домой! — разносился окрест его голос.

Солнце собиралось садиться за лесом, по небу разливалось красное зарево заката. Низко над огородами, почти касаясь острыми крыльями картофельных рядов, выписывали виражи черные ласточки.

«Завтра будет дождь», — отметил про себя Волоха по многолетней деревенской привычке. Отойдя от окна, он еще раз посмотрел на спящую. Та зашевелилась, пытаясь поменять положение рук, но не смогла — запястья сжаты «манжетами». Потом она перевернулась на бок, лицом к стене, подтянула под себя коленки и снова затихла.

Волоха сошел вниз и, чтобы не нарваться на Лапшина, залез в подпол, где в углу за дощатой загородкой лежала проросшая картошка. Из подпола дверь вела во двор по другую сторону дома. Там

Волоха забрал у Безрукого торбу с водкой и понес в дом.

Заслышав хозяина, к Безрукому со всех сторон катились пестрыми клубками коты и собаки, а он наливал им молоко из трехлитровой банки в плошки и миски, стоящие вдоль стены.

— Ты где был? — подозрительно зыркнул Лапшин на Волоху.

— Гулял.

— Гулял! Помнишь, что я сказал? Свайку держи, раз приспичило, а к ней не подходи. Сейчас хозяин звонить будет.

Волоха молчал, вяло поводя плечами.

Ужинали за низким столиком, сооруженным из бочонка, накрытого листом фанеры. Из всех признаков цивилизации у Безрукого имелось одно электричество и, как следствие, черно-белый телевизор «Горизонт».

— Прими качан, не стеклянный! — время от времени покрикивала Магаданша на кого-нибудь, заслонившего от нее светоч культуры. В свободные вечера она урывками смотрела «Санта-Барбару». Она сидела вполоборота к телевизору, закинув полные ноги на табурет напротив и широко разведя коленки. Под короткой юбкой между ляжками на черных колготках расползлась дырища, сквозь которую просвечивалась полоска трусов. Магаданша видела, что от такого обзора сидящий напротив Малек впадает в гипнотический транс, и только ухмылялась — Малек ей был не нужен, прицел она держала на Эдика.

Безрукий сидел за столом вместе со всеми, но жрал только водку — от горя у него пропал аппетит.

— Ну куда он мог деться? — бормотал идиот, подозрительно разглядывая постояльцев и справедливо подозревая их в похищении драгоценного Сидора.

— В Москве были, не могли ничего витаминного купить? — игриво подначивая Магаданшу, говорил кореец. — Чтобы сохранять форму, надо жрать не макароны, а белое мясо или бифштекс с кровью.

— Вот ты у меня кровью блевать будешь!

— Ты, чувырла, хвоста не подымай!

— Заткнитесь оба! — грохнул по столу Эдик. — Малек, ты поел — сходи посмотри, как там эта. Может, ей нужно чего?

— Я схожу, — вскочил Волоха, но Лапшин удержал его за плечо:

— Сядь и нишкни, тебе сказали.

Цой ушел наверх, а Волоха, весь внутренне дрожа от злости, стал следить, сколько пробудет в мансардочке кореец. Тот вернулся очень скоро.

— Спит, — сообщил равнодушно.

Но Волоха уже не верил этой косоглазой морде и думал, что кореец успел положить глаз на *его* спящую красавицу. Поэтому после ужина он подсел к Цою и, вытащив свою колоду карт, спросил:

— Малек, игра есть?

— Есть!

Они смели все лишнее с низкой кушетки на пол и уселись друг против друга. За час они сожрали по бутылке водяры, и заодно Волоха проиграл корейцу все, что при себе имел. Лапшин только поглядывал в их сторону да бровями играл, но помалкивал.

— Ставлю пушку! — Волоха вытащил из-под подушки пистолет с портупеей. — В обмен на твой.

— Идет! — мотнул головой Малек, осоловевший от водки и фарта. Перекинулись, и Волоха проиграл пистолет.

— Ну? — нетерпеливо дернулся Цой, желая продолжить игру.

Волоха сделал вид, что призадумался, — он был гол как сокол.

— Одолжи тысячу баксов, — предложил он Мальку.

Тот согласился.

— Ты где так арапа заправлять научился? — не выдержал, ухмыльнулся Эдик, прекрасно понимая, что проигрыши Волохи насквозь липовые и что Волоха таким образом только растравляет Малька.

— Нигде, под зелеными елочками, — неохотно процедил Волоха, выбрасывая карту.

Лапшин развернул свой стул к игрокам. Через полчаса уже кореец у него на глазах проигрался в дым, несмотря на усердные подсказки со стороны Эдика.

Малек проиграл и еще остался должен.

Лапшина задело за живое.

— Ну-ка, слиняй, — сказал он корейцу, усаживаясь на его место напротив Волохи и вынимая из внутреннего кармана свою колоду.

— Зарядим старый штос?

— Давай, — вяло кивнул Волоха.

Эдик перетасовал карты и подрезал колоду.

— Штос готов?

За шесть сеансов Волоха обыграл его шесть раз, выцыганив всю наличность. Эдик взъерошился.

— Люська, прими со стола! Пошли на свет, не могу я так играть, скорючившись. Малек, пошли Безрукого за водкой.

— Магазин закрылся.

— Ну к Пелагейке его пошли! Что, сам сообразить не можешь? Играем!

Они пересели с кушетки за стол, под низкий абажур. Посланный к местной знаменитости — Пелагейке — за самогоном, Безрукий возвратился, неся в торбе бутыль мутноватой теплой жидкости. К этому времени Лапшин проиграл золотой браслет и перстень.

— Ставлю «крабы»! — Эдик сорвал с запястья свои часы.

Волоха стасовал колоду, усмехаясь тому, как Эдик, не отрываясь, следит за его пальцами, словно кот за мышиной норой: пытается раскусить, каким образом его обыгрывают.

— Штос готов? — спросил Волоха, подрезая колоду.

Эдик молча кивнул: да, все чисто, без баламута. Через пару минут он распрощался и с часами.

— Люська, отвали! — отпихнул он подсевшую было Магаданшу. — Принеси лучше чего-нибудь пожрать.

Магаданша пожала плечами и принесла банку соленых помидоров, пожертвованную Безруким. От теплого самогона у Эдика зашумело в голове и перед глазами поплыли зеленые пятна.

— Ты что это, бражки принес? — заорал он Безрукому.

— А другого не было! — спокойно ответил идиот из своего закута на печке, куда уже заполз спать.

Лапшин выловил рукой помидор из банки, высосал из него мякоть, обливая рассолом зайцевский пиджак, и шваркнул на пол шкурку. Волоха смотрел на него с невозмутимым видом и тасовал карты.

— Есть игра?

— Есть!

Эдик снял с шеи цепь в палец толщиной, кинул на кон.

Чем больше он проигрывал, тем сильнее повышал ставки, с каким-то суеверным упорством искренне полагая, что чем больше он сначала проиграет, тем больше потом выиграет. Уж он старался снимать карты попеременно то снизу, то сверху, крестился и брал левой рукой, а прежде чем выбрать карту, долго ворожил по своей колоде. Но никакие испытанные методы не приносили удачи.

Волоха, у которого от бражки по всему телу прокатывались прохладные волны, только щурился на Эдика и лимонил у него, как у малого дитяти, даже не давая себе труда время от времени проигрывать, чтобы зажечь ретивое у партнера. Он знал, что Лапшин игры не бросит.

— Эдик, он же тебя засадит на рогатину! — сообразила догадливая Магаданша, с беспокойством наблюдая за игрой.

— Пошла вон, чувырла!

— Эдик, хватит! Иди спать!

Люська видела, что, засадив Эдика на рогатину, Волоха заставит его расплачиваться чем-нибудь неисполнимым, но оторвать Лапшина от стола не могла.

Безрукий давно уже храпел на печке. За полночь перевалило. Малек и Магаданша не отходили от игроков, следя за ними. Под низким абажуром плавали сизые клубы дыма, не выветриваясь, хотя все окна были нараспашку. Эдик проиграл свой джип, оставшийся в Москве. Он был ободран как липка, пьян в дугу, взбешен и горел желанием продолжать игру если не для того, чтобы отыграться, то хотя бы раскумекать, каким же образом Волоха подрезал ему бороду. Тогда он мог бы, не теряя достоинства, объявить проигрыш недействительным, кинуть карты на бочку со словами:

«Ваш номер старый!»

— Одолжи мне десять тысяч баксов, — небрежно махнув рукой в сторону Волохи, заплетающимся языком произнес он.

Но Волоха отрицательно покачал головой.

— Как нет? — взбесился Лапшин. — Я не пацан, чтобы тебе в трубу кукарекать! Чего ты хочешь?

— Играю на золотой дукат, — блеснув глазами, сказал Волоха.

— На что?

— На ту бабу!

— Я тебе сказал!.. — Эдик в ярости пнул бочонок. — Хозяин приказал, ни-ни!.. Чтоб волос не упал!..

— Как хочешь, — пожал плечами Волоха, делая вид, что собирается ложиться спать.

— Да что ты жмешься? — насела Магаданша на Эдика. — Не шоколадная, за раз от нее не убудет. Ты же ее не под трамвай кладешь.

Эдик колебался. Каким бы пьяным он ни прикидывался, а свою выгоду соображал, тем более что еще неизвестно, какая мысль завтра тюкнет заказчику в голову. А опыт жизни подсказывал, что, как правило, если в один день с клиента велят пылинки сдувать, то в другой день прикажут поставить ему на пузо раскаленный утюг. И в этом случае жаться из-за какой-то бабы смешно и глупо.

— Сядь и нишкни! — бубнил Лапшин, мрачно глядя на Волоху. — На бабу играть нельзя. Дай мне отыграться, поверь в долг.

— Ты не мычи, как Брежнев на трибуне. Играешь или нет?

— Нет!

— Баш на баш? Бабу в обмен на все?

— Эдик, соглашайся! — дернула его за рукав Магаданша.

Малек смотрел то на Волоху, то на Лапшина и замирал от восторга. Такой классной игры он еще не видел.

— Нет! — мотал головой Эдик.

— Если я выиграю бабу, ты заберешь обратно все!

— Эдик, давай! Давай соглашайся! — зудела над ухом Люська.

— А если я выиграю? На хрен мне баба?

Волоха усмехнулся. Не выиграешь, подумал он, не надейся!

— Если выиграешь, то получишь все свое и это. — Он кинул на кон ключи от своего «БМВ».

— Я тасую! — предупредил Эдик.

— Идет.

Эдик тасовал долго и тщательно, не надеясь на выигрыш, но рассчитывая оттянуть время. Вот если бы в этот самый момент позвонил заказчик!.. Тогда игру можно было бы отменить. Разменять долг на бабу было соблазнительно и невероятно просто, и от этой простоты Лапшину становилось не по себе.

Малек и Магаданша не дышали, усевшись на пол по обе стороны стола и не сводя глаз с рук игроков. Последний сеанс тянулся долго, как шахматная партия. Ни звука не раздавалось ни с чьей стороны. Наконец все решилось.

— На, забирай! — сказал Волоха, придвигая к Эдику кучу проигранного Лапшиным барахла.

Эдик тупо смотрел на кучу движимого имущества, в которой бумажки переплетались с кожей и золотыми цепочками.

Волоха выиграл. Вернув Эдику обещанное, он встал и потянулся, сыто улыбаясь. Малек и Магаданша по-прежнему не проронили ни звука, ожидая развязки. Волоха пошел к лестнице и сделал несколько шагов вверх по ступенькам. Малек заерзал — ему вдруг захотелось присоединиться к нему, но, раз все молчали, и он молчал.

Эдик сунул руку в кучу барахла, лежащего перед ним, нащупал рукоятку пистолета, поднял его, стряхнув на пол побрякушки, которые со стуком раскатились по углам, и почти не целясь выстрелил в Волоху. Колени Волохи подкосились, он скатился с лестницы, попытался вскочить на ноги, но снова упал. Пуля попала ему выше колена и прошла насквозь, не задев кости и оцарапав другую ногу.

На улице хором дико взвыли собаки. Безрукий перестал храпеть и заворчал на своей печке. Лапшин молча сидел, уронив голову на руки, пока Магаданша и Малек выхаживали раненого. Волоху перетащили на кушетку, уложили, и Люська умело и тщательно обработала рану, уколола антибиотик и наложила повязки. Волоха кусал губы до крови, но не стонал.

— Тебе попить принести? — жалостливо спросила Люська, глядя на него, но он только перевернулся лицом к стенке.

«Убью его... рано или поздно, убью!» — думал он, плача без слез.

Через некоторое время он ослабел и забылся, мучаясь в кошмарном сне.

Постепенно все стихло. Заткнулись собаки, Магаданша замыла кровь на полу и легла спать. Цой сидел на стреме возле дверей мансардочки, и до Эдика доносился то и дело скрип его стула. Стонал и метался во сне раненый Волоха, мешая Эдику сосредоточиться и уснуть. Укладываясь спать, он думал, что уснет как убитый, но хмель вдруг быстро прошел и сна не было ни в одном глазу. Он лежал, вглядываясь в темноту и слушая подозрительные шорохи, доносящиеся сверху, — то ли это кошки бродят по дому, то ли ходит по мансарде их подопечная.

Промучившись так с полчаса, Эдик встал и оделся. Тихо отправился вверх по лестнице. Малек спал сладким сном, развалясь в гнилом кресле-качалке, выкинутом кем-то из дачников. Эдик хотел разбудить его, но что-то его удержало. Вместо этого он толкнул заскрипевшую дверь и вошел в мансардочку, стараясь не потревожить спящего корейца.

Нащупав на стене выключатель, он зажег свет. Под потолком вспыхнула тусклая шестидесятиваттная лампочка, висящая на голом шнуре, и осветила убогую обстановку комнатушки. Женщина уже не спала. Она сидела на кровати, прислонившись спиной к стене, сжавшись в комочек, и смотрела на Эдика широко раскрытыми глазами. Рядом с ней, на кровати, пригревшись, спали и мурлыкали сквозь сон две кошки — это было их место, и они не понимали, с какой стати оно занято.

Татьяна проснулась от выстрела. Она и до этого просыпалась несколько раз, открывала глаза, обводила взглядом комнатку, но затуманенный снотворным ум воспринимал окружающее в фантастическом свете: низкие потолки казались ей то потолком тюремной камеры, в которой она живет вместе со своим мужем, то крышкой гроба. Лай собак превращался в крик африканских шакалов, выгоревшие желтенькие обои на стенах расстилались саванной.

Она вскочила и села на кровати. Хотя окно и не было занавешено, в мансарде стояла плотная, непроглядная тьма, какая только бывает в деревне в безлунные ночи. Татьяна попыталась высвободить руки, но поняла, что они скованы наручниками за спиной. «Где я?» — с ужасом подумала она. И тут же вспомнила все: звонок от Турецкого, «Волгу» у проходной и пчелу, ужалившую в руку. «Сколько же я тут нахожусь? День, два? Чем они меня кололи, наркотиками? Кто стрелял?»

Вдруг ей показалось, что за ней приехала милиция, что сейчас там идет перестрелка и скоро ее освободят. Она вскочила и подбежала к двери и стояла, прислушиваясь к голосам и звукам, доносящимся снизу, пока не поняла, что никакой милиции не было, и даже выстрела, пожалуй, не было, а она приняла за выстрел грохот упавшего кресла.

Татьяна вернулась на кровать и просидела, прижавшись к стенке, очень долго. Отупевшая от снотворного голова не хотела думать, а подсовывала ей вместо мыслей похожие на галлюцинации образы-картинки. Вдруг ее напугали кошки, вылезшие, как ягуары, откуда-то из-под крыши, в щель в потолке, возле дымохода, и спрыгнувшие прямо на нее. В нормальном своем состоянии Татьяна бы обязательно взвизгнула, но теперь она продолжала сидеть молча и неподвижно, чем и вызвала доверие к себе со стороны этих мелких хищниц. Они улеглись рядом с ней и замурлыкали.

Татьяна слышала, как пришел и уселся возле двери ее надсмотрщик, а потом вдруг зажегся свет, ослепивший ее на мгновение, и она различила стоящего на пороге невысокого плотного человечка в дорогом, но мятом и запятнанном костюме. Из-под расстегнутого пиджака выглядывала толстая золотая цепь на волосатой груди.

— Выспалась? — спросил человек неопределенным тоном.

Татьяна не уловила в его голосе ни угрозы, ни доброжелательности и промолчала.

Лапшин прикрыл за собой дверь и уселся в ногах кровати, потому что больше сесть ему было не на что: вся обстановка комнатки ограничивалась только этим объектом меблировки. Татьяна отодвинулась от него в противоположный конец кровати, подобрала под себя ноги, как черепаха, уходящая в свой панцирь.

— Что-нибудь надо? — спросил человек.

416

Теперь в его голосе слышалось желание поболтать.

— Что вы хотите со мной сделать? — спросила Таня, имея в виду не столько человечка, сколько тех, кто его послал.

Эдик объяснил в двух словах, что ничего плохого — пока, подумал он, — ей не сделают, и повторил свой вопрос, добавив:

— Хозяин просил о тебе позаботиться.

— Я хочу в туалет, — призналась Таня.

— Пошли, я тебя отведу.

Туалет типа «скворечник» стоял на улице, на противоположном конце участка Безрукого, и Лапшин задумался: от дороги участок отделяет не забор, а изгородь в две жердины, через нее и годовалый ребенок перескочит. Вдруг она задумала сбежать?

— Иди в парник, — решил Эдик.

— А наручники? Снимите с меня наручники, я не убегу.

— Зачем?

— Ну, я же не могу в них... раздеться!

Лапшин напрягся. Черт ее знает, может, она — чемпион по айкидо и, едва он снимет с нее манжеты, она ему шею свернет так профессионально, как какому-нибудь Сидору.

— Не надо снимать. Я сам тебе помогу, — сказал он, заталкивая ее в парник.

Шарахнулась перепуганная внезапным вторжением на ее территорию черная дворняжка, спавшая на тюфяке между помидорами.

— Нет, не надо! Я лучше сама!

— Да не дергайся ты, я ничего не сделаю.

— Не трогайте! — взмолилась Таня.

Он толкнул ее лицом вниз на вонючий собачий тюфяк. Она замолчала. Эдик знал, что она будет молчать, такие интеллигентки молчат от стыда, как овечки, и только думают, чтобы их в этот момент никто не увидел.

Татьяне казалось, что изнасилование нельзя забыть за целую жизнь, но пройдет пять лет, и она сможет думать о нем спокойно, как о страшной сцене, увиденной в кино. Единственным следствием останется бессмысленное в общем-то отвращение к собакам, возникшее у нее с той ночи.

Той ночью черная дворняга не убежала, а уселась напротив них, глядя с немым любопытством на дела человеков.

Вернувшись в дом, Лапшин бросил обмякшую и оглушенную женщину на кровать в мансардочке, вышел и зуботычиной поставил на ноги Малька, спавшего сном праведника. Эдику хотелось найти и пристрелить того черного кобеля, но собака предусмотрительно смылась.

Ночь подходила к концу, оставалось только раздеться и лечь спать. Лежа на кушетке, Лапшин слышал, как наверху Малек со звонким деревянным стуком крутит нунчаки.

2

К обеду приехал хозяин.

Таня была деморализована полностью. «Что же это происходит с нашей семьей? — спрашивала она себя постоянно. — Папа, Володя и вот теперь — я... Что же происходит, Господи, дай ответ!»

Она уже совершенно не ориентировалась во времени. Ей казалось, что она находится в этой незнакомой местности тысячу томительных лет, что она родилась здесь, что она никогда не жила другой жизнью, что все, что она помнит о той, прошлой жизни, — всего лишь красивый сон-сказка. На самом же деле ничего этого не было, она только придумала себе всю ту красоту, она всегда была такая романтичная...

Это наказание мне, вдруг с полной ясностью пришла ей в голову простая мысль. За Толика, за Володю, за Турецкого и еще за многих мужчин, которые любили ее, но которых никогда не любила она — так, как должна любить Женщина с большой буквы. Никогда она не отдавалась яростно, без остатка — никому. И вот оно, наказание. Этот скот дал ей ясно понять, что это значит — когда любят без любви.

«Господи, я все поняла, — забормотала вдруг она, — я все поняла, правда, Господи, я поняла и приняла твои уроки. Пощади меня, Господи, сжалься, выпусти в ту, прошлую жизнь, которую я так не ценила и которую я теперь буду холить и лелеять до самого ее конца. Я изменюсь, Господи, я стану любить людей, я буду любить их без остатка, я все сделаю, — только верни мне мою жизнь...»

Лицо ее было залито слезами, и она не сразу поняла, кто это вырос перед ней: фигура и лицо подошедшего расплывались во влажных глазах.

— Эй! — услышала она знакомый грубый голос. — Вставай! Быстро!

Она рукавом утерла лицо и, продолжая тихонько всхлипывать, поднялась с кушетки.

— Зовут тебя там, — буркнул ее вчерашний мучитель. — Скажешь про вчерашнее хоть слово — убью. Поняла? Тебя спрашивают, сучка!

— Поняла, — торопливо ответила ему Таня. — Поняла, правда. Честное слово!

Эдик хмыкнул.

— Ну, смотри, — с угрозой протянул он. — А то вчерашнее раем тебе покажется.

Его не удивила такая покорность женщины, которую он вчера изнасиловал. Все они такие, мокросучки, пока на мужика не наткнутся нормального. Пусть кочевряжатся. Это у них до первого хорошего втыка. Он снял с нее наручники.

— Иди, — толкнул он ее легонько в спину.

— Иду, — покорно повторяла Таня. — Только не бейте меня, пожалуйста.

Эдик снова хмыкнул.

«Вот так надо с ними, — думала Таня, — только так: покорно, жалостно, с любовью. Они тоже люди, они просто не знают об этом или забыли. А Господь специально ее сюда и направил, чтобы именно она заставила их вспомнить, что они — люди. Именно так, и никак иначе».

Лапшин привел ее в небольшую, но довольно уютно обставленную комнату. Здесь в огромном кресле сидел мужчина лет пятидесяти и с любопытством поглядывал на Татьяну. Когда она вошла в комнату, он не встал, а так и остался сидеть в своем кресле. В руках он держал длинную трость.

Одним движением руки он отослал Эдика и, когда тот уже закрывал дверь, вдруг сказал ему:

— Побеспокойся о том, чтобы никто нам не мешал.

Эдик ухмыльнулся:

— Кто тут может помешать? — и закрыл дверь.

Мужчина снизу вверх смотрел на Таню, которая стояла перед ним как школьница перед учителем.

— Сделай два шага вперед, — жестким голосом вдруг приказал мужчина.

Она выполнила приказание и оказалась в метре от него. Он протянул вперед трость и медленно задрал ей юбку, внимательно разглядывая ее ноги. Ноги были красивыми.

— Как тут с тобой обращались? — спросил он.

Она молчала, не зная, как отвечать. Ей и пожаловаться хотелось, и в то же время она помнила угрозу этого страшного человека, который привел ее сюда.

— Что же ты молчишь?

Кажется, она нашла правильное выражение.

— Меня тут... любили, — с едва заметной горечью ответила она. Брови мужчины медленно поползли вверх.

— Да-а? — протянул он с удивлением. — Ну что ж. Мне нравится, что ты так смиренно принимаешь то, что с тобой случилось.

— Почему это со мной случилось? — вырвалось вдруг у нее. — За что?

— Почему? — повторил он вслед за ней.— Это сложно. Так случилось. На твоем месте могла оказаться любая. Если бы она была... Хотя... Об этом в следующий раз. Пока тебе не надо знать большего.

Говоря это, он все время держал ее подол высоко задранным. И почувствовал, как желание вдруг стало бешеным. Он давно не встречал такой покорности, такого отчаянного, всепоглощающего послушания. Перед ним стояла самая настоящая рабыня. Таких он представлял себе в частые минуты самоудовлетворения.

— Сними это, — охрипшим и осевшим вдруг голосом приказал он. — Все снимай!

Не говоря ни слова, Таня разделась. Она стояла перед ним голая, безвольно опустив руки и глядя прямо перед собой.

— Встань на колени! — приказал он.

Она встала, как он приказал, все так же глядя куда-то в одну точку.

— Ползи сюда.

Она подползла к нему, и он сунул ей в лицо ноги, обутые в туфли из дорогой кожи.

— Почисти.

Подошвы от туфель находились в миллиметре от ее лица. Она все еще не понимала, чего от нее хотят.

— Почисти! — приказал он опять, повысив голос. — Языком! Ну!

Да. Она заслужила это. Это ее наказание. Она должна быть наказана. Она сделает это.

Она высунула язык и дотронулась им до подошвы. От наслаждения мужчина прикрыл глаза. Именно об этом он мечтал в своих грезах. Теперь он достиг этого наяву. И ведь он еще не сделал всего того, что хотел. Но он сделает. Он все сделает. И они все будут у его ног. Все! Все они будут его рабами и целовать его ноги, вот как эта... Как же хорошо, как хорошо!!!

Несколько пылинок скрипнули на ее зубах. Грязь. Что такое? Почему она дышит пылью? Почему ей так плохо? Что это прямо перед ее глазами? Обувь. Почему она лижет эту грязную подошву? Что с ней?!

Таня отвела голову и посмотрела на того, кто сидел в кресле. Мужчина закрыл глаза и постанывал от неведомого ей наслаждения.

Она быстро окинула себя взглядом. Впервые за много последних часов глаза ее приняли осмысленное выражение. Голая. По-че-му?! Кто эта сволочь?!

Все эти мысли промелькнули в ее голове в мгновение ока. А когда она вспомнила, как оказалась здесь, как привел ее тот... тот, который вчера... она вспомнила все: и поведение мужчины, бесцеремонно поднимавшего ей юбку, и свою нелепую покорность, — и черная муть поднялась с глубин души, ослепила Таню.

Она не завизжала, не закричала от отвращения в голос. Молча, не издав ни звука, она бросилась на мужчину — так молча сторожевой пес бросается на врага.

Мужчина запрокинул голову и наслаждался собственными видениями. Голова его лежала на спинке кресла, а шея выделялась огромным кадыком. К этой шее, к этому кадыку, и устремилась Таня.

Она вцепилась в горло врага с удесятеренной силой разъяренной и униженной женщины. Даже если бы сейчас сотня мужчин кинулась бы оттаскивать ее от этого несчастного, ничего бы у них не получилось. Хватка ее была смертельной.

Ошеломленный мужчина пытался сопротивляться, позвать на помощь, но горло его было крепко перехвачено в первый же миг. Он пытался встать, сбросить с себя тело этой неистовой тигрицы, но единственное, на что его хватало, — это только беспомощно размахивать ногами из стороны в сторону, пучить глаза и высовывать язык. Атака Татьяны была стремительной, неожиданной, сильной и неотвратимой. Перед тем как окончательно покинуть этот мир, мужчина последний раз увидел, быть может, самое сладостное видение в своей жизни и затих, испуская дух.

Скончался.

Таня тяжело дышала, с трудом приходя в себя. Рассудок полностью к ней вернулся. Она не мучилась угрызениями совести, ей было абсолютно не жалко этого человека. Он заслужил свою смерть. Она вспомнила свои недавние монологи, обращенные к Господу, и подивилась сама себе. Какой же надо быть дурой, чтобы размышлять таким образом! Но — нет худа без добра. Кто знает, смогла бы она голыми руками задушить мужчину в расцвете сил, если бы не это временное помутнение разума. А теперь она могла нормально соображать.

Да, теперь она могла спокойно рассуждать. Сначала одежда. Как это она могла так безропотно раздеться?! Ладно. Потом об этом порассуждаем.

Этот маньяк приказал своему холую, чтобы им никто не мешал. Очень хорошо, просто замечательно. Значит, у нее есть время, чтобы оглядеться и пораскинуть мозгами. Но сначала нужно...

Конечно! Посмотрим, что может находиться в карманах такого мужчины. Так, карман. Бумажник. Богатый мужчина. Был. Визитки. Ага. Васильев Олег Константинович. Ого! Администрация Президента. Начальник управления. Свихнулся мужик на власти и кончил плохо. Посмотрим, что в брюках, откинем полу пиджака... Вот это да. Пистолет под мышкой! Стрелять меня когда-то Володя учил. Всех теперь перестреляю! Пусть судят. А это что? Господи, что это?! О Господи!!! Быть не может! ✓

Таня села прямо на пол у ног убитого и расплакалась. Плакала она тихо-тихо, стараясь не привлекать к себе внимания. Ей нужно было еще очень много сделать. И никто ей не должен помешать.

В руках она держала сотовый телефон покойного. В сущности, ничего странного нет в том, что один из шефов администрации Президента имеет сотовый телефон и таскает его с собой. Но как же это вовремя.

Таня набрала телефон Турецкого, она помнила его очень хорошо. Трубку сняла Лиля Федотова.

— Алло! Генеральная прокуратура, следственная часть, кабинет Турецкого.

— Можно Турецкого? — очень тихо сказала в трубку Таня.

Помимо всего прочего сотовые телефоны хороши еще тем, что в них можно шептать — и все равно слышимость будет отличная.

— А его нет, — сказала Лиля. — С кем я разговариваю?

— Это Таня Зеркалова.

— Таня?! — вскрикнула Лиля. — Вы где?! Мы вас везде ищем!

— Меня похитили, — горячо зашептала в трубку Таня. — Я случайно звоню. Они не знают...

На принятие решения Лиле понадобилась всего одна секунда, но именно она оказалась решающей.

— Срочно наберите номер два-ноль-ноль-шесть-два-шесть-семь, — быстро проговорила Федотова. — Повторите.

— Два-ноль-ноль-шесть-два-шесть-семь, — повторила Зеркалова.

— Правильно! Набирайте!

Таня поспешно стала нажимать на кнопки. Скорей, молила она про себя. Скорей!

— Грязнов! — услышала она незнакомый голос.

Кто это? Но Лиля сказала набрать этот номер. И Таня рискнула.

— Это Таня Зеркалова, — сказала она.

— Где вы? — Голос Грязнова был четок. Тане сразу стало легче.

Лиля знала, к кому ее отсылала.

— Не знаю, — прошептала Таня. — Меня похитили.

— У меня высветился номер телефона, по которому вы звоните. Это что, сотовый? Семерка...

— Да. — Таня знала, что номера сотовых телефонов обычно начинаются с семерки.

— Можете сказать, хотя бы приблизительно, где вы находитесь?

— Какой-то дачный поселок, — пробормотала Таня. — Когда вы приедете?

— Мы должны знать, где вы находитесь.

— Но я не знаю! — в отчаянии простонала Таня и вдруг насторожилась: у двери послышался шорох.

Она сняла пистолет с предохранителя и подошла к двери. Кто-то явно прислушивался к тому, что происходит в комнате. И она решилась.

— Подождите, — шепнула она в трубку и постучала в дверь. — Эй, откройте! Мужчине плохо.

Дверь отворилась, и в комнату вошел Эдик. Он мельком взглянул на Таню, которая с покорным видом стояла около двери, и направился в сторону Васильева. Глаза того были выпучены, язык выпал изо рта.

— Что за черт?.. — пробормотал он.

— Руки вверх! — услышал он у себя за спиной твердый женский голос.

Обернувшись, Лапшин увидел прямо перед собой Татьяну, которая уверенно держала пистолет. Ствол глядел на него, на Эдика.

— Ты... — с трудом проговорил Эдик. Глаза его медленно выходили из орбит. — Ты что... Я же тебя...

— Стоять! — Таня была спокойна, и это больше всего изумляло Лапшина. — Где мы находимся?

При этом телефон она держала свободной рукой у левого уха.

Лапшин пришел в ярость.

— Да ты... — начал он, и вдруг, перебивая его, в комнате раздался выстрел.

Лапшин обалдело уставился на покойного Васильева. У того оказалась простреленной голова.

— Следующий — твой! — сообщила ему хладнокровно Таня. — Где мы? У кого?! Чей это дом?! Ну?!

— Абрамово, — пробормотал Эдик. — Село Абрамово. Безрукого дом.

— Вы слышали? — спросила в трубку Татьяна. — Это — Абрамово. Дом какого-то Безрукова.

— Это вы стреляли? — ошеломленно спросил ее Грязнов. — Вы что, вооружены?!

— Да.

— Ничего себе! — восхитился Грязнов. — Сможете продержать их до нашего приезда?

— Постараюсь.

— Мы будем на месте самое большее через час.

— Жду!

Грязнов отключился. Теперь оставалось ждать. Ну что ж. Шансы хорошие. У нее в заложниках главарь, и она никого в эту комнату не пустит в течение часа. Вот только надо накрепко закрыть дверь.

Таня протянула руку к двери и в это время получила два сильнейших удара нунчаками: один по руке с пистолетом и второй — по плечу. Когда Цой ворвался внутрь, она уже валялась без сознания.

Глава 19

СХВАТКА

1

На Аничкина было тяжело смотреть. Он уже знал, что Таня пропала, и был готов предполагать самое худшее.

— Ты пойми! — старался он обратить меня в свою веру. — Если бы я сейчас по-прежнему находился там, в Лефортове, она была бы дома. Из-за меня все это!

— Давай-ка прикинем, — предложил я ему. — Похожа Таня на человека, который может вдруг ни с того ни с сего взять и потеряться?

Он как-то странно на меня посмотрел, но вынужден был признать:

— Нет. Вроде не похожа.

— Если бы с ней случился несчастный случай, мы бы уже знали об этом, — сказал я. — Давай предположим самое вероятное: ее похитили. После того как мы исчезли. Сразу повинюсь, что виноват:

о своей жене вспомнил, а о твоей — нет. Но подумай: что они хотят? Чтобы ты выполз из подполья. Значит, близка развязка. Очень скоро мы начнем действовать. И я сделаю все, чтобы с Таней ничего не случилось.

Он тяжело дышал: видимо, волнение достигло предела.

— Пойми, у них — агония, — убеждал я его. — Они чувствуют, что проиграли, и их арест — вопрос нескольких часов, даже не дней. Они проиграли партию с тобой и сейчас стараются использовать последнюю возможность, чтобы добраться до тебя.

— Это ты пойми! — заорал он, хватая меня за лацканы пиджака. — Мы здесь с тобой восхищаемся: ах, какие мы великие профессионалы! А не сделали самого главного — не могли позаботиться о Татьяне, когда именно об этом, о ней то есть, нужно было подумать в первую очередь!

На крылечке запищал сотовый телефон, выданный нам Меркуловым, — уж и не знаю, где он его раздобыл.

— Саша! — я узнал голос Грязнова. — Она в Абрамове. Только что звонила. У какого-то Безрукова!

— Что?! — воскликнул я. — Тут ехать пятнадцать минут!

— Не вздумай! — предупредил он. — Мы уже выезжаем. Сейчас самое главное — Аничкин! А за нее не беспокойся. Она вооружена и держит ситуацию под контролем.

— То есть как вооружена? — переспросил я. — Откуда у нее оружие?

— Сиди и не высовывайся! — еще раз предупредил меня Грязнов и отключился.

— Черт! — выругался я, тупо уставясь на трубку.

И, встретившись взглядом с Аничкиным, еще раз выругался — теперь уже про себя. Он обо всем догадался.

— Это про кого вы сейчас говорили? — тихо спросил он у меня. — Это кто — вооружен?

— Володя... — попытался я его остановить. Тщетно.

— Это вы про Таню говорили, да? — спокойно улыбаясь, спрашивал он меня. — До нее здесь пятнадцать минут езды? Да, Саша?

Я сдался. Врать ему было выше моих сил, да я бы и не смог. Он бы мне просто не поверил.

— Да, — сказал я.

— И где же она? — продолжал свой тихий допрос Аничкин.

Внутренне я махнул рукой. Что я ему — сторож?

— В Абрамове. — Больше тянуть время я не мог.

— Абрамово, — повторил Аничкин. — Действительно — пятнадцать минут. Даже меньше, если постараться. Турецкий!

— Что?

— А что мы тут делаем? — все еще тихо спросил он меня и вдруг заорал: — В машину! Быстро! Заводи!!!

И бросился в дом — за оружием.

Я тоже кинулся — в машину. Не пускать его нельзя, отпускать одного — тем более.

Придется совершать различные подвиги. Кто бы знал, как они мне надоели...

Они привязали Таню к стулу. Та все еще пребывала без сознания, и Эдик вдруг забеспокоился. Его предупредили, что с головы этой женщины не должен упасть ни один волосок. Что она нужна для конкретных целей. Правда, суть этих целей ему не раскрыли. Да ему и наплевать — лишь бы платили. А если он и позволил себе побаловаться немного с этой бабенкой, то ничего страшного, по его понятиям, не произошло. Стоять у ручья и не напиться — это все лохи придумали. А он никогда не был лохом.

К тому же эта баба убила хозяина. Вот уж никогда не сказал бы, что у нее могло хватить сил на такое. Ни одна его женщина на подобное не была способна. Просто молодец эта баба. Просто черт знает что такое.

Сразу после того как Малек вырубил Татьяну, Эдик, не затрудняя себя словами благодарности Цою, который, по существу, спас их обоих, бросился к телефону, который выпал из рук женщины. Вот и второй сотовый, мелькнуло у него в голове, если чего-то очень хочешь, это всегда к тебе придет неведомыми путями.

Он набрал номер, который его заставили выучить так, чтобы от зубов отскакивало, но которым пользоваться строго приказали лишь в самом крайнем, экстраординарном случае. Он не сомневался, что сейчас именно тот случай.

Откликнулись в трубке почти сразу. Ровный голос молодого мужчины произнес одно слово, но было понятно, что хозяин такого голоса привык повелевать.

— Говорите.

И Эдик заговорил — точнее, заорал:

— Это Эдик! Она замочила его! Она завалила хозяина! Мы сваливаем отсюда!

Голос в трубке спокойно проговорил:

— Женщина убила хозяина? Так?

— Я же говорю! — продолжал орать Эдик. — Она задушила его, как Дездемона задушила черномазого! Она вызвала ментов! Короче, мы сваливаем!

— Спокойно! — Голос повысился на самую малость, но и ее хватило, чтобы Эдик моментально заткнулся, — так убедительно прозвучал этот завораживающий голос.

— Что? — вымолвил Эдик, тупо глядя, как Малек перетаскивает тело Татьяны к стулу, сажает обмякшую женщину и достает из кармана бечевку. Эдик машинально подивился: откуда у корейца в кармане веревка? Чего только эти узкоглазые с собой не таскают!

— Как она сообщила ментам, где вы находитесь? — спрашивал тем временем его голос.

— По телефону! Она задушила его и завладела его сотовым телефоном. — Эдик непонятно почему вдруг почувствовал себя спокойным.

— Хорошо! — так же невозмутимо продолжал спокойный собеседник. — Вы нейтрализовали ее?

— Чего? — переспросил Эдик.

— Что вы с ней сделали?

— Что сделали? Да вырубили, конечно. Она до сих пор в отключке.

— Свяжите ее, — приказал мужчина. — И смотрите, чтоб ни один волос не упал с ее головы.

— Не понял, — сказал Эдик. — Я же сказал, что она звонила ментам! Сейчас сюда уже мчится целая свора легавых! Вы что, не понимаете?!

Он снова орал.

— Молчать! — гаркнул мужчина, и Эдик смолк. — Сообщение еще ничего не значит. Мы перехватим эту группу, не беспокойтесь.

— И что нам делать — сторожить ее? — попробовал съехидничать Эдик.

— Что делали до этого, то и делайте. Только следите за тем, чтобы она вас там сама не завалила.

— Ха! — неуверенно пробормотал Лапшин. — Хотел бы я посмотреть, как это у нее получится.

— Продолжайте делать свое дело, — сказал голос и отключил связь.

— Сука! — выругался Лапшин.

Он подошел к Цою и помог ему связать Татьяну. Малек с удивлением покосился на своего шефа: с чего это он вдруг решил помогать? Обычно он не делает того, что могут сделать его подручные.

Эдик нервничал. «Делайте свое дело!» А если те не сумеют перехватить по дороге ментов? Если не получится? Кому отдуваться за всех?

«Нет, перехватят, — неожиданно подумал вдруг он, — эти люди серьезные. Менты им в подметки не годятся». Эдику как-то предоставилась возможность увидеть их работу. «Серьезные люди, — снова подумал он, — перехватят».

И тут же возразил самому себе: именно потому, что люди серьезные, они могут и не перехватывать ментов, а просто сдать его, Эдика Лапшина, со всеми потрохами доблестным стражам порядка. Конечно, они всегда его подставят. И как раз потому, что являются самыми настоящими профессионалами, покруче любых деловых...

Может, он пешка в их игре, хоть и высокооплачиваемая? Но тогда что может остановить их, если Эдик Лапшин свое отыграл? Ничто их не остановит, они и не считают потери, тем более когда речь идет о таких личностях, как Лапшин. И было бы странно, если бы все было по-другому.

Но зачем им его подставлять? Зачем вообще было тогда разводить весь этот сыр-бор с женщиной? Хотя ему не стоило бы задумываться над смыслом того, что до этих пор поручали новые хозяева.

«Спокойно, Эдик, — сказал он сам себе. — Подумай и реши, что ты намерен делать. Могут тебя подставить? Могут. Но могут и не подставить. И теперь подумай о том, *что* станет с тобой, если они с тобой играют честно, а ты с ними — нет? Они найдут тебя везде, и тогда ты сам себе не позавидуешь. Они тебя в порошок сотрут. Так что сиди и не рыпайся, Эдуард Лапшин».

«Делай свое дело!»

— Суки! — безадресно выругался Лапшин. — Чтоб вас ишак всю дорогу трахал!

3

Недоразумение разрешилось довольно быстро. В другое время я бы посмеялся над этими причудами родительного падежа, когда слова «Безрукого» и

«Безрукова» звучат совершенно идентично. Велик и могуч русский язык, но иногда подкладывает порядочным людям солидную свинью. Однако, повторяю, все обошлось. Знающие люди на окраине дачного поселка все объяснили. Еще хорошо, что во всем поселке не оказалось настоящего Безрукова. Представляю себе его обалдевшую физиономию, когда два вооруженных мужика ворвались бы к нему, нарушив законный отдых и с требованиями немедленно освободить неведомую тому женщину.

К искомой даче мы не стали подъезжать вплотную. Оставив машину метров за сто до нужного места, мы пробрались к ней, стараясь выглядеть при этом прогуливающимися дачниками. Только одно обстоятельство могло бы сослужить нам плохую службу. Если бы Таня неожиданно нас увидела, она могла бы ненароком привлечь к нам нежелательное внимание. Я не знал, каким образом ей удалось дозвониться до Грязнова, но не был уверен, что она в состоянии в течение долгого времени контролировать целую уголовную банду. Как оказалось далее, я был прав, что, в сущности, неудивительно.

Но сейчас не об этом.

— Кыца-кыца-кыца, — услышали мы блаженный голос и поняли, что пришли. Женщина, рассказавшая нам об этом Безруком, оказалась весьма наблюдательна и точна в формулировках.

Безрукий ходил по двору и кормил свою живность. На нас он вообще не обратил внимания. Мы принадлежали к виду двуногих животных, а из таковых, судя по всему, его интересовали только петухи и куры.

Мы тоже не стали заострять на себе внимание. Пусть занимается своим делом, а мы займемся своим. Во всяком случае, попробуем.

Аничкин был настроен решительно. В эту минуту он напоминал мне былинного богатыря, вознамерившегося спасти свою любимую из рук злобных разбойников. Твердыми, уверенными шагами он поднялся по ступенькам крыльца и постучал в дверь костяшками пальцев.

— Эй, хозяйка! — позвал он совершенно естественно. — Попить не найдется?

Что значит школа, с невольным уважением подумал я. Какое удивительное хладнокровие!

Однако открывать нам не торопились. Внутри что-то зашевелилось, что-то неслышное. Если бы не мой достаточно тренированный слух, я бы вообще ничего не услышал. Глянув на Аничкина, я понял, что он тоже что-то слышит. Он еще более подобрался, если это вообще было возможно в ту минуту.

Дверь открылась, и на пороге встал небольшого росточка мужчина с узкими глазами. Он вопросительно уставился на нас, а под мышкой у него были зажаты нунчаки.

— Попить есть? — заискивающе спросил у него полковник ФСБ Владимир Аничкин.

То ли японец, то ли кореец, то ли просто киргиз отрицательно покачал головой и сделал движение, намереваясь закрыть дверь. Володя тут же подставил в щель ногу, не давая двери захлопнуться.

На лице нашего узкоглазого оппонента мелькнуло смешанное выражение удивления и раздражения. Он взмахнул нунчаками, но Аничкин нырнул под него, перехватил локоть, что-то там такое сделал, отчего вдруг обладатель нунчаков взмыл в воздух и всем телом шмякнулся на ступени крыльца. В один миг я оказался около него, чтобы доделать начатое моим товарищем. Но это оказалось излишним.

Раздражение на лице поверженного противника исчезло. Осталось только безграничное удивление. Это была его последняя эмоция в жизни.

Он был мертв.

Я поднял глаза на Аничкина.

— Ты свернул ему шею, — сообщил я ему.

— Он первый начал, — ответил Володя, и мысленно я ему поаплодировал. Хороший ответ.

И, как пишут в детективных романах, мы обнажили наши пистолеты и ворвались в дом.

Нельзя сказать, что дом был необъятных размеров, но в нашем положении и две комнаты — много. Дойдя до места, где жилплощадь раздваивалась, мы разделились с Володей и пошли в разные стороны.

Лучше бы я пошел с ним...

Я осмотрел всего одну комнату, когда услышал выстрел и одновременно с ним — два вскрика, мужской и женский. Сломя голову я бросился на звук выстрела, но уже в следующее мгновение заставил себя умерить прыть. Если все нормально, то ничего страшного не произойдет, можно и опоздать на одну-две минуты. А если... там что-то плохо, тем более не стоит обнаруживать свое присутствие.

Я оказался прав, но хвалить себя за предусмотрительность мне было недосуг. Точнее, я просто не подумал об этом. Я думал о том, что все пошло прахом, что все наши старания оказались мыльным пузырем, что меня надо судить и расстрелять за преступное отношение к своим служебным обязанностям, что напрасно я отпустил Аничкина одного в эту сторону дома и что лучше было бы, если на его месте оказался я. Потому что то, что я увидел, было хуже всякого кошмарного сна.

Дверь в какую-то комнату была распахнута настежь, а за порогом, в коридоре, лежал навзничь полковник Аничкин.

Тот, кто спас Россию от атомного взрыва, был мертв.

Я затаился и врос в стену. Мне отчетливо были слышны чьи-то всхлипывания, и я даже думать не стал, кто бы это мог быть: естественно, Зеркалова. И еще были слышны шаги. Они отдавались в моем затылке гулкой нечастой дробью, и насчитал я их тысяч восемь, хотя на самом деле их было, конечно, только восемь.

Я осторожно придвинулся поближе к двери и стал ждать...

Шаги были осторожными, и через какое-то время в коридоре на уровне моего лица стал вдруг появляться пистолет. Что-то вроде этого я и ждал. Поэтому не скажу, чтобы появление стало для меня неожиданностью.

У вас может сложиться впечатление, что пистолет появлялся больше одной секунды. На самом деле я рассказываю об этом так, как сам тогда воспринимал действительность. Счет на самом деле шел на доли секунды.

На тысячные доли, полагаю.

Когда наконец рука появилась в поле моего зрения, я перехватил ее, дернул на себя и в сторону и изо всех сил ударил по локтевому сгибу. Рука, скорее всего, сломалась пополам, потому что более отвратительного хруста, смешанного с таким диким ревом, я не слышал в своей жизни ни до, ни после. Но акцентировать свое внимание на этом я не стал и в следующее мгновение ворвался в комнату. Точнее — прыгнул и стремительно покатился в угол, выставив оружие перед собой, чтобы поразить любого, кто вздумал бы в меня стрелять.

Но никто не стрелял.

Больше в комнате никого не было. Разумеется, если не считать привязанную к стулу женщину, которая широко раскрытыми глазами смотрела на меня.

Таня Зеркалова!

Я поднялся и, убедившись, что мой оппонент больше всего на свете занимается в эту минуту своей сломанной рукой, подобрал его пистолет и подошел к ней. Она не издала ни звука. Смотрела на меня, а по щекам ее градом катились слезы.

Я склонился над ней и поцеловал ее в щеку.

— Володя... — прошептала она, глядя на распростертое тело Аничкина.

Я начал ее развязывать, но судьба уготовила для меня еще одно испытание.

Сначала я услышал истошный женский визг и сразу за ним — такой же истошный, рвущий душу, вопль:

— Эдик!!!

Я подпрыгнул в высоту на метр, не меньше, и,

оставив пока Таню, бросился к двери, держа наготове оба пистолета.

Над телом поверженного мною противника рыдала молодая бабенка из тех, кого я, вовсе не будучи женоненавистником, обхожу за километр. Блатная, распутная, ужасная.

Она рыдала над ним как над мертвым, несмотря на то что мертвым его нельзя было назвать даже при очень большом желании: он орал от боли как оглашенный. Так они и орали, перебивая друг друга:

— Эдик!

— Люська... твою мать!

— Эдичка!

«Тоже мне Лимонов», — успел подумать я совершенно машинально.

— Люська, сука!!!

— Эдиче-е-е-е-ек!!!

— Заткнись, дура!!! — скрипел он зубами, корчась на полу вовсе, я думаю, не от нахлынувших чувств.

Но та и не думала молчать. Ощущение было такое, что ей не терпелось поделиться очень важной новостью.

— Волоха! — размазывала Люська слезы по лицу. — Волоха умер.

— Туда ему и дорога! — орал Эдик.

Я уже понял, кто это такой. И принял решение. Когда-то я читал интересную книжку Богомолова «Момент истины». Вот такой момент истины я решил устроить этому корчащемуся у моих ног Эдуарду Лапшину.

Я подскочил к этой стонуще-орущей парочке,

выстрелил вверх из правого пистолета, одним рывком поставил на ноги Люську, отшвырнул ее в глубь комнаты, склонился над Лапшиным, выстрелил из обоих стволов около его ушей, дабы оглушить выстрелами, и тут же один ствол сунул ему в нос, чтоб он явственней ощущал запах гари, а другой — в рот, чтобы не забывал о смерти. Он замычал так, что на минуту мне показалось, будто бедняга забыл о боли.

Один шок вытеснил другой — так клин вышибают клином. Меня это устраивало.

— Кто тебя нанял?! — заорал я на него. — Говори, мразь! Кто тебя нанял, спрашиваю?! На кого работаешь?!

— Васильев, — промычал Лапшин. — Олег Константинович. Деловой. Авторитет.

Знаю я, какой он авторитет. Сявка. На киче его единственной проблемой была бы чистка параши.

Я продолжал развивать успех:

— Зачем женщину украли? Быстро!!!

— Какого-то фраера ждали, — задыхаясь, торопливо выдавал тот информацию. — Мне сказали, что, когда он здесь появится, я должен сделать так, чтобы...

Договорить он не успел. Раздался выстрел. Одновременно за моей спиной раздался спокойный и удивительно знакомый голос:

— Не шевелитесь, Турецкий. Одно неловкое движение — и я стреляю.

Я не шевелился: шансов у меня не оставалось.

— Отбросьте оружие в сторону, — приказал мне все тот же до боли знакомый голос.

Я повиновался. А что оставалось делать? Я отбросил пистолеты и стал ждать, что последует за этим.

Умирать не хотелось. Хотелось послушать, как объяснит мне все, что произошло, этот человек, который стоял у меня за спиной. А в том, что он непременно начнет все объяснять, я был уверен. Эти люди тщеславны. Они любят играть на зрителя. Этот такой же. То, что он не убил меня на месте, служило тому убедительным доказательством.

— Повернитесь, — приказал он, и в голосе его я нутром услышал едва сдерживаемое торжество.

Он думает, что я сейчас повернусь, посмотрю в него и упаду в обморок от удивления. Не выйдет.

— Здравствуй, Вася, — сказал я и только после этого, улыбаясь самой приветливой улыбкой, на какую только был способен, повернулся.

На лице моего таинственного незнакомца застыла какая-то странная маска, и я не сразу догадался, в чем тут дело. И только в следующую секунду я понял, что он улыбался, глядя мне в спину, а после того, как я назвал его Васей, у него резко испортилось настроение. Глаза его улыбаться перестали, а про мышцы лица он соответственно от неожиданности как-то забыл.

И получился зловеще-беспомощный оскал.

Увидев эту рожу, я расхохотался. Строго говоря, смешно мне не было вовсе, но инстинктивно я начал импровизировать. Я еще не знал, почему мне нужно смеяться, но то, что я должен хохотать как можно громче и веселее, в этом я был уверен. На все сто процентов. На двух громил, которые маячили за спиной Васи, я уже не обращал внимания.

Я постоянно употребляю местоимение «я», но

вы тоже поймите меня правильно. Противостоял этой паскудной силе в эту минуту только, прошу прощения, я один.

Постепенно он овладел собой. И снова лицо его приняло обычное выражение дружелюбия и уверенности в себе. Но меня он уже не обманет, как тогда, в приемной Лукашука.

Настоящее его лицо я видел только что — тот самый оскал.

— Честно говоря, — начал он, — вы восхищаете меня, Турецкий.

Я усмехнулся:

— Ваши слова — да Меркулову бы в уши.

Он кивнул, словно ничего иного от меня и не ожидал.

— Нет, правда, — сказал он. — Работаете вы в высшей степени здорово. Серьезно.

— Благодарю за высокую оценку. — Я поклонился. — Честь для меня действительно высокая. Услышать похвалу от такого профессионала, как ты, Вася... Это дорогого стоит.

Он пытливо всмотрелся в мое лицо, пытаясь угадать, где я шучу, а где говорю правду. Я изобразил самую чистосердечную улыбку. Но уверен, что он так ничего и не понял.

Я был в сложном положении. Не потому, что меня держали на мушке двое громил за его спиной. А потому что я никак не мог выбрать тактику и стратегию нашей с ним беседы. Что вы хотите — я не состоял никогда в Стратегическом управлении и имею право быть несведущим в этих вопросах.

Я должен был одновременно и торопиться, и тянуть время. Грязнов вот-вот должен подоспеть, и поэтому мне надо было тянуть время. Но, с другой стороны, он должен сыграть свою роль, которую, по глазам вижу, ему не терпится сыграть передо мной. И поэтому я должен торопиться, ибо играть роль под арестом он не будет. Он расскажет все только в том случае, если будет уверен, что по окончании своего рассказа в любую минуту может застрелить слушателя. Только так, и никак иначе.

Он все всматривался в мое невозмутимое, надеюсь, лицо и решал, как ему быть. В какую-то минуту я испугался, что ошибся и ничего он тут играть не станет, а просто возьмет и без лишних слов отправит меня догонять Володю Аничкина. Повторяю, я не смерти боялся, а того, что не услышу интересного рассказа.

И он сказал:

— Вы даже не представляете, насколько вы правы, Турецкий. Я действительно немного разбираюсь в своем деле.

— Не сомневаюсь, — поддакнул я ему.

Он как-то грустно улыбнулся:

— Вы, я вижу, веселитесь. И совершенно напрасно. Я не хочу вас убивать. Вы нравитесь мне, Александр Борисович.

— Ты мне тоже, Вася, — успокоил я его.

Он снова кивнул, как бы давая мне понять, что я не смогу вывести его из себя.

— Мне нравится ваша убежденность, ваша самоотверженность, ваша целеустремленность.

— Прости, — осторожно перебил я его. — Это ты все обо мне говоришь?

Он не улыбнулся и ответил:

— О вас, Александр Борисович. Признаюсь,

что с удовольствием бы тоже называл вас на «ты», а не по имени-отчеству. — Он намекал мне, по-видимому, на то, что я называл его Васей.

Упрекает.

— Не церемонься, — предложил я ему, — зови меня просто: господин Турецкий.

Он покачал головой:

— Вы никак не хотите поверить, что с вами работали люди, которые не хуже вас разбираются и в профессии, и, наконец, в нуждах страны и народа.

Вот оно наконец! Продолжай, милый. А ты, Турецкий, молчи и слушай, что тебе умные люди говорят. И смиреннее вид, смиреннее!!!

— Этот недоумок, — кивнул он в сторону Аничкина, — вообразил, что он мессия. Ему все время слишком везло. Вообще, все, что касается его, было сделано с громадным количеством ошибок, начиная с неудачной его вербовки. Но эти люди уже наказаны.

— Подонок! — неожиданно раздался голос со стороны.

Мы одновременно с ним повернули головы и посмотрели на Таню Зеркалову. Она, в свою очередь, метала глазами молнии в сторону таинственного Васи.

Вася, он и есть Вася. Вздохнул. И повернулся к своим громилам.

— Дайте оружие, — приказал он обоим. — Оба.

Они беспрекословно ему подчинились. Ну прямо роботы какие-то. Он взял их пистолеты, вдумчиво их оглядел и вдруг выстрелил дуплетом. Оба телохранителя еще не успели принять горизонтальное положение, а он уже снова обернулся к нам с Таней и улыбался.

Я даже язык проглотил. Что бы это значило? Таня тоже молчала, лишь глаза ее еще больше расширились. А я думал, что это уже невозможно.

Он посмотрел на Татьяну.

— Видите, госпожа Зеркалова, что, по сути, представляет собой человеческая жизнь? — спросил он ее, поигрывая пистолетами. — Не расстраивайтесь. Они и так должны были остаться здесь. Не все ли равно как. А в нашем случае они хотя бы послужили, как бы это выразиться точнее...

— Наглядным пособием, — выдавил я из себя.

Он благодарно кивнул мне.

— Спасибо, Александр Борисович, — сказал он. — Да. Наглядным пособием, именно так. Но я не об этом хотел с вами поговорить.

— О чем же? — спросил я.

— Вы знаете, Турецкий, что вы умрете, — сообщил он мне великую тайну. — Как и госпожа Зеркалова, и эта очаровательная девушка, — указал он стволом пистолета на Люську. Та в ужасе забилась в угол. — Но прежде, чем вы умрете, вы услышите одну интересную историю.

— Мне нравятся интересные истории, — пробормотал я, стараясь не думать о том, что он говорит между делом.

Он немного помолчал и после паузы негромко заговорил, причем он говорил так, словно беседовал с самим собой. Я знал, что такой способ рассказа вызывает наибольший театральный эффект.

— Когда эти придурки в августе девяносто первого не выдержали и выступили, двинув на Москву

447

танки, они испортили хорошо продуманный план. Пришлось начинать не то чтобы сначала, но в корне перестраивать тактику деятельности нашей организации. Мы приготовились к затяжным действиям. Нынешний режим рано или поздно должен рухнуть. Он уже трещит.

— Вашими стараниями? — не выдержал я.

Он и глазом не моргнул, слишком был занят собственной персоной.

— Мы уже готовы были перейти к решающим действиям, но Аничкин помешал. Не потому, что украл заряды: что такое в наше время какая-то атомная бомба? Но мы не могли взорвать другую бомбу, пока существовала опасность разоблачения. Дело не в том, что мы не могли ликвидировать Аничкина, нужно было сперва найти заряды. Только тогда была бы полная уверенность в собственной безопасности.

— Безнаказанности, — поправил я.

Но он уже не обращал внимания на мои реплики.

— Аничкин ничего не сказал. Мы же не хотели применять к нему методы физического воздействия.

Я знал, что здесь он лукавит. В Лефортове просто нельзя этим заниматься, а в свои подвалы они не могли его засунуть, была опасность засветиться. Они решили нажать на Володю, но тот оказался крепче, чем они думали. Они могут много, но не все: даже забрать Аничкина из Лефортова оказалось им не по силам.

— Пришлось заняться его окружением, — продолжал Вася. — Мы прошерстили все, но ничего не нашли. Мы следили за всеми разговорами, где упоминался бы Аничкин. Мы наводнили своими людьми близкое и далекое окружение Аничкина. Эти люди не знали о сути порученного задания, но выполняли его добросовестно. И однажды мы были вознаграждены за свою работу. Мы вышли на Федора Борисова. К тому времени было известно, что он учился с нашим подопечным до шестого класса и все эти шесть лет они сидели за одной партой. Потом их пути разошлись, и встретились они много лет спустя, уже став зрелыми мужами. Борисов был председателем фонда. Аничкин же передал ему, как проговорился Борисов, кое-что. Осталось только узнать, о чем именно идет речь. На Борисова надавили, но он заявил, что написал письмо, которое в случае его смерти раскроют в Генпрокуратуре. (Я знал, что это было блефом Борисова.) — Генпрокуратуры мы не боялись, но излишняя огласка тоже не была нужна. Одновременно мы начали кампанию по дискредитации Борисова и преуспели. Но мы не покушались на его жизнь — это чистое совпадение. Кому-то он крепко мешал. Когда было принято решение организовать побег Аничкина, одновременно было предложено ликвидировать и Борисова. Его письмо уже ничего не решало, так как счет после побега Аничкина пошел бы уже на минуты. Как только он оказался бы в наших руках, заряды тут же нашлись бы. Поскольку мы собирались применить к нему самые радикальные средства воздействия. Когда же заряды снова попали бы к нам, в тот же день Россию посетила бы первая атомная ласточка. Мы решили для начала ограничиться одним взрывом, а не двумя, как было решено ранее. Хватило бы одного, чтобы все сто процентов сразу сделали бы свой выбор. Ведь аргумент: голосуй или проиграешь, то есть сдохнешь, — весомое доказательство силы.

Я был не потрясен, я был уничтожен этой логикой. Но спросил:

— А зачем вы мне помогали? Ведь именно вы помогли бежать Аничкину! Если бы не вы, он был бы в ваших руках.

Он покачал головой:

— Он был бы в руках Петрова, а это не совсем одно и то же.

— Разве он не член Стратегического управления? — удивился я.

— Член, член! — усмехнулся Вася. — В последние месяцы, когда Петров привлек Аничкина, в организации наметился раскол. Чувствуя, что земля начинает плавиться у него под ногами, Петров сменил тактику. Но пока наш шеф Сосин — у кормила власти, смешно об этом даже думать. Однако и Смирнов поддержал генерала, неожиданно для всех нас.

— Смирнов? — невольно переспросил я.

— Папа? — воскликнула Таня.

— Так точно, — кивнул Вася. — А вы успокойтесь, госпожа Зеркалова, осталось совсем немного времени до вашей встречи с отцом. Так что слушайте и не перебивайте. Именно поэтому, — он кивнул на Лапшина, распластавшегося на полу, — он получил задание ликвидировать вашего родителя.

— Он? — снова воскликнула Таня, перебивая оратора, и тот едва заметно поморщился: она мешала ему играть свою роль супермена. — Кто велел?

— От кого задание? — резко переспросил он её. — От меня, если угодно. Еще будут вопросы?

Она только с ненавистью смотрела на него. А я — с интересом. Кажется, он стал нервничать. Скоро он начнет делать ошибки. Впрочем, я мог бы предпринять попытку обезоружить его, но не стал этого делать: он еще не все сказал. Пусть пока играет, лицедей.

— У меня есть вопросы, — сказал я, взглядом умоляя Таню успокоиться. — А Киселев тоже поддержал Петрова? Почему его-то убили?

Вася только презрительно отмахнулся.

— За маршалом Киселевым ничто не стояло, кроме его собственного славного прошлого, — с пренебрежением произнес он. — Он ничего не решал! Но его связывала давняя дружба со Смирновым, и последний привлек его к нашей организации. Бывший управделами Совмина Смирнов со своими связями чрезвычайно был нам необходим в свое время, а Киселев был принят только по рекомендации Смирнова. Они постоянно ругались между собой, постоянно спорили, эти два старых дурака!

— Не смей! — закричала вдруг на него Таня.

С каменным выражением на лице Вася наставил на нее пистолет, а другой навел на меня.

— Спокойно, Турецкий, — предупредил он сначала меня, а потом повернулся к Тане. — Если ты, сучонка, еще раз перебьешь меня, я влеплю тебе пулю в лоб, и одновременно с тобой такую же пулю получит твой дружок Турецкий. Ты думаешь, я не знаю, как ты переживала за своего благоверного? Пока он томился в Лефортове, ты валялась в койке с этим Турецким. Так что заткнись и сиди не вякай. Хорошо меня поняла? Если ты думаешь, что я не убиваю женщин, то ошибаешься. Некая Бероева рассказала бы тебе кое-что, если б смогла.

Таня с ужасом уставилась на него. И, слава Богу, замолчала.

Еще не время, Турецкий, из последних сил сдерживал я себя. Еще чуть-чуть.

Он снова обрел нормальный вид и заговорил тем же голосом: вежливо и на «вы».

— Продолжим, господа. Смирнов неожиданно поддержал Петрова. Очень уж ему не нравился наш Сосин. Но потом уперся Киселев. То есть он, как водится, пошел против Смирнова и стал нашим неожиданным союзником. В ту ночь они здорово переругались и выпустили друг на друга пары. Поэтому, ликвидировав Смирнова, мы не могли оставить в живых последнего маршала. В противном случае он сразу бы понял, чьих рук дело убийство его дружка. Что и было сделано. Мной. Кто же мог предположить, что вы, Татьяна, вернетесь именно в эту ночь, а Александр Борисович так быстро окажется в квартирах обоих покойников?

Вы спросили, Александр Борисович, зачем я помогал вам? В приемной Петрова я оказался, как вы догадываетесь, не случайно. Вас сумел заинтересовать, да и роль свою сыграл неплохо, верно?

— Не скромничайте, — потрафил я ему, — вы вообще хороший актер. Сцена много приобрела бы в вашем лице. Вы никогда об этом не задумывались?

Все-таки вырвалось у меня, что актерская про-

452

фессия ему ближе, чем его нынешняя. Но он ничего не понял.

— Я не мог допустить, чтобы Аничкин попал в руки Петрова, — это во-первых. Во-вторых, я завоевывал ваше доверие. Потом я рассчитывал выйти на вас. И взять Аничкина. Но не думал, что вы тоже скроетесь.

— Это было очевидно.

— Я надеялся, — просто сказал он, — взять вас. Вы ведь сейчас думаете, что тянете время. На самом деле все не так, господин Турецкий. Грязнов сюда не приедет.

Глава 20

КОНЕЦ СТРАТЕГИЧЕСКОГО
УПРАВЛЕНИЯ

1

Грязнов не приедет!

Я растерялся так, как никогда в жизни не терялся. Все это время я *знал*, что Грязнов приедет, вопрос был только в том когда: через две минуты или три? А теперь — «Грязнов не приедет»!

По выражению лица, не скрывающего торжествующей ухмылки Васи, я понял, что он говорит правду. Он действительно знает о Грязнове нечто такое, чего не знаю я. Слава мог быть ранен, убит, мог... Господи, о чем это я думаю? Да быть того не может, чтобы Слава... Хорошо, а откуда тогда этот ничтожный Вася узнал, что я имел полуторачасовую беседу с племянником Денисом? Да нет, бред, бред это, у них есть другие средства, чтобы узнать. Элементарная слежка. Слава — и Стратегическое управление? Не ве-рю!

— Неужели Грязнов — ваш человек? — дрогнувшим голосом спросил я его. Великий режиссер Станиславский был бы мной доволен.

— Конечно! — засмеялся он. — И вы тоже можете стать нашим человеком. Выбор у вас, впрочем, небольшой. Либо человек, либо труп.

— Вот это да! — хмыкнул я. — Действительно скудный выбор. У Грязнова был побольше, да?

— К нам разными путями приходят, — туманно ответил Вася. — Кто как.

— А как к вам пришел лидер нынешних коммунистов?

— Ничего вы не поняли, — сказал он. — Вы хороший сыщик, Турецкий, но никудышный политик.

— Где уж нам, — пробормотал я.

— А нам все равно, кто из какой партии, ясно? Все равно!

— А Сосину? — спросил я небрежно. — Тоже все равно?

Уловка была проста, но он заглотил ее как преглупый пескарь.

— Сосин?! — воскликнул он, и впервые в его голосе почувствовалось что-то вроде уважения к другому человеку. — О, Сосин — это...

— Голова, — подсказал я ему.

Он зло посмотрел на меня:

— Зря смеетесь, Турецкий. Чтобы создать подобную нашей организацию и без потерь просуществовать столько лет, нужно иметь гениальную голову.

— Да вы же постоянно несете потери, — улыбнулся я, — а хочешь, Вася, я расскажу тебе, как ты сам попал в эту организацию?

455

Он удивленно вскинул брови.

— Ну-ка, ну-ка, — он с любопытством поглядел на меня, — интересно. Ну попробуйте, Турецкий, попробуйте.

— Жил-был на свете мальчик, — начал я. — Которого обижали другие мальчики.

— Уже неправда, — заметил он.

— Который обижал других мальчишек, — с легкостью поправился я. — С детства привык он ощущать превосходство над другими. Потому что был уверен, что стоит выше остальных. И вырос этот мальчик и пошел в сексоты.

— Обижаешь, — усмехнулся он.

— И пошел мальчик в офицеры ФСБ, то есть тогда в КГБ, — снова исправился я. — И учился он хорошо, и его заметили и отметили. И стал мальчик делать стремительную карьеру. А когда вызвал его к себе генерал Петров и поговорил с ним по душам и предложил вступить мальчику в секретную организацию, совсем закружилась голова у мальчика.

— Не сразу, — вставил Вася.

— Конечно, не сразу, — согласился я. — Сначала задумался он: а чем это ему грозит? И понял: ничем ему не грозит. Генерал Петров прикроет, в случае чего. И развернул мальчик бурную деятельность. А надо сказать, что артистом мальчик был хорошим, мозги имел. Сцена плакала по мальчику, но он грубо послал ее к чертовой матери. И тут заметил мальчишку ба-альшой человек. Типа Сосина.

— Верно, — восхищенно протянул Вася.

— И приблизил Сосин мальчика к себе. Вот

тут-то и закружилась окончательно голова у мальчика. Кем он был там, в легализованном мире? Пешка, которой крутят все кому не лень. А кто он здесь, в организации? Фигура! Практически второй человек после Сосина. Там — говно, а здесь — розанчик.

— Ну даешь! — покрутил головой Вася.

— А что такое на самом-то деле наш мальчик? Да то же самое говно. Человек, раздираемый комплексами и противоречиями. Жажда власти и дерьмовое тщеславие сделали из него пугало. Хотя сам он о себе возомнил невесть что.

Он не стал орать, все-таки он имел мозги. Он просто стоял, смотрел на меня и ухмылялся.

— Лихо! — похвалил наконец. — Но я не понял. Ты-то решил с нами? Или стрелять?

— Не стреляй, пожалуйста, — испугался я. — Я же еще бомбу вам отдать должен!

— Две бомбы, — поправил он, улыбаясь. — Два заряда. Ну что ж, Турецкий. Мне нравится, как ты принимаешь свое поражение. Ты мне понравился.

— Да, — сказал я, слабея у него на глазах и хватаясь за сердце. — Проиграл... Не хотел, а проиграл... Я отдам эти бомбы...

— Тебе плохо? — встревожился он. — Что с тобой?

— Сердце... — пробормотал я, опускаясь на пол и вытягиваясь всем телом.

Он опустил пистолеты и шагнул ко мне. Я никогда не забывал, что в прошлом был очень даже неплохим самбистом. Наконец он оказался на достаточном расстоянии. Левую свою ногу я завел ему за пятку, а правой ударил по колену. Он заорал и, падая, стал палить в потолок. Дальше я на него не смотрел. Дальше с ним уже разбирался Грязнов со своими ребятами. Они прижали его руки к полу, освободили от оружия и от души отоваривали.

Грязнов с минуту до операции стоял за его спиной, ожидая удобного случая напасть на этого сумасшедшего.

Как только он появился, я увидел, что он предупреждает, приставляя к своим губам дуло пистолета, не меня, а Таню, сидящую за моей спиной. И, оказывается, до самой развязки она сидела крепко зажмурив глаза и сжав губы. Люська делала то же самое, хотя никто не просил ее об этом. Просто в эту минуту она болела за нас. Вернее, за свою шкуру.

— А он объявил мне, что ты предатель, — пожаловался я Грязнову.

— Этот? — покосился на лежащего Грязнов. — Обманывает он тебя. Не предатель я.

— Правда? — обрадовался я.

— Чтоб я сдох! — перекрестился Грязнов. — А если серьезно, то он ведь был уверен, что я не приеду, так?

— Ага.

— Меня и правда пробовали задержать, — усмехнулся Слава. — Но не смогли.

— Как это — не смогли? — потрясенно уставился на него Вася. — К вам отправились генералы Басов и Мальков. Вместе! И они что же, не смогли?!

— Это их и погубило, что вместе! — засмеялся Грязнов. — Они что-то начали вякать, но я им показал один указ. Подписанный Президентом.

— Что за указ? — заинтересовался я. — И почему ты знал о нем, а они — нет?

458

— Мне передал его новый секретарь Совета безопасности, — просто ответил Грязнов.

— Фантастика! — проговорил я. — Секретарь — лично тебе?! Но как?!

— А я прорвался к новому секретарю Совета безопасности и рассказал все про наше дело. А сегодня ранним утром мне доставили в МУР пакет от него. С указом и сопроводительной запиской.

— Но что же это за указ? — извивался на полу Вася.

Грязнов повернулся к нему и с улыбкой сообщил:

— А вот об этом только что было передано по всем каналам радио и телевидения. Сосин и компания освобождены от занимаемых должностей.

— Что?! — воскликнул Вася.

— Не верю, — согласился я с ним. — Таких невозможно просто уволить. Они непотопляемы!

— И тем не менее, — сказал Грязнов. — Я не вру, в отличие от этого. Зачем он тут напраслину на меня возвел, а?

Но Васе было уже не до Грязнова.

— Сосин... — пробормотал он. — Все погибло...

Только тут я понял, в чем дело. Грязнов же еще ничего не знал о Сосине! Мне же только что о нем сообщил Вася, но, рассказывая, он пребывал в полной уверенности, что убьет меня сразу после завершения своей увлекательной истории. А Грязнов-то не знал! И сообщил ему о Сосине, фактическом кандидате на высокий пост премьер-министра России. Поэтому Вася и поверил безоговорочно...

— Он знал, — продолжал бормотать Вася. — Он же меня предупреждал...

— Кто? — спросил я.

Тот посмотрел на меня отрешенным взглядом и ответил:

— Сосин... — и вдруг без всякого перехода попросил: — Дайте пистолет. С одним патроном.

Говорю же — артист!

— Еще чего! — загрохотал Грязнов. — Будешь отвечать как миленький. По всей строгости закона.

Тот сморщился и застонал. Потом поднял голову и спросил:

— Но где же эти чертовы бомбы?!

Грязнов внимательно посмотрел ему в глаза и ответил:

— Считаешь себя умным, а не додумался до простой вещи. У Борисова был ключ. От камеры хранения. И только Аничкин знал, где заряды. А потом оказался у нас. Мы нашли его в больничной утке. Поэтому и твои бомбы давно уже там, где должны быть.

— Где?! — буквально выкрикнул Вася. — Где вы нашли ключ?!

— В больничной утке.

Вася начал тихо-тихо смеяться. Как настоящий сумасшедший. Грязнов с тревогой посмотрел на него, потом перевел взгляд на меня и — снова на него. Да, он понял все правильно. Вася смеялся все громче и громче и совсем скоро стал хохотать безумным смехом. Наш таинственный незнакомец Вася не выдержал душевных испытаний, которые предоставила ему жизнь.

Произошло то, что и должно было произойти, — он действительно сошел с ума.

Сумасшедшего мы сдали в институт Сербского, а Люську отвезли в МУР. Грязнову предстояло с ней разобраться, но особых проблем, по всей видимости, не предвиделось. Она охотно дала бы самые чистосердечные показания.

Тела убитых мы отправили в морг Первого мединститута.

Таню Зеркалову я привез к себе домой, напоил горячим сладким чаем и уложил спать. Она уснула очень быстро — я даже побриться не успел.

Когда я с подробным рапортом приехал к Меркулову на Пушкинскую, 15-а, у того в кабинете снова восседал Грязнов.

— Как тебя много! — посетовал я. — Куда ни придешь — всюду ты.

А Костя улыбнулся своей белозубой улыбкой и показал на дверь своей комнаты отдыха:

— К столу, господа!

На столе в комнате отдыха заместителя генерального стояла бутылка отличного французского коньяка.

И это было правильно.

ОГЛАВЛЕНИЕ

Литературно-художественное издание

Незнанский Фридрих Евсеевич

ПОСЛЕДНИЙ МАРШАЛ

Редактор *В. Викторов*

Художественный редактор *О. Адаскина*

Технический редактор *Н. Сидорова*

Корректор *Г. Иванова*

Подписано в печать с готовых диапозитивов 4.11.96. Формат 84×108^1/$_{32}$. Гарнитура «Таймс». Усл. печ. л. 24,36. Доп. тираж 10 000 экз. Заказ 946.

«Олимп». 105318, Москва, а/я 103. Изд. лиц. ЛР № 07190.

ООО «Издательство АСТ». Лицензия ПИМ № 01372. 366720, РИ, г. Назрань, ул. Фабричная, 3.

При участии ТОО «Харвест». Лицензия ЛВ № 729. 220034, Минск, ул. В. Хоружей, 21-102.

При участии МППО им. Я. Коласа. Лицензия ЛП № 82. 220005, Минск, ул. Красная, 23.

Минский ордена Трудового Красного Знамени полиграфкомбинат МППО им. Я. Коласа. 220005, Минск, ул. Красная, 23.

Качество печати соответствует качеству предоставленных издательством диапозитивов.

Незнанский Ф. Е.

Н44   Последний маршал: Роман.— М.: Олимп; ООО «Издательство АСТ», 1996.— 464 с.— (Марш Турецкого).

ISBN 5-7390 0263-X.

В течение одной ночи в Москве совершены два кровавых убийства. Погибли два друга-пенсионера, высокопоставленные в недавнем прошлом государственные чиновники. Одновременно близкая знакомая старшего следователя по особо важным делам Генпрокуратуры России Александра Борисовича Турецкого умоляет его найти пропавшего мужа — полковника ФСБ. Лишь высокое профессиональное мастерство и мужество позволяют «важняку» Турецкому и его друзьям, Меркулову и Грязнову, помочь женщине, а главное — предотвратить надвигающуюся на страну катастрофу.

Н 8820000000   ББК 84(2Рос-Рус)6